# L’ANGE DE GROZNY

DU MÊME AUTEUR

*Le Libraire de Kaboul*, Lattès, 2003.
*Dos au monde*, Lattès, 2005.

www.editions-jclattes.fr

Åsne Seierstad

# L'ANGE DE GROZNY

## Histoires de Tchétchénie

*Traduit du norvégien par Loup-Maëlle Besançon*

JC Lattès
17, rue Jacob 75006 Paris

Titre de l'édition originale
DE KRENKEDE. HISTORIER FRA TSJETSJENIA
publiée par J.W. Cappelens Forlag

Ce livre a été publié avec l'aide de Norwegian Literature Abroad (NORLA)

ISBN : 978-2-7096-3013-9

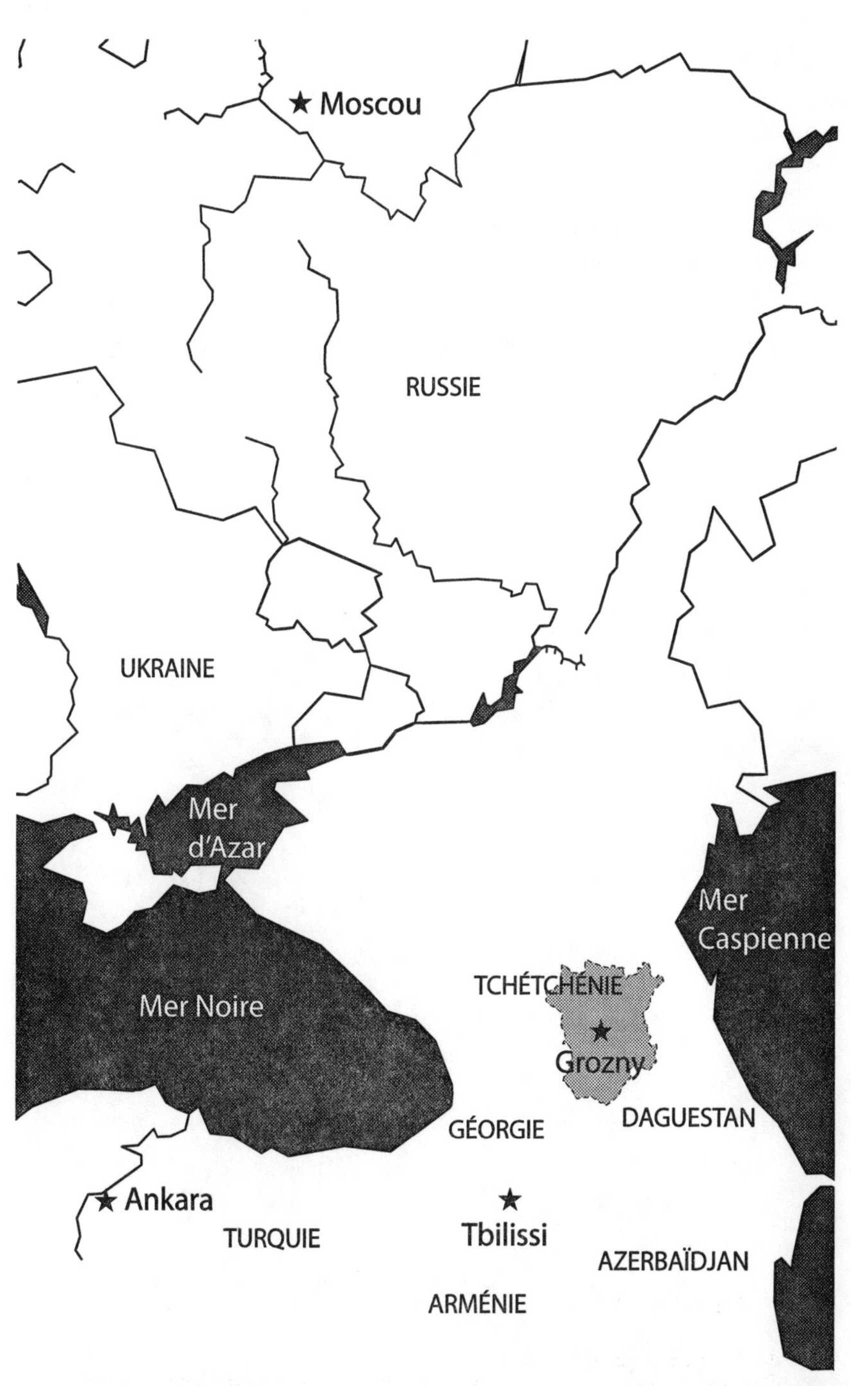
Moscou
RUSSIE
UKRAINE
Mer
d'Azar
Mer Noire
Mer
Caspienne
TCHÉTCHÉNIE
Grozny
DAGUESTAN
GÉORGIE
Ankara
TURQUIE
Tbilissi
AZERBAÏDJAN
ARMÉNIE

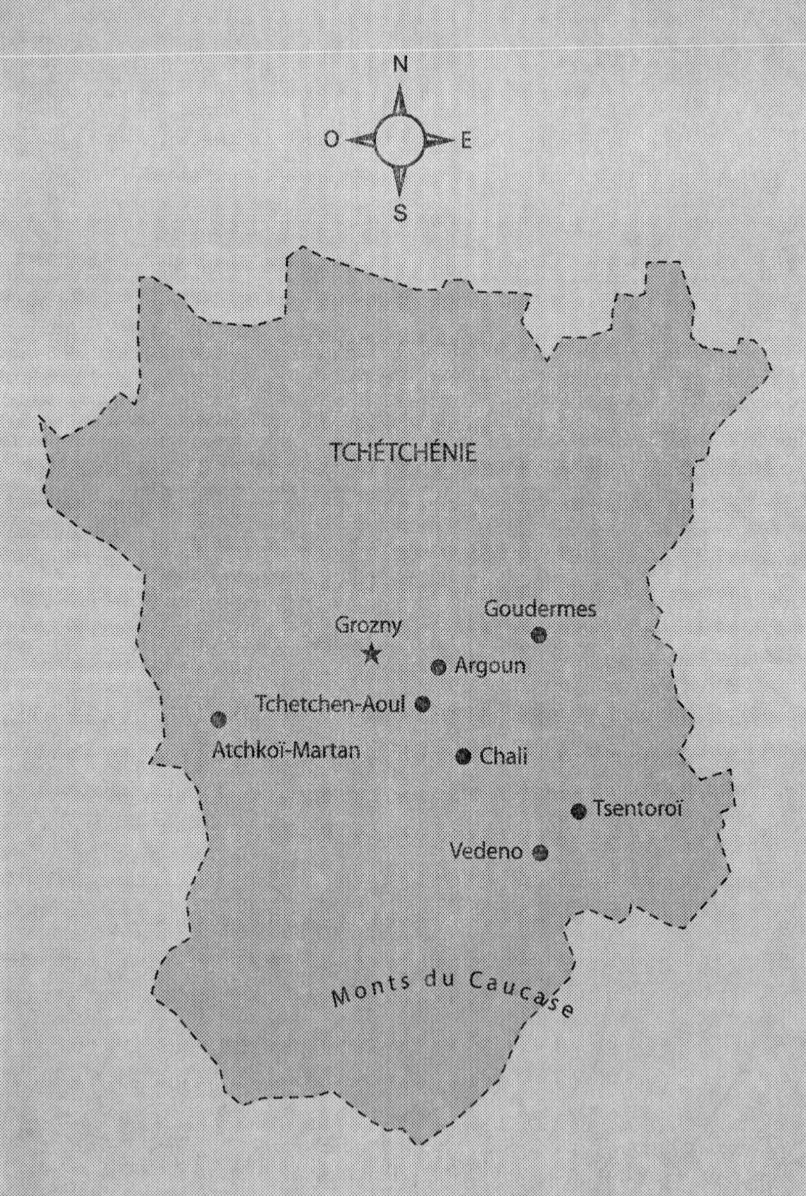
N
O
E
S
TCHÉTCHÉNIE
Goudermes
Grozny
Argoun
Tchetchen-Aoul
Atchkoï-Martan
Chali
Tsentoroï
Vedeno
Monts du Caucase

# Le jeune loup

Le sang coule dans la boue où il creuse d'étroites rigoles rouges. Le talus sombre se putréfie sous les déchets ; bientôt le sang sera absorbé et disparaîtra. Le crâne est fracassé, les membres inanimés. Plus aucun gémissement ne s'échappe de la gorge.

Des gouttes rouges ont éclaboussé son pantalon, mais il pourra les nettoyer à la rivière, en bas, là où le terrain est plat. La brique toujours dans la main, il se sent fort, invincible et calme. Il reste à regarder les yeux sans vie. Des gouttes de sang perlent encore et imprègnent la boue. Il donne un coup de pied dans le corps et descend au bord de l'eau. L'animal maigre sera bientôt mangé par d'autres chiens errants, puis par des vers, des mouches et de la vermine.

Une fois, il a noyé un chat dans un caniveau, mais il n'a pas éprouvé le même sentiment qu'en tuant les chiens. C'est surtout eux qu'il abat maintenant, et les pigeons aussi. Ils se massent au sommet des immeubles, et il les pourchasse de la cuisine au séjour, à la chambre, à la salle de bains, à travers les trous des murs abîmés où pendent de gros morceaux de béton. Les appartements sont comme des coquilles à moitié cassées, les pièces ne sont plus qu'une enfilade de tas de gravats et de poussière. Toutes les choses utilisables épargnées par les attaques ont été volées, mangées, se sont désagrégées. Ici et là, il reste un chiffon, un tabouret tordu, une étagère cassée.

Les immeubles se sont dressés comme des remparts dans la plaine quand les premiers missiles ont été dirigés sur la ville. Ceux qui la défendaient s'y sont retranchés ; on arrêtera l'invasion ici, pensaient-ils. Par un hiver long et glacial, les affrontements ont fait rage de quartier en quartier, de rue en rue, de maison en maison. Les combattants ont dû se replier hors de la ville, toujours plus loin, et abandonner toutes ces habitations désertées, telles des cibles fantomatiques pour les missiles russes. Dans certains immeubles, on peut encore lire les graffitis des insurgés sur les murs : *Svoboda ili Smert* – La liberté ou la mort !

Timour vit ici, au milieu des escaliers sans rampe, sur des paliers où un faux pas peut entraîner la chute ; dans des pièces où, à tout moment, le plafond peut s'effondrer sur lui, le sol se dérober sous ses pieds. Du haut des squelettes de béton, à travers les fentes d'un mur, il observe les gens dans la rue. Quand il a faim, il effraie les pigeons qui s'enfuient, paniqués. Il les poursuit, les entraîne jusque dans un coin et choisit la victime. La plus grosse. Il la tient fermement entre ses jambes et, d'un geste expert, lui tord le cou. Il arrache la tête de l'oiseau et le retourne rapidement afin qu'il se vide de son sang. Alors il le plume, y plante un bâton et le fait griller sur le feu qu'il allume à l'étage où le toit a volé en éclats dans une explosion. Parfois il en fait cuire deux.

Des tas de poubelles près de la rivière il exhume des tomates à moitié pourries, des restes de fruits, des bouts de pain. Il fouille sur le dessus, car les déchets sont vite recouverts de saleté et de poussière et, quand la pluie tombe, ils se mélangent aux morceaux de verre, de fer-blanc et aux vieux sacs plastique. La décharge est un endroit mort. Ce n'est que là-haut, sur la route qui domine la pente raide, qu'il y a du mouvement. Des gens, des voitures, du bruit. Quand il est en bas, au milieu du terrain en décomposition, il est à l'abri de cette vie – la rue, l'activité humaine. Comme sous les toits, presque dans le ciel, où il est à l'abri du monde à ses pieds.

Vif comme un écureuil, glissant comme une anguille, souple comme un renard, des yeux de corbeau et un cœur de loup, il casse tout ce qui lui tombe sous la main. Il a un corps aux os saillants, il est fort, nerveux, et toujours affamé. Des cheveux blond sale tombent devant ses yeux verts. Le visage, aux traits vifs et beaux, est perturbé par ce regard qui se promène partout, nerveux, fuyant, sur la défensive.

Il sait bien donner les coups de pied. Le meilleur, il le décoche en arrière ; il fait mine d'attaquer avec les poings, se retourne à la vitesse de l'éclair et allonge la jambe, haut, fort, le pied tendu. Il s'y exerce là-haut, dans l'immeuble, en frappant un ennemi imaginaire. À la ceinture il porte un couteau, son autre arme avec les briques. Sa vie est un combat sans règles. Il est trop lâche pour être un bon pickpocket. Il y a en fait une chose qu'il redoute : qu'on lui casse la figure. Il ne s'attaque donc qu'à plus faible que lui. Quand la nuit commence à tomber, il guette les petits qui mendient au bazar ou près du pont sur la Sounja et, sous la menace, il leur prend les sous qu'ils ont récoltés dans la journée. Il roue de coups ceux qui protestent ou tentent de lui échapper, et il tape fort. Il abandonne les malheureux en pleurs. Le jeune carnassier disparaît dans l'obscurité.

L'hiver touche à sa fin et le petit loup aura bientôt douze ans.

Il a quelques mois quand, fin 1994, il entend pour la première fois le fracas des bombes. Le premier hiver de la guerre, il le passe dans une cave sombre, emmailloté sur les genoux de sa mère ; les bruits qui pénètrent dans ses oreilles sont ses premiers souvenirs. Avant même de savoir marcher, il voit des gens chanceler, tomber, rester à terre. Son père s'engage dans la résistance.

Timour a un an quand celui-ci est tué dans une attaque au missile à Bamout, dans les montagnes du Sud. Une fois seule, sa mère l'emmène dans un fichu chez les parents de son mari. Quelques années plus tard elle disparaît, elle aussi.

Timour grandit chez ses grands-parents, à la campagne. Pendant quelques années il règne une certaine paix, puis la guerre éclate de nouveau, plus violente cette fois, plus sanglante. Timour a alors cinq ans. Un an après le début de cette deuxième guerre, il commence l'école, mais les cours sont sans cesse interrompus par les missiles. Les attaques sont tellement rapprochées qu'ils vivent à la cave pendant des mois. Un soir de printemps lumineux, alors qu'ils sont assis dans l'obscurité humide, la maison du voisin est touchée. Le calme revenu, Timour jette un coup d'œil dehors et voit quelque chose passer la porte en roulant : la tête du voisin descend le chemin en rebondissant tranquillement.

Les grands-parents de Timour meurent quand il est en CE1. Durant l'enterrement, on décide de l'envoyer chez Omar, le frère de son père, qui a environ vingt-cinq ans. Liana, d'un an son aînée, ira aussi là-bas. Ils ont le même père mais des mères différentes. Tous deux ignoraient l'existence de l'autre.

Ils emménagent dans le une-pièce de l'oncle, dans un immeuble détruit par les bombes, à Grozny, dans le quartier de Zavodskoï. Le soir, Omar s'attable avec une bouteille et ordonne aux enfants de sept et huit ans de dormir sur le sol sale de la cuisine. Le frère et la sœur, allongés l'un à côté de l'autre, écoutent les bruits de l'immeuble en ruine.

Le lendemain, l'oncle leur intime de sortir : s'ils ne ramènent pas suffisamment d'argent, ce sera les coups.

Ce qui arrivera fréquemment. L'oncle utilise un câble électrique dénudé. Il ne reste un petit morceau de plastique qu'à l'endroit qui lui sert de poignée quand il frappe. Il chauffe le métal à blanc au-dessus du poêle, puis fouette leurs dos nus, sans relâche, alors qu'ils sont allongés côte à côte par terre, les genoux repliés sous le ventre.

Ils apprennent vite.

Liana s'exerce à l'art d'interpréter le regard des gens et leurs mouvements afin de saisir leurs moments d'inattention. Elle glisse alors ses petites mains dans les sacs et les poches. Sous un air angélique, elle écume les marchés et les rues. Comme son demi-frère, elle a une peau de craie, presque diaphane, et des yeux vert clair qui vous transpercent la nuque, le dos, le sac et les poches. Le regard est détaché, ombré par une sorte de voile. Il ne vous happe pas comme celui de Timour.

Le frère et la sœur acquièrent l'agilité des enfants des rues, mais cette vie influe différemment sur leur apparence. Plus Liana vole avec audace, plus elle semble angélique : les gens ne voient que les grands yeux d'enfant et un corps efflanqué. Timour, lui, se voûte et son regard devient noir, fuyant. Malgré son air de voyou, il préfère collecter les briques des maisons en ruine plutôt que risquer d'être arrêté. Sur les chantiers, on lui donne deux roubles – cinq centimes d'euros – pour chaque brique. Le travail est dur, car on ne les trouve pas par terre ; elles sont intégrées à des murs, des portes, des encadrements, des bordures. Il faut en abattre des morceaux avec une masse avant d'en gratter le crépi, le ciment ou le béton. Alors seulement, on peut en tirer quelque chose. Il doit se battre pour les meilleurs emplacements, car ils sont nombreux à essayer de gagner de l'argent ainsi : il s'agit aussi bien d'adultes ayant une famille à nourrir que d'enfants comme lui. Pour réussir à manipuler les gros morceaux, les plus jeunes opèrent en groupe ; les plus petits, qui grattent le crépi, n'ont que six ou sept ans. Timour, courbé, pioche ; il doit parfois se mettre à genoux tellement il est épuisé. Quand il nettoie les briques dans cette position, les os pointent à travers son fond de pantalon.

C'est dans le quartier Zavodskoï – « la ville-usine » – que se trouvent les grandes industries. Les raffineries de pétrole furent parmi les plus importantes de l'Union soviétique. Elles ne sont plus désormais que des catastrophes chimiques qui fuient, et nombre d'entre elles sont jonchées de mines. Timour a appris à y faire attention ainsi qu'aux munitions non explosées. Il préfère courir ce risque plutôt que recevoir une autre rouste au cuivre chauffé à blanc. Outre les briques, il récupère tout ce qui est en métal : le fer des armatures, les câbles, l'aluminium. Il en touche deux roubles le kilo. Un matin, une plaque tombe et lui entaille le pied. La blessure, profonde, lui fait mal, elle suppure ; elle se transforme en cicatrice violette douloureuse. Tout l'été il se déplace en boitant, la masse dans une main, le couteau à la ceinture et le regard encore plus menaçant.

Mais quand il est couché à côté de sa demi-sœur sur le sol froid de la cuisine et qu'il entend l'oncle ronfler dans l'autre pièce, il est comme un nœud. Il pense à une vie où il n'aurait pas à avoir peur. Cela lui effleure l'esprit qu'Omar, qui gît ivre mort, est une proie facile ; une brique cachée dans la main, *paf !* dans la tête, un couteau, *psit* ! sur la gorge, et... La pensée finit toujours en cauchemar : l'oncle se réveille, saisit la main qui tient le couteau et le retourne contre Timour.

Dans l'appartement d'à côté, un autre homme vit avec de jeunes parents orphelins. Lui et l'oncle se retrouvent souvent pour boire. Ils vont parfois dans la rue chercher Timour et Naïd, le neveu du voisin qui a deux ans de moins, et leur ordonnent de se battre. Celui qui perd est frappé. Les deux alcooliques poussent des cris et les interpellent pendant le combat. Naïd est plus petit et encore plus mince que Timour, généralement c'est lui qui est roué de coups par les deux hommes : la punition pour avoir perdu. Comme Timour, le petit voisin grandit avec des brûlures dans le dos et derrière les cuisses. Quelquefois, la voisine intervient, injurie les deux hommes pour tout ce raffut et menace de les dénoncer à la police. Timour espère qu'elle va le faire, mais non.

À cette époque, Grozny est en ruine. Il y a des avions de chasse dans le ciel, des chars dans les rues et des pluies de balles la nuit. Beaucoup d'habitants ont fui, ceux qui le pouvaient sont partis, d'autres s'accrochent, ils n'ont pas d'autres endroits où aller et survivent à grand-peine dans le chaos. Peu de gens prêtent attention aux enfants.

Timour maniant de mieux en mieux la masse, il peut grappiller quelques sous. À dix ans, pour la première fois, il achète de la bière et un paquet de cigarettes. Il pense que s'il boit, il sera plus fort, car l'oncle tape plus fort quand il est soûl. Timour ingurgite l'alcool et cherche quelqu'un à frapper. Mais tout ce qu'il ressent, c'est un étourdissement. Il n'est pas plus fort, il se sent encore plus misérable et encore plus seul, c'est tout.

Le pire, c'est le crépuscule. Chaque après-midi, juste avant que la nuit commence à tomber, l'oncle le jette dehors, alors que sa sœur doit rester à la maison. Timour n'a pas le droit de rentrer tant que tous les rayons du soleil n'ont pas complètement décliné.

Un après-midi, une fois la porte verrouillée derrière lui, il traîne et descend jusqu'à la rivière où il reste à jeter des cailloux dans l'eau. Le soleil se couche et une lumière rose se pose sur le toit des maisons ; elle lui pique les yeux. Les pierres forment des ronds, l'une après l'autre, avant que l'eau ondulante ne continue lentement son chemin vers le pont. Il suit les cercles du regard jusqu'à ce qu'il commence à frissonner. La lumière chaude a soudain disparu, la ville est redevenue grise. Quelques chiens errent au milieu des déchets sur la rive. Il jette un coup d'œil autour de lui, prend une grosse pierre dans le tas d'ordures et siffle l'un d'entre eux. Il se penche, claque la langue et l'appâte avec les doigts comme s'il avait quelque chose à lui offrir. Quand le chien arrive tout contre lui, il lève la main droite qui tient la brique et lui frappe le crâne de toutes ses forces. L'animal hurle et s'effondre. Timour saisit alors la pierre tranchante à deux mains et cogne. Ces cabots sont des créatures misérables, squelettiques, faibles et tremblantes. Les chiens affamés ne sont pas dangereux. Ce sont ceux qui n'ont plus faim, les bien nourris, qui mordent.

Il reste assis sur la berge. Les pierres sont glaciales. Le froid est mordant et l'humidité pénètre ses vêtements. Il s'apprête à se lever pour rentrer, mais se laisse retomber. La pensée de l'oncle, de l'appartement puant et des sanglots de sa sœur, lui est insupportable. Il décide de ne plus jamais y retourner.

Quand il fait noir, il se couche dans de gros tubes un peu plus loin sur la rive. Ils constituent une sorte d'abri, mais dans la nuit, transi par le froid, il tremble aux hurlements des chiens sauvages. Ces bêtes qu'il est si simple de tuer en plein jour deviennent des loups bavant dans l'obscurité.

La nuit, ils sont les plus forts.

Le petit tueur de chiens habite en Russie. Il est né en Russie, parle le russe et a l'air d'un Russe, avec ses yeux pâles et ses cheveux blonds. Durant le peu de temps qu'il a passé sur les bancs de l'école, il a appris l'alphabet cyrillique, comme les enfants de Sibérie, a ressassé les mêmes poèmes de Pouchkine que les enfants de Saint-Pétersbourg et a eu les mêmes cours d'histoire que les élèves vivant sur les bords de la Volga. Il représente une personne dans la population russe en baisse, une personne sur les quelque cent cinquante millions d'habitants. S'il devait y avoir un recensement national, et si quelqu'un le trouvait, là, dans la boue, il serait dénombré comme un citoyen du vaste pays. Mais de toute sa vie, aucun État n'a souhaité le compter, encore moins prendre soin de lui. On ne s'est jamais soucié de ce qu'il a perdu – ses parents, son enfance, sa scolarité – ni de ce qu'il n'a jamais eu – de l'attention, une éducation, la sécurité – à cause d'une guerre lancée par cet État fantôme.

Timour n'est pas de ceux que, globalement, les Russes appelleraient « un des nôtres ». Les garçons comme lui, en revanche, constituent un problème. Ils sont une menace pour le vrai citoyen, le vrai Russe. Il existe deux termes pour dire que l'on est russe. Le premier, *rossiyanin*, désigne un citoyen russe ; le deuxième *rousskiï*, renvoie à l'ethnie. Seuls les Slaves sont *rousskiï* – « un des nôtres ». Quand le président Vladimir Poutine s'adresse au peuple, il utilise bien sûr le mot *rossiyanin*, qui englobe tous les citoyens, qu'ils soient orthodoxes, musulmans, bouddhistes ou juifs. Timour est *rossiyanin*, mais pas *rousskiï*. Il est citoyen de Russie, mais pas russe. Timour est tchétchène. Outre le russe, il parle sa langue maternelle, le tchétchène, mais il n'a jamais appris à l'écrire. Il connaît sa culture à travers les légendes et les mythes, mais n'en a jamais appris l'histoire. Il sait qu'il est musulman, mais n'a jamais appris à prier. Il sait qu'il va se battre, mais ne sait pas contre qui.

Un recensement serait éloquent. En 1989, les statistiques soviétiques indiquaient que les Tchétchènes venaient d'atteindre le million. Depuis le début des guerres, qui ont commencé cinq ans plus tard, environ cent mille d'entre eux sont morts ou ont disparu.

Parmi ces morts, il y a des milliers d'enfants. On peut difficilement les qualifier de bandits ou de terroristes, comme les autorités appellent ceux qui résistent. Pas encore, en tout cas. Mais si on demande à Timour ce qu'il veut être quand il sera grand, il répond combattant. Il veut remplacer le couteau par une kalachnikov. Il veut se battre, se défendre bec et ongles. Il veut remplacer les chiens par les Russes. Il veut que les gens aient peur de lui. Voilà ce qu'il veut, avant tout.

On peut toujours essayer de compter les morts et les estropiés et ne pas être d'accord sur les chiffres. Mais comment comptabilise-t-on le fait de perdre une jambe, un bras, la vue, l'ouïe, le fait de devenir infirme ?

Où les enfances brisées sont-elles répertoriées ?

De 1994 à aujourd'hui, selon l'Unicef, vingt-cinq mille enfants en Tchétchénie auraient perdu un ou deux parents. Certains vivent dans des cartons, d'autres dans des immeubles bombardés, ou dans un tube sur la berge d'une rivière.

Le tapis noir glaçant se referme sur lui. La nuit mord. Est-ce des loups ou des chiens qui hurlent ? Des chacals peut-être ? Il essaie de rester éveillé, car il craint que, dans son sommeil, les animaux sauvages ne fassent qu'une bouchée de lui. Quand les premiers traits de lumière filtrent à travers ses paupières, il se glisse dehors, tremblant de froid. Il commence à ramasser des planches et des cartons pour se faire une cabane. Le soleil n'est pas encore levé qu'il a déjà construit un petit abri en tubes de béton au bord de la rivière. Il ne le protégera pas du froid la nuit, mais il espère qu'il lui sera utile contre les chiens.

Il tente d'imaginer qu'il est un loup, un loup impitoyable, un loup rapide aux dents acérées, mais le jeu ne le réchauffe pas et il renonce. Par la suite, Timour s'installe dans un camp tsigane. Il paie quelques roubles pour dormir dans leurs abris de fortune et s'asseoir autour du feu, tandis qu'il rêve à une place dans la meute, la vraie. Celle des combattants, les héros, ceux qui de leurs bases dans les montagnes attaquent les Russes, torpillent leurs blindés. Il veut rejoindre les sommets enneigés. Il veut combattre comme les loups qui, avant lui, comme son grand-père lui a raconté, se sont battus pendant trois cents ans.

Même s'il s'endurcit, les pensées douloureuses le hantent. Il a laissé tomber sa demi-sœur, seule chez l'oncle. Il imagine la scène, comment il va la libérer, comment il va s'introduire dans l'appartement de l'oncle ivre mort, le menacer d'un couteau et la sauver.

Il tue un chien à la place, il donne des coups de pied dans un corps, un de plus. Il se shoote, sniffe de la colle. Il se trouve pris dans une bagarre avec des garçons tsiganes et il est expulsé du camp itinérant.

De nouveau il dort seul près de la rivière, entouré de cabots faméliques. Des bêtes qu'il peut tuer à tout moment. « Ils sont tellement craintifs », faibles, dit-il avec mépris, ils ont oublié qu'ils sont des loups en réalité.

# ... étreint son poignard

Si je ne me souviens pas de la première fois où j'ai entendu parler de la Tchétchénie, je me rappelle la première fois où j'ai dû l'orthographier.

La télévision russe, les premiers jours de janvier 1995 : des rues pleines de corps distordus ; des restes noirs, calcinés, qui ont été un jour des êtres humains. Des cadavres d'enfants gelés sur le sol. De sombres taches de sang dans la neige. La panique dans une ville couverte de givre. Au milieu de tout cela, un tank brûlé et une silhouette en forme d'étoile : un soldat russe – comme une statue de cuivre noircie sur le toit d'un char –, une main agrippée au canon, l'autre tendue. C'est dans cette position que la chaleur intense l'a soudé au métal, l'a carbonisé, au moment où le véhicule qu'il conduisait a pris feu. Il est mort comme ça, debout dans sa fuite.

Dans toute la Russie, les gens sont médusés devant leur poste de télévision.

Dans l'état-major russe, c'est la gueule de bois.

Que s'était-il donc passé ?

Le 10 décembre 1994, Boris Eltsine est hospitalisé pour une opération du nez. Le lendemain, quarante mille soldats russes roulent dans les plaines enneigées et franchissent la frontière de la Tchétchénie, la république qui a proclamé son indépendance trois ans plus tôt. Le président étant au bloc, il ne se manifeste pas, mais la veille il a réussi à faire voter au Conseil de sécurité russe « le désarmement de bandes illégalement armées ». Puis il a sombré dans l'anesthésie générale et son fidèle ministre de la Défense, Pavel Gratchev, a pris les choses en main.

Durant deux semaines, les forces russes ont mené diverses attaques pour que le président tchétchène, l'ancien général soviétique Djokhar Doudaev, cède. Mais ces actions ne l'ont rendu que plus déterminé, et l'assaut contre Grozny est lancé au petit matin du jour de l'an. Pavel Gratchev, qui a fêté ses quarante-quatre ans la veille, a déclaré qu'« il suffisait d'un seul régiment de parachutistes pour résoudre tous les problèmes en deux heures ». Au terme des premières vingt-quatre heures, plus de mille soldats russes ont été tués.

Tranquillement, sans qu'aucun coup de feu ne soit tiré, les chars ont avancé en glissant sur leurs chenilles lentes. Ils n'ont pas reçu l'ordre d'attaquer, seulement de « prendre la ville ». Ils ont traversé les faubourgs sans se heurter à la moindre résistance, et ils n'en ont pas rencontré davantage dans les cités à l'entrée de Grozny. Ils ont avancé en lourdes colonnes jusqu'au cœur de la ville. C'est là qu'a eu lieu la contre-attaque. Les Tchétchènes se tenaient prêts dans la forêt d'immeubles de Grozny. Ils ont mis le feu aux chars. Les soldats ont fui les flammes pour être abattus, les uns après les autres, en bondissant hors de leur véhicule. Ceux qui se sont réfugiés dans les maisons ont été tués dans les cages d'escalier où les défenseurs de la ville les attendaient, armés de couteaux, d'épées et de *kindjal* – des poignards.

Comment l'armée russe a-t-elle pu subir une telle humiliation ? Qu'ont fait les services de renseignements ? Le ministre de la Défense en personne a dit qu'il y avait des dizaines de milliers de bandits dans la république. Ces bandits qu'il appelle des séparatistes. A-t-il cru qu'ils fuiraient en voyant les chars ?

On apprendra par la suite, de sources militaires haut placées, que l'ordre d'attaquer Grozny le jour de l'an a été quasiment donné sur un coup de tête, lors d'une beuverie à la base militaire de Mozdok. L'opération est baptisée : « Un assaut d'anniversaire ». Les soldats ont été envoyés sans carte, sans ordre concret, sans savoir où ils allaient et les conducteurs de chars ont reçu pour seule instruction de « suivre celui de devant ». La plupart d'entre eux n'ont jamais tenu une arme. S'ils l'ont fait, c'était généralement allongés par terre lors d'exercices de tir à la cible. Aucun n'a été formé au combat en ville, le plus difficile de tous les champs de bataille. Les forces russes en sont encore à une stratégie de guerre froide basée sur l'arme atomique. Les tanks sont généralement vieux, sans matériel de communication ni blindage contre les antichars. Il suffit aux Tchétchènes de lâcher leurs grenades du haut des immeubles ; les munitions et le carburant, qui explosent dans les véhicules, font le reste.

Au cœur des combats les plus durs, les vœux préenregistrés du président sont diffusés. Devant le drapeau tricolore, Boris Eltsine félicite les uns et les autres. Lorsqu'il en arrive aux forces armées, il débite mollement : « Quand vous risquez votre vie, même le soir du nouvel an, souvenez-vous que vous servez la Russie, que vous défendez la Russie et les Russes. »

Ceux à qui ces paroles sont destinées ne les entendront jamais.

Lioudmila et Aleksander – le couple russe qui me loge – et moi-même sommes sous le choc devant la télévision de l'appartement près de la gare de Biélorussie à Moscou. Nous sommes témoins d'une catastrophe humiliante pour l'armée russe. Une catastrophe qui se déroule à l'écran dans toute son horreur. Cela correspond à la courte période des années 1990 durant laquelle les médias russes sont libres de déterminer les informations diffusées dans leurs émissions. Les images montrent des tanks brûlés tous les dix mètres, des corps calcinés, figés, des membres accrochés dans les arbres.

Comment la plus grande armée du monde a-t-elle pu commettre des erreurs aussi élémentaires ? Des tanks non couverts par l'infanterie dans une ville grouillant de tireurs d'élite. « Les chars sont peut-être les maîtres dans une plaine, mais ils sont aveugles en ville », avait déclaré Gratchev lui-même.

L'assaut raté pourrait être directement extrait des livres de John Baddeley, qui décrit les guerres du Caucase des XVIIe et XVIIIe siècles ainsi :

*Le résultat fut celui escompté. Le centre fut séparé de l'avant-garde, l'arrière du centre et l'ennemi s'est engouffré au milieu, tirant de toutes les positions, de derrière chaque tronc d'arbre, même des branches, car les hêtres gigantesques abritaient de nombreux tireurs tchétchènes embusqués qui, partout où la confusion régnait, accouraient pour terminer à l'épée ou au kindjal.*

J'ai vingt-quatre ans et je fais mes débuts dans le journalisme. Je loue une petite chambre à une famille moscovite qui a trois enfants. Mon budget de free-lance ne me permet rien d'autre et pour couvrir mes frais, je travaille aussi comme interprète. Durant cette année à tâtons, j'ai envoyé des articles au journal *Arbeiderbladet*, des histoires sans queue ni tête, remaniées de façon cohérente par un rédacteur du service étranger compréhensif. Heureusement pour moi, Øyvind Johnsen pense qu'il est plus facile d'apprendre le journalisme à une personne parlant le russe, que le russe à un journaliste. Il s'est lancé corps et âme dans cette mission, faisant preuve de beaucoup de pédagogie, et progressivement j'ai pu compléter mes articles avec les chapeaux, les titres et les intertitres. Je sillonne Moscou, ses avenues, ses places et ses ruelles, et je parcours les steppes russes en train chauffé au charbon.

Mais désormais, une vieille télé en noir et blanc, à laquelle nous devons sans arrêt donner un coup pour obtenir une image nette, est notre seule source d'information sur cette guerre. Je n'y arrive pas. Je dois écrire des articles sur l'enfer d'un lieu que je peux à peine orthographier.

Une fois *Tché*, puis encore un *tché*, et *nie*.

Peu à peu je l'ai dans les doigts. De plus en plus souvent cet hiver-là, je dois écrire sur cet endroit où je n'ai jamais mis les pieds, où je n'ai même jamais eu envie d'aller. Je prends fébrilement des notes devant la télé de l'appartement humide au numéro sept, maison quatorze, au début de la perspective Leningrad. Un soir, après l'émission, Lioudmila commence à réciter un poème :

*Sur le roc le Terek traîne*
*Un flot trouble et noir,*
*Sur la rive le Tchétchène*
Je la coupe :
*Étreint son poignard.*

Ça, je connais ! Les strophes sont ancrées dans ma mémoire depuis l'époque où j'ai étudié la poésie russe dans les tours de l'université de Blindern à Oslo. Leur auteur est Mikhaïl Lermontov, le rebelle envoyé en exil dans le Caucase dans les années 1830 après avoir écrit un article sur la mort de Pouchkine, où il critiquait le régime. Comme *Un héros de notre temps,* l'œuvre principale de Lermontov, ce poème est inspiré par le Caucase. Il parle des mères cosaques qui bercent leurs nourrissons et les endorment en leur racontant des histoires terrifiantes sur les vilains Tchétchènes. « Sois prêt, mon petit, ils menacent. » De la même façon, les mères tchétchènes inculquent à leurs enfants la méchanceté de l'ennemi et les éduquent pour qu'ils deviennent de vrais guerriers : « Prends les armes, mon petit. » Malheureusement, le rythme disparaît dans ma traduction littérale :

*Ton père est un guerrier éternel*
*Endurci au combat*
*Dors, mon petit, dors en paix*
*Dors maintenant, dors*

*Tu vivras le temps*
*Où toi-même tu partiras à la guerre*
*Où courageusement tu attacheras tes étriers*
*Et prendras ton arme*

« L'histoire se répète », constate Lioudmila en soupirant lourdement. « Aïe, aïe, aïe », gémit-elle en ayant autant pitié des enfants tchétchènes et de leur mère que des pauvres soldats adolescents de la *gloubinka* – la Russie profonde – envoyés directement à la mort. « Eltsine, cet ivrogne ! » tempête-t-elle.

La rédaction du service étranger d'*Arbeiderbladet* m'appelle et me demande d'expliquer l'histoire du conflit dans le Caucase. Les montagnards qui ne se sont jamais rendus. *Ton père est un guerrier éternel.* Trois siècles à combattre l'Empire russe. *Où toi-même tu partiras à la guerre.* La lutte pour préserver leurs traditions. *Étreint son poignard.* Nouvelle révolte. *Et prendras ton arme.*

Le décalage de l'information dans les médias est de plus en plus flagrant. Sur la chaîne 1, les Russes remportent victorieusement toutes les batailles et progressent à grands pas, tandis que la chaîne indépendante NTV montre l'horreur de la guerre des deux côtés. Les journaux se contredisent, les politiciens aussi. Comme free-lance dans un quotidien au budget limité, je n'ai pas accès aux grandes agences de presse. À l'époque, il ne suffit pas de se connecter à Internet pour y lire les dernières dépêches. Je tâtonne à l'aveuglette, j'émets beaucoup de réserves dans mes articles et je me sens limitée. Je ne suis absolument pas en mesure d'écrire correctement sur la guerre, et une pensée troublante germe dans mon esprit.

« Vous auriez une place dans un avion pour Grozny ? »

J'ai en face de moi un type grassouillet en uniforme vert, le visage et le cou dégoulinants de sueur. Il m'examine d'un regard sceptique sous des sourcils blonds broussailleux.

« Alors comme ça vous voulez aller à la guerre ? »

L'homme n'est pas spécialement aimable, mais pas non plus hostile.

« J'aimerais bien voir par moi-même. »

L'officier légèrement indolent demande :

« Êtes-vous bien sûre que ce soit quelque chose pour vous ? »

Un lustre, où seules deux ampoules fonctionnent, est suspendu au-dessus de l'homme en uniforme. Elles sont superflues de toute façon ; le soleil à l'extérieur lance de longs rayons à travers les fenêtres poussiéreuses du bâtiment aux murs épais d'une teinte cireuse, celle que l'on retrouve dans tous les ministères russes. Nous ne sommes que début mai, mais une vague de chaleur soudaine s'est abattue sur la capitale russe, elle distille dans la ville l'odeur enivrante des fleurs et les arbres ont verdi en une nuit. J'inspire profondément, en quête d'une bouffée d'air frais, mais l'atmosphère dans ce couloir est aussi étouffante que la couleur des murs.

« Mouais, non... je verrai bien sur place. »

Nous sommes dans le hall moquetté du ministère de la Défense. L'officier pose sur moi un regard distrait et condescendant, puis il parle et donne l'impression de tenir les propos qui vont suivre sans penser à ce qu'il dit.

« La guerre n'est pas pour les jeunes femmes. Pourquoi n'écrivez-vous pas plutôt sur un sujet féminin, les vêtements, la mode de ce printemps ?

— Les vêtements ne m'intéressent absolument pas. »

L'officer passe une main humide sur son front et soupire. C'est bientôt l'heure du déjeuner.

« Je vous conseillerais de ne pas y aller. »

Il regarde l'heure.

« Je vous aurai prévenue. »

Il disparaît dans le couloir. Je reste là où il m'a quittée, inquiète, un peu désemparée.

Un matin, cela m'est apparu comme une évidence : je dois partir. Je dois voir de mes propres yeux. J'ai écarté l'idée aussi vite qu'elle m'était venue. Je ne pouvais pas m'imaginer dans une guerre. Qui le peut ? La guerre est ailleurs, pas là où on se trouve. Pas là où on doit se trouver. Moscou était devenu un brouillard dans lequel il était impossible de s'orienter. Quand le *j'y vais, j'y vais pas, j'y vais, j'y vais pas* s'est transformé en *j'y vais*, la question suivante s'est imposée d'elle-même : comment rejoint-on une guerre ? On ne part pas comme ça. Les vols civils sont suspendus, les trains aussi, les routes sont fermées. Dans ma cave humide chez Lioudmila et Aleksander, sur la perspective Leningrad, je n'ai personne à qui demander. Il y a sûrement des gens qui prennent l'avion, ceux qui doivent aller se battre en Tchétchénie : les soldats, les officiers, les généraux. Peut-être pourront-ils m'emmener ?

L'homme en vert réapparaît dans le couloir. Il tient un papier à la main. Sur une feuille de brouillon grise quelques chiffres sont griffonnés au crayon mal taillé : le récapitulatif des avions qui transportent l'armée vers Grozny.

« Vous pouvez vous présenter à l'aéroport militaire de Domodedovo à 5 heures mercredi matin. »

Une fois encore, il essuie la sueur sur son front et tourne les talons. Après quelques pas, il pivote à moitié vers moi.

« Mais je préférerais que l'avion parte sans vous. »

Deux jours plus tard, quelque part sur la route de Domodedovo, une nuit claire s'achève sur un magnifique lever de soleil. Seul le chauffeur pénible qui rouspète perturbe cette vue subjugante.

« La guerre ? Qu'est-ce que vous allez faire là-bas ? En quoi ça vous regarde ? Ça vaut vraiment le coup de risquer sa vie pour ça ? »

Je descends de voiture dans une matinée d'été cristalline. Le terminal se trouve au cœur d'une forêt de bouleaux. Un sentier longeant le ruisseau part de la place devant le bâtiment, le sol est recouvert d'un idyllique tapis d'anémones des bois qui courent jusqu'à des petites palissades de guinguois. À un comptoir de l'aéroport, on me confirme que je suis bien inscrite sur la liste des passagers de l'avion militaire. Qui a dit que la Russie était bureaucratique ? On m'indique un banc en bois contre le mur ; je préfère sortir et suivre le petit sentier au bord du ruisseau. Derrière les portails de travers, à moitié dissimulées par un feuillage vert clair, se trouvent des maisonnettes de bois aux faîtages décorés et aux fenêtres sculptées, dont les rideaux de dentelle flottent au vent. Les carottes et les choux commencent à apparaître dans les jardins. Les maisons écaillées qui ont perdu leur éclat révèlent dans un chatoiement de couleurs les différentes teintes dont elles ont été peintes au fil des années. Comme dans la plupart des villages russes, les habitants sont âgés. Des femmes voûtées piochent la terre, des hommes aux cheveux gris jettent des coups d'œil par les minuscules fenêtres. Quelques paysannes sur un banc les mains sur leur canne, les bouleaux bourgeonnants, les troncs blancs, le ruisseau qui coule lentement et l'attente qu'éveillent toujours en moi les anémones des bois : ce sont les dernières images que j'emporte de Moscou.

Les soldats et moi montons nos sacs à bord. Quand Lioudmila a compris qu'elle ne réussirait pas à me convaincre de renoncer à ce voyage – « Vais-je encore avoir une raison de plus de m'inquiéter ? Ils tirent sur tout ce qui bouge ! » –, elle m'a préparé un énorme pique-nique constitué de pain noir – « Le pain au levain se conserve plus longtemps » –, d'un pot de tomates confites au sel – « Tu as besoin de vitamines » –, d'eau – « Là-bas, elle peut être empoisonnée » – et d'un thermos de thé ; elle m'a également donné des vêtements chauds.

« C'est l'été, Liouda ! » – et un châle à fleurs de plus.

« Tu vas dans les montagnes, Åsnitchka ! »

Je suis assise au milieu des soldats ; quand je me retourne, je découvre une centaine de visages jeunes, très jeunes : des recrues de dix-huit ans. Ceux côté fenêtre sont collés à la vitre, la plupart n'ont jamais pris l'avion, et ceux qui ont le siège du milieu se penchent au-dessus de leurs camarades ou regardent droit devant eux. Les garçons semblent pâles et minces dans leur uniforme, tout juste sortis de chez eux pour être envoyés à la guerre. Ils viennent compléter les effectifs. Des milliers de leurs pairs ont déjà été tués par des snipers postés sur les toits de Grozny, dans des embuscades en montagne ou par les leurs dans la confusion des premiers temps. Le soldat à côté de moi a les cheveux blonds, presque blancs, et des joues rouges ; son long cou fin se tend au-dessus de son voisin pour voir dehors. Je peux encore faire demi-tour. Lui non.

Une fois que nous avons décollé, un officier apparaît derrière le rideau. Il m'invite, ou plus exactement il m'enjoint, à le suivre à l'avant de l'avion, où les rangées de sièges sont remplacées par des petites tables entourées de fauteuils confortables, un vrai petit salon. On m'offre un verre de vodka bien rempli, du pain complet et des cornichons. Il est à peine 7 heures.

Les garçons de ce côté du rideau ont déjà fait la guerre et vont écraser ces salauds, réduire à néant ces bandits, faire de la chair à pâté de ces sauvages ; oui, car ce sont des sauvages, m'expliquent-ils, ils coupent la tête des gens, les oreilles, le nez, les doigts. On ne peut pas leur faire confiance, ils vous tirent dans le dos, ils vous trompent, ce sont des traîtres ces montagnards, ils l'ont toujours été. *Sur la rive le Tchétchène, étreint son poignard.*

Des chaînes de montagnes enneigées brillent sous nos pieds. Des nuages légers dansent autour des cimes. Au bout du tapis de neige, des rivières et des ruisseaux se dérobent pour disparaître dans une forêt luxuriante. Tout en bas dans la vallée, des villages sont emprisonnés entre des versants escarpés, presque infranchissables, parfois percés de profonds précipices aux ouvertures noires béant sur l'intérieur sombre des montagnes.

Quand l'avion se prépare à l'atterrissage, j'ai le droit de m'asseoir sur un strapontin entre les deux pilotes. Cette direction, des centaines d'avions la prendront, ils suivront cet itinéraire pour larguer des bombes sur les bois, les villages, les routes, les gens. La majorité des combats se passent encore au sol, les nombreux avions de chasse n'ont pas encore quitté leurs bases. La guerre est encore récente.

Boum ! et nous nous posons sur une piste d'atterrissage en piteux état, puis nous roulons sur un béton raboteux. Toc ! les portes sont ouvertes et nous nous répandons hors de l'avion. Une fois sortis, mes pilotes extraient du fuselage un gilet pare-balles et un casque. Un cadeau d'adieu. Ils me souhaitent froidement bonne chance et bon courage.

L'armée russe part de son côté, je dois trouver le mien.

Le soleil haut tape dur quand je quitte l'avion en traînant les lourds présents. Les véhicules militaires attendent déjà mes compagnons de voyage qui s'entassent dans les camions et quittent rapidement le tarmac.

Je regarde autour de moi.

D'abord vers le hall d'arrivée où les vitres sont depuis longtemps cassées. Il ne reste plus que quelques parois en métal tordues, les murs sont éventrés, les comptoirs renversés. À travers le bâtiment je peux voir que, de l'entrée principale, une route part vers la ville ; selon toute probabilité en tout cas, où ailleurs pourrait-elle mener ? Je n'ai personne à qui demander. Je suis là avec mon sac à dos, mon casque lourd comme du plomb et un gilet couleur camouflage de la taille d'un ours russe. Je traîne mon paquetage jusqu'à l'entrée principale. De là, je finirai bien par trouver comment rejoindre le centre-ville.

Sur la route, j'aperçois deux hommes, l'un grand et mince, l'autre petit et plus gros. Ils marchent mécaniquement, les bras pendant le long du corps. Ils montent jusqu'à moi dans l'escalier de ce qui fut un jour la porte d'entrée. Ils ont le visage pétrifié. Quand ils commencent à parler, je comprends ce que c'est. L'angoisse. La peur de la mort. Je ne l'avais encore jamais vue. Elle superpose un visage à un autre, un masque qui efface les expressions, durcit les traits et s'abat sur le corps. Il ne reste que les mots – sans vie, eux aussi.

Je suis folle d'être venue à Grozny, disent-ils d'une voix blanche. « Il y a des snipers partout. Ils sont sur les toits et abattent qui bon leur semble », s'étranglent-ils. « Les Russes ont le contrôle en journée, mais le soir c'est hyper-dangereux », grince l'un. « Toute la nuit, on entend les mitrailleuses », dit l'autre d'une voix râpeuse.

Ils sont allemands, en reportage pour *Stern*, ou est-ce *Spiegel* ? Peu importe, ils veulent rentrer chez eux, voir s'ils peuvent embarquer dans un avion pour Moscou, ce que je devrais faire moi aussi. Les hommes, assis dos au mur, ont chacun allumé leur cigarette, ils sont essoufflés. Est-ce d'avoir remonté l'avenue à pied ? Ou est-ce leur cœur qui bat la chamade ? Peut-être est-ce la peur qui est en train de lâcher prise maintenant qu'ils vont rentrer chez eux. Deux profondes bouffées de cigarettes se mélangent à la poussière du béton dans l'air.

Ma tête bourdonne sous le soleil de midi, il n'y a pas un poil d'ombre, tout ce qui était un peu haut a été réduit en poussière par les bombes. Reprendre l'avion pour Moscou ? « Il y a des snipers partout. » Retrouver les anémones des bois près de l'aéroport en pleine nature ? « Ils abattent qui bon leur semble. » Retrouver Liouda, Sacha et la télévision. Retrouver mon bureau. « La symphonie des mitrailleuses la nuit. » Tu es folle si tu restes.

Pour la première fois, je me retrouve avec le sentiment de soupeser ma vie.

Y suis-je allée à pied, en voiture ? Ai-je rencontré quelqu'un ? M'a-t-on conduite ? Je ne me souviens plus comment, mais d'une façon ou d'une autre j'ai rejoint le centre de Grozny avec mon équipement dissuasif. Je passe devant plein de ruines, de maisons détruites, de trous béants : la ville est en miettes, après quatre ou cinq mois de guerre seulement, les destructions sont déjà pires qu'à Sarajevo quelques années auparavant. Les gens enjambent des blocs de pierre, des morceaux de béton, contournent les cratères, se penchent pour passer sous les fils et les câbles, essaient de ne pas perdre l'équilibre sur les planches posées au-dessus des trous creusés par les bombes. Après l'invasion catastrophique du nouvel an, le ministre de la Défense a renvoyé quelques généraux ; lui est resté en place, mais il a changé de tactique en larguant des bombes de très haut, sans la moindre précision. Les hôpitaux, les orphelinats, les usines de distribution des eaux, les maisons ont été anéantis, bien que le Premier ministre russe soutienne que « les attaques aériennes ne touchent que les installations militaires d'où proviennent les tirs ». Le Conseil de sécurité du Kremlin déclare que « les Tchétchènes simulent des explosions dans les quartiers résidentiels ».

Certains ont installé des petites tables où ils vendent des cigarettes, des friandises, quelques bas. Des pièces de rechange de voitures sont disposées sur une caisse, sur une autre ce sont des piles. Hôtel ? Motel ? Auberge ? Les gens secouent la tête. Je lève les yeux vers les toits, là où sont censés se trouver les tireurs embusqués. Les bombardements massifs ont poussé les indépendantistes à quitter la ville et à continuer la lutte dans les montagnes. Mais ils reviennent en douce, en groupes restreints, et mènent des attaques éclair contre les Russes.

Le soleil va bientôt disparaître et ici, dans le sud, au pied des montagnes, on passe directement du jour à la nuit. Il fait encore clair cependant et, en journée, les Russes patrouillent dans la ville qui est un tas de ruines somnolent. Mais où aller ? Où m'installer ? Les gens m'observent, mais quand je croise leur regard, ils baissent les yeux. Il faut que je me débarrasse des maudits cadeaux des pilotes.

Le soleil est plus bas. Une jeune fille portant avec peine un gros bidon s'approche. J'ai dû l'arrêter d'une façon ou d'une autre.

« Suis-moi », dit-elle.

Je la suis. Une paire de sandales usées, une jupe qui traîne par terre, et quand je lève les yeux, un châle à fleurs. Nous quittons la grande rue et prenons un sentier pentu qui mène sur une hauteur qui domine la ville. Des maisons basses derrière des portails criblés de balles s'accrochent au bord du chemin, juste au-dessus d'un tas de poubelles puant. Nous n'avons pas échangé un mot en montant. Le soleil bas de l'après-midi me brûle le cou. Des perles de sueur me coulent dans les yeux. Mon visage est couvert d'une poussière collante. Un goût métallique se répand dans ma bouche. Mon cœur bat la chamade.

La fille frappe à un portail, qu'on ouvre de l'intérieur. « Bienvenue », me dit celle que j'ai suivie. Des femmes de tous âges s'avancent vers moi. La plus âgée, une dame corpulente aux cheveux gris ondulants qui s'échappent d'un foulard noir, me prend par la main et me conduit dans une pièce divisée par des draps blancs accrochés au plafond. Une fillette apporte un récipient pour que je me lave et un savon ; l'eau du pichet chante au fond de la bassine quand elle la remplit. Je croise un regard perçant dans les morceaux de miroir au-dessus de la bassine. Un regard tendu, fixe, des yeux écarquillés. Un regard que je n'ai encore jamais vu. C'est le mien.

*Je ne suis pas chez moi ici.*

Quand je sors dans la cour, un faible reflet du soleil couchant danse sur un crochet de la clôture. La table est mise, on y a posé des tranches de pain, un fromage blanc et onctueux, un bocal de poivrons confits en lamelles et du thé léger. Les femmes me laissent manger en silence. Elles-mêmes ne prennent rien. Je remarque qu'elles ont rangé le gilet pare-balles et le casque que j'avais laissés dehors. Elles répondent de façon évasive à mes questions. Qui croient-elles que je suis ? Une gamine, mi-soldat, mi-aventurière, avec du matériel de l'armée russe ?

« Je viens pour écrire », dis-je.

Elles hochent la tête.

L'air est tiède, doux comme du velours, et autour de nous les criquets stridulent. Un petit vent rafraîchit l'air, la chaleur se retire lentement du sol et des bancs sur lesquels nous sommes assises, du mur qui encore peu de temps auparavant était brûlant. *Tu vas dans les montagnes*, avait dit Lioudmila. Je vais chercher un des châles qu'elle a glissés sur le dessus de mon sac et ressors au moment où les premiers tirs déchirent la quiétude nocturne. La réponse des mitrailleuses retentit dans le ciel. Nouvelle attaque. Nouvelle réplique. Un chant effrayant, qui se répète. Les femmes n'allument pas les lampes. Nous restons assises dans l'obscurité. La nuit est noire quand nous allons nous coucher. La fillette qui m'a apporté le pichet d'eau m'accompagne à l'intérieur avec une bougie et la laisse, vacillante, sur le sol à côté de moi. Les ombres se lovent sur le mur blanchi à la chaux. Je tends l'oreille. Un échange de messages mortels sous forme de balles crépitent de part et d'autre, loin, puis plus près. Je suis allongée les yeux grands ouverts.

Le petit vent frais était une illusion, la nuit est maintenant chaude et lourde. Les draps sont moites. L'air est étouffant. Les salves de coups se rapprochent, les combats sont au bas de chez nous. Le portail est embouti et la maison prise d'assaut par des soldats qui enfoncent la porte, arrachent ma couverture, me poussent hors du lit, me jettent au sol. Je crie. Et me réveille. Puis je somnole d'un sommeil agité, accompagné par les tirs qui vont et viennent, puis se taisent progressivement.

À l'aube, je suis réveillée par un coq qui chante. La porte entrebâillée de ma chambre donne sur une arrière-cour où les poules gloussent et grattent le sol. De la cour me parviennent bientôt des voix claires, le tintement d'un plat qu'on remplit – de pois ou de haricots secs peut-être –, on tamise, on secoue quelque chose ; le réchaud est allumé et j'entends qu'on met la table. Les bruits sont familiers, rassurants, et je me laisse bercer par la mélodie de ces petits sons du quotidien, tentant en vain de m'y fondre.

Je réalise à quel point je suis mal préparée. Je ne sais pas où se trouvent les fronts, j'ignore comment me déplacer et je n'ai aucune idée de ce qui entoure la ville. Les femmes me regardent avec étonnement quand, au petit déjeuner, je leur demande timidement si je peux rester un moment. Mais elles acquiescent. J'accompagne la fille qui m'a trouvée – ou bien que j'ai trouvée – au marché, au puits ; assises dans l'arrière-cour, nous nettoyons les haricots, coupons les légumes, remuons dans les marmites. Peu à peu, elles me racontent leur histoire.

Louiza Magamadova a cinq filles. Son mari est mort dans un bombardement cet hiver-là. Les fils, je ne les vois pas, pas plus que les maris des filles. Les femmes ne disent pas où ils se trouvent, elles louvoient, détournent mes questions, car qui suis-je en réalité ?

Les hommes sont vraisemblablement dans les montagnes où ils poursuivent la lutte, pensé-je, ou alors elles ne seraient pas aussi laconiques. Je sais qu'il faudrait que je sorte faire des reportages sur la guerre, mais j'ignore où et comment. Je joue donc avec les enfants, discute avec les mères, et attends de trouver un courage que je n'ai pas. La benjamine de Louiza Magamadova, Bereta, dix-sept ans, attend, elle aussi. Elle est enceinte de presque dix mois d'un enfant qui ne veut pas naître. Elle se dandine péniblement dans la cour en soupirant ou somnole à l'ombre dans un fauteuil rafistolé. Le visage sombre, elle est aussi silencieuse que sa mère, le chagrin semble l'accabler et lui pomper toutes ses forces. Un après-midi, alors que nous buvons le thé et sommes toutes plongées dans nos pensées, elle dit lentement, dans son russe laborieux : « Je sais pourquoi... je sais pourquoi. »

Elle regarde dans le vide, avant de se tourner vers moi.

« Toute la guerre j'ai retenu mes sentiments, maintenant c'est mon corps qui ne veut plus lâcher l'enfant. »

Elle raconte ce que c'est d'être assise dans une cave froide pendant les attaques les plus violentes, de rester éveillée nuit après nuit à écouter les bombardements et les salves des mitrailleuses en se demandant quelle vie ils mèneront quand l'enfant sera là. « S'il naît, ça va bientôt faire dix mois », soupire-t-elle, puis elle se tait.

La troisième nuit je suis réveillée par de grands gémissements, bien avant le chant du coq ; il fait encore noir, les tirs retentissent toujours. Elle a perdu les eaux, le bébé est en route, mais partir à la maternité maintenant, en plein couvre-feu, est bien trop dangereux. Elles vont chercher une voisine. Dans son lit, Bereta transpire et gémit, transpire et crie. Elles partent au lever du jour. Il reste une place dans la voiture. « Je peux venir ? »

Sur place, on m'indique un banc dans le couloir. L'hôpital ressemble à tous les autres hôpitaux russes ; les mêmes murs jaune pâle, le même linoléum par terre, les mêmes chiffres et les mêmes lettres sur les panneaux et les affiches, la même odeur, les mêmes chemises, les mêmes draps. Seules les fenêtres peuvent laisser penser que nous ne sommes pas n'importe où en Russie : elles sont couvertes d'un adhésif épais, pour ne pas voler en éclats sous le souffle des bombes.

Alors que j'attends sur le banc dans le couloir sous les fenêtres scotchées, une femme médecin-chef vient vers moi et me demande de l'accompagner. Elle m'emmène dans une pièce quelques portes plus loin, auprès d'une femme qui attend elle aussi d'accoucher. Immobile dans son lit, elle a le visage tourné vers le mur. Quelques jours auparavant, elle est descendue des montagnes de Chatoï pour se rendre à la clinique et a atterri dans un échange de tirs sur la route. Son mari et son fils de six ans ont été tués. Elle a elle-même été blessée à la poitrine par des éclats. Elle nous regarde sans nous voir. Seule, attendant son enfant, le visage tourné vers le mur, des éclats de métal dans la poitrine.

« Je voulais seulement vous montrer à quel point la guerre est moche », dit le médecin calmement, avant de me raccompagner à mon banc et de disparaître. Je reste seule avec le bourdonnement de l'hôpital.

Puis j'entends un cri, net.

Une infirmière vient me chercher, je peux me rendre auprès de Bereta. Une petite tête couverte de cheveux sombres est posée sur sa poitrine, l'oreille contre son cœur. Le corps du nourrisson s'abaisse et se soulève, la respiration régulière est rapide. Sa peau se colore d'une teinte rose foncé.

Une mère qui ne sait pas où se trouve le père, ni même s'il est en vie. Un père qui ne sait pas qu'à cet instant il vient d'avoir son premier fils. Une mère qui a perdu un enfant et en attend un autre. Un père qui a attendu, mais qui désormais n'attend plus rien.

Ce sera mon premier reportage de guerre.

# La première guerre

Une semaine plus tard, je suis couchée dans un fossé.

Les balles élaguent les branches des arbres au-dessus de moi et rasent le bord du talus, les cailloux et les mauvaises herbes dégringolent. Elles s'abattent dans le champ voisin, à quelques mètres les unes des autres. La terre gicle là où elles tombent, comme dans un film, pensé-je. Oui, c'est effectivement la pensée qui me traverse l'esprit, alors que je suis allongée sur des chardons qui piquent, le visage dans la tourbe sèche. Heureusement il est difficile pour les soldats dans le char de tirer dans un fossé. J'ai la bouche sèche, tellement sèche, si seulement j'avais quelque chose à boire, j'ouvrirais la bouteille, la porterais à ma bouche et j'avalerais. Mais je n'ai pas d'eau, et ce serait pareil, car cette soif n'est pas de la soif, mais la peur.

De fait, quelqu'un essaie de me tuer.

Se faire tirer dessus, c'est être profondément conscient que si vous êtes touché, les balles seront plus fortes que vous. En une seconde vous pouvez disparaître. Avec tout ce que vous êtes, savez, pouvez, tout ce que vous avez lu, pensé ou entendu. Vous êtes à la merci de celui qui tient l'arme, de sa personnalité, et surtout de son degré de peur. Le temps qui s'écoule quand quelqu'un tente de vous tuer change quelque chose en vous, si vous survivez.

*Putain, mais qu'est-ce que je fous ici ? Ce n'est pas ma guerre.*

Juste à côté de mon visage, j'ai les pieds de Martin Adler, un free-lance suédois que j'ai rencontré près du charnier de la conserverie, à l'extérieur de Grozny, là où les gens viennent chercher leurs proches qui ont disparu. Les corps sont dans des tranchées profondes. Une odeur douceâtre et écœurante règne sur l'endroit. Les cadavres sont noirs de mouches, des vers gras et blancs rampent tout autour. Certains sont nus, d'autres en partie vêtus, certains ont une chemise nouée autour de la tête, d'autres les mains attachées, certains n'ont pas de bras, de doigts, leur crâne est fracassé et leur corps criblé de balles, d'autres sont calcinés et seules leurs dents permettent de les identifier. Ils sont pris en photo, enregistrés avec un numéro, puis remis en terre. Si une famille reconnaît quelqu'un sur les listes disponibles près du stade Dynamo, on le déterre, afin que ses restes puissent être inhumés selon la tradition tchétchène, au village avec les ancêtres. On trouve à la conserverie les personnes qui ont disparu aux barrages routiers, qu'on est venu chercher chez elles ou qu'on a perdues dans des *zatchitska* – des opérations de nettoyage. Des hommes qu'on a torturés pour qu'ils donnent des informations sur les positions des combattants, pour qu'ils dénoncent leurs camarades, ou des gens torturés par pur sadisme, celui qui empoisonne toutes les guerres. Ces individus ont été jetés dans le charnier pour effacer toute trace. Ce sont surtout des hommes dans les tranchées et des femmes qui cherchent.

Martin se retourne.

« Qu'est-ce qu'on fait ? » demande-t-il.

Qu'est-ce qu'on fait ? Je suis couchée, une joue contre le sol, les yeux rivés sur le champ où la terre continue de gicler à chaque projectile qui tombe.

« Il faut qu'on sorte d'ici, dit Martin, la voix rauque. Ils peuvent descendre du char et tirer dans le fossé, ils ne demanderont pas qui nous sommes avant de le faire. »

Je hoche la tête. Je ne peux pas parler. Je n'ai plus de voix.

J'ai derrière moi l'interprète de Martin, un jeune garçon de Moscou qui, déjà avant que nous atterrissions dans ce fossé, nous a répété avec insistance à quel point il regrettait d'avoir suivi le blond Suédois. Il a à côté de lui Jennifer, une *one-woman-tv-crew* d'ABC ; le dernier de l'équipe est le chauffeur tchétchène.

Rester est trop dangereux.

Nous rampons. Nous nous traînons à plat ventre vers le bout du fossé. Je n'arrête pas de penser à cette eau, que je ne pourrai bientôt plus avancer si je ne bois pas quelque chose, mes genoux me font mal, mes mains sont égratignées, j'ai la bouche pleine de terre. Une nouvelle pluie de balles s'abat au-dessus de nous. Je vois que Martin a perdu sa carte en glissant comme un reptile sur les pierres. Elle n'est pas très loin de moi, dois-je tendre la main et la ramasser ? Il s'agit d'une très bonne carte, difficile à se procurer. Je regarde mes doigts pleins de terre et de mousse ; d'une main je m'agrippe au sol, de l'autre je déplace le gilet pare-balles au-dessus de moi. Si je tends la main, que vais-je faire de la carte, comment vais-je la tenir, comment vais-je réussir à traîner le gilet ? J'aurai plus de mal à ramper. Je passe devant la carte, qui reste comme une marque rouge sur le sol.

Je vivais depuis une semaine dans la maison de Magomadova quand j'ai rencontré Martin au charnier de la conserverie. Il avait loué une voiture, m'a-t-il dit, il voulait explorer les environs, voir où se trouvaient les fronts. Il m'a proposé de l'accompagner.

Le lendemain, nous avons quitté Grozny et sommes partis plus au sud, à Chali, une ville contrôlée par les forces russes. Après six mois de guerre, les fronts ne sont plus clairement définis, ils sont partout et nulle part. Martin veut passer de l'autre côté, celui des *boeviki* – les combattants –, dans les montagnes. En suivant la route et en franchissant la ligne invisible à partir de laquelle les Russes n'ont plus le contrôle, nous devrions les trouver.

« Hors de la ville, en direction du sud, il y a une grande pierre au bord de la route », nous a-t-on expliqué. « Vous pouvez aller jusque là-bas, mais pas plus loin, vous seriez des proies faciles des deux côtés. »

Nous avons vu la pierre et nous nous sommes arrêtés, nous sommes restés un peu. Cela semblait tellement paisible. Les branches des noyers ployaient au-dessus de la route, les fruits des pruniers sauvages commençaient à se colorer. Plus loin, la plaine s'étendait jusqu'au pied de la colline. Nous avons décidé de continuer. J'ai retiré le gilet pare-balles, trop lourd à porter une fois assise. Le casque se promenait dans le coffre. Si je le mettais, on aurait l'impression que le chauffeur transportait un soldat à l'arrière et ça, il ne le voulait pas. Il a démarré, les roues de la voiture ont soulevé un nuage de poussière, nous avons laissé la pierre. La route était déserte, j'ai baissé la tête derrière le gilet.

Le char marron-jaune se confondait presque avec la couleur de la route. Les balles ont éclaté. Les freins ont crissé et la voiture a dérapé. « Dehors ! » a crié Martin en ouvrant la portière droite. Il a plongé dans le fossé, je me suis laissée tomber derrière Jennifer qui était assise au milieu, et j'ai réussi à attraper le gilet, qui repose maintenant comme un tapis au-dessus de moi. Les salves crépitent sur la chaussée.

Tandis que nous rampons, le char change lentement de direction et dirige le canon vers un endroit à quelques dizaines de mètres de nous. Apparemment, les conducteurs du char ont cru que l'attaque venait de notre Lada rouge. Si nous avions avancé de quelques mètres supplémentaires, notre voiture aurait été criblée de balles.

Un peu plus loin devant nous, il y a un homme. Martin s'arrête, et la queue du serpent derrière lui l'imite. L'homme indique des yeux une voiture en équilibre au bord du fossé. Il n'a vu et entendu les tirs que quand les pneus avant ont été touchés et crevés.

Une autre voiture freine brusquement au-dessus de nous, nous bondissons et nous jetons sur le siège arrière en criant : « Demi-tour ! Demi-tour ! » Le chauffeur repart comme un fou vers Chali. Nous croisons le blindé qui passe en grondant.

Au premier barrage, nous sommes arrêtés. On nous ordonne de descendre. Le jeune soldat très soûl et insistant agite sa kalachnikov vers nous en nous criant que nous sommes en état d'arrestion. « Le dos contre le mur ! » braille-t-il en indiquant du doigt des sacs de sable près de la baraque quelques mètres plus loin. Le soldat est maigre, il a les joues creuses, il n'est pas très grand, mais ses yeux expriment le défi. L'agressivité. Il marche d'un pas chancelant avec son arme et il commence à nous interroger en bafouillant. Qui sommes-nous ? Où allons-nous ? Pour qui travaillons-nous ? Qui avons-nous rencontré ? Qu'avons-nous vu ?

Un Tchétchène assez âgé est assis à côté de nous sur les sacs de sable.

« Un jeune garçon est à l'origine de l'attaque », chuchote-t-il quand le soldat nous tourne le dos. « Il s'est échappé par des tuyaux. » Les Russes n'osent pas sortir de leurs chars lors des embuscades. Ils ne savent pas combien de snipers se cachent à proximité. Le soldat qui était assis sur le toit a été touché et laissé pour mort sur la route.

Les Tchéchènes perdent de plus en plus de terrain et sont obligés de se replier vers le sud, dans les montagnes du Caucase, mais ils infiltrent les zones russes et mènent des attaques éclair contre des postes sur les routes, les camps et les véhicules.

Le soldat dégage des effluves d'alcool et de vieille transpiration. Assis contre le mur de ciment en plein soleil, nous ne disons rien. Soudain le soldat belliqueux pointe son arme vers moi et hurle :

« Levez-vous et suivez-moi !

— Moi ?

— Je vous emmène au QG pour un interrogatoire dans les règles. Suivez-moi par là ! », ordonne-t-il en montrant du doigt une pente qui descend vers la plaine. J'aperçois l'ombre d'un petit bois un peu plus loin. La kalachnikov est pointée contre mon ventre.

« Mais le QG se trouve à Chali. Nous n'avons aucune raison de traverser la forêt...

— C'est un raccourci, répond-il sèchement, sans éloigner la kalachnikov.

— La route de Chali est toute droite !

— La ferme, personne ne vous a rien demandé, vous êtes en état d'arrestation ! »

Il me saisit le bras pour m'emmener vers la pente. Les autres soldats ne bronchent pas. Martin tente calmement de négocier par l'intermédiaire de son interprète russe qui bredouille, quand un vacarme retentissant couvre sa voix : un char. Je dois agir rapidement maintenant ; je m'arrache de la poigne du soldat et me mets à hurler, à crier et à agiter les bras au milieu de la route. « Je ne veux pas aller dans la forêt ! Je ne veux pas aller dans la forêt ! crié-je en pensant : des larmes, des larmes, allez pleure, appelle maman, crie que tu veux rentrer chez toi, n'importe quoi. Le char s'arrête. Gros coup de chance ! Il transporte des soldats qui nous ont emmenés, Martin et moi, faire un tour en ville quelques jours plus tôt. Le visage barbouillé de terre et de sable, je sanglote : « Je ne veux pas aller dans la forêt ! »

« Pourquoi veux-tu l'emmener dans la forêt ? » demandent les soldats au commandant du poste.

Il murmure quelque chose.

« Relâche-les, tous », dit l'officier dans le char.

Il envoie un soldat récupérer notre voiture dont, assez incroyablement, tous les pneus sont intacts. Nous nous dépêchons de partir, sans nous retourner, et parvenons tout juste à rejoindre Chali avant le couvre-feu. La nuit tombe et les tirs fendent l'obscurité.

Nous passons la nuit chez des locaux et je reste éveillée, pensant à l'angoisse que doivent ressentir tous ceux qui sont retenus aux barrages, puis conduits entre les arbres où ils doivent creuser leur propre fosse avant d'être exécutés. Des quantités de gens ont disparu à ces points de contrôle. Qui peut imaginer ce qu'ils vivent. La peur avant que le coup parte, avant que la balle touche la peau, avant de pourrir à Konservnyï.

Le lendemain, Martin fouille dans son sac.

« Eh merde, j'ai perdu la carte ! »

Je suis saisie d'un sentiment de culpabilité. Je fais comme si de rien n'était. Quoi qu'il en soit, Martin veut persister. J'hésite.

Et puis je le suis quand même. Nous partons vers le sud. Le but reste le même : pénétrer le territoire des combattants. Les Russes continuent à avancer, laissant derrière eux des maisons bombardées, de nouveaux morts et de nouveaux blessés. Bientôt, seules les montagnes enneigées seront contrôlées par les forces tchétchènes. Nous passons dans les villages qu'ils ont abandonnés, et quand l'heure approche les 18 heures, nous fonçons vers Douba-Iourt, un des derniers villages de la zone sud sous surveillance russe, à quelques kilomètres du front. Le chauffeur a le pied sur l'accélérateur et prend quelques virages à tombeau ouvert sur les petites routes à flanc de colline ; passé 18 heures, nous sommes des proies ambulantes, et même les soldats russes, d'ordinaire si pointilleux, nous pressent : « Dépêchez-vous si vous tenez à votre vie ! »

Douba-Iourt est entouré de collines vertes luxuriantes, au pied des imposantes montagnes du Caucase que les Russes ont tenté de conquérir pendant des siècles. En 1801, Alexandre Ier a reconnu le royaume de Géorgie, mais là où nous nous trouvons, les tribus se sont battues contre l'armée du tsar jusqu'en 1859. Au bord du fleuve

Terek, l'armée russe avait établi une ligne de villages fortifiés – les *stanitsa* – habités par les cosaques. De là, ils partaient en expédition dans chaque *aoul* – les villages. Ils saccageaient les pâturages, emportaient les animaux et autant de prisonniers que possible. La riposte tchétchène ne se faisait pas attendre. Souvent, les Russes ne parvenaient pas à revenir derrière leurs propres lignes sans être attaqués ou, quand la nuit approchait et la vie du camp s'apaisait, des balles fusaient de nulle part, les gardes étaient égorgés ; on mettait le feu aux tentes et les prisonniers étaient libérés. Les combattants les plus tenaces étaient ceux du Daguestan et de Tchétchénie. Leur chef, Imam Chamil, avait réussi à entraîner ses hommes dans une guerre sainte contre les chrétiens.

Le Caucase représentait l'aventure pour les jeunes nobles qui s'ennuyaient dans les salons de Saint-Pétersbourg ou de Moscou. Ils rêvaient de mystères, d'exploits, de promenades à cheval dans les montagnes, de fraternité sous la tente et de combats intrépides contre les *sauvages*. La guerre était une façon de devenir un homme. Les deux plus grands poètes russes, Alexandre Pouchkine et Mikhaïl Lermontov, qui allaient tous deux mourir en duel, ont renforcé le mythe du Tchétchène sanguinaire épris de liberté. Sous le règne des tsars, les opposants étaient souvent envoyés en service obligatoire dans les montagnes, car il y avait de fortes chances qu'ils n'en reviennent pas vivants.

Léon Tolstoï, âgé de vingt-trois ans, quitta au printemps 1851 sa propriété de Iasnaïa Poliana. Le voyage jusqu'au Caucase lui prit presque deux mois. Dans sa voiture, il emmena son chien Boulka.

Durant le premier combat auquel le cadet Tolstoï participa, les Russes furent attaqués au fond d'un précipice, où des hommes leur tombèrent dessus. Le général donna l'ordre d'une grande contre-attaque. Les canons firent feu et « les cavaliers disparurent dans la forêt dans des nuages de poussière ». Tolstoï décrit comment les soldats du tsar pillèrent plus tard les villages ennemis – la farine, les couvertures, les poules – et terminèrent en mettant le feu aux maisons. Dans le récit autobiographique *L'Incursion,* il se moque du commandant en chef, le prince Bariatinski, qui, après l'attaque, déclara : « *Quelle belle vue*[1] *!* » Son adjudant répliqua en français, comme il se devait : « *C'est vraiment un plaisir de faire la guerre dans un pays aussi joli*[2] *!* »

Au cours d'un engagement près du fleuve Mitchik, une balle de l'ennemi faucha la roue du canon que le fils de gentilhomme servait, une autre tua un cheval juste à côté de lui. « Je n'ai jamais eu aussi peur de ma vie », écrivit-il dans son journal.

Après six mois passés dans le Caucase, le cadet écrivit à son frère :

« *La chasse ici est merveilleuse. La rase campagne, de petits marais remplis de lièvres gris, des îlots couverts non de forêts mais de joncs où sont tapis les renards. Je suis allé neuf fois en tout dans le champ, éloigné du bourg des cosaques de dix à quinze verstes, avec deux chiens, dont l'un est excellent et l'autre ne vaut rien ; j'ai pris deux renards et une soixantaine de lièvres. Quand j'y reviendrai, j'essaierai de chasser à courre les biches. Si tu veux briller en te vantant d'avoir des nouvelles fraîches du Caucase, tu peux raconter que le deuxième personnage après Chamil, un certain Hadji Mourat, s'est rendu ces jours-ci au gouvernement russe. Le plus vaillant, le plus brave de toute la Tchétchénie, et il a commis une lâcheté.* »

*Hadji Mourat* fut le dernier livre écrit par Tolstoï, un demi-siècle après son expérience dans le Caucase.

Par la suite le jeune noble perdit toute fascination pour la vie de guerrier et, l'été de la deuxième année, il se plaignait dans son journal : « *Exercices, tirs au canon, remontrances stupides d'Alexeïev, petites beuveries, cartes,*

1. En français dans le texte.
2. En français dans le texte.

*chasse (j'ai tué cinq bécasses, trois faisans et deux perdreaux), maux de dents, lecture, femmes, ennui.* » Quelques jours plus tard : « *J'ai vingt-quatre ans et je n'ai encore rien fait. Je sens que ce n'est pas pour rien que je me bats depuis huit ans avec le doute et les passions. Mais à quoi suis-je destiné ? Seul l'avenir me le dira. Tué trois bécasses.* »

Tolstoï fut envoyé à Groznaïa, la forteresse à l'origine de la ville de Grozny. « *Tous boivent, et surtout mon frère. Cela m'est désagréable. Ce soir, Knorring est arrivé ivre avec Hesbet. Il apportait du porto. Je me suis soûlé. Des officiers de Tenginsk et des putains se trouvaient là par hasard... Altercations, injures, duel évité de justesse...* »

Après presque deux années dans l'armée russe, il est découragé.

« *La guerre ?* écrivit-il dans son journal le 6 janvier 1853. *Quel phénomène incompréhensible. Quand la raison se pose la question : Est-elle juste, est-elle nécessaire, la voix intérieure répond : non.* »

Les gardiens du village sont assis à l'entrée de Douba-Iourt. Le conseil des anciens a conclu un accord avec les forces fédérales : s'ils veillent à ce que les insurgés ne viennent pas chercher refuge ici, les Russes ne pénétreront pas dans les maisons. De part et d'autre, l'accord est plus ou moins respecté. Nous rencontrons des soldats de la guérilla dans le village et entendons parler de maisons pillées par des fédéraux en quête de vodka le soir. Comme partout, l'accueil qui nous est réservé est des plus hospitaliers. Le conseil des anciens va chercher Isa Adajev, le responsable de la culture dans le gouvernement de Djokhar Doudaev. Il nous ouvre sa maison tout en haut du village. Elle est grande, Isa est un homme riche.

Peu à peu la nuit nous enveloppe, nous sommes attablés dans le jardin. Dans les collines alentour, on se bat âprement pour garder le contrôle. Tout au-dessus, les forces russes balaient le flanc des collines avec leurs projecteurs. Au-dessous se trouvent ceux désignés par le conseil des anciens. Entre les deux, les combattants rampent.

Douba-Iourt est remarquablement conservé par rapport aux villages voisins, seules les maisons aux abords ont été détruites. Les insurgés l'ont quitté deux jours avant notre arrivée pour éviter qu'il soit rasé par l'artillerie russe. Jusqu'à 20 heures, on peut s'y promener en relative sécurité ; passée cette heure, les chars mugissent dans les rues.

Le pépiement des oiseaux est couvert par le bruit des balles et les explosions sourdes de tirs plus importants au loin. Isa nous indique précisément d'où partent les coups. « Ah, c'est un de nos gars qui a riposté à la mitrailleuse », commente-t-il de temps en temps. « Il sont deux maintenant, là ils sont trois. »

La plupart des missiles atterrissent à quelques kilomètres de nous. Isa prononce le nom des villages voisins.

« Nous nous battons contre des machines. Si nous combattions face à face, nous l'emporterions. Ils ont des avions, des hélicoptères, des chars et l'artillerie lourde, il ne nous reste que des fusils et des grenades. »

Parfois tout le ciel s'enflamme sous la lumière des fusées éclairantes qui transforment la nuit en jour. Elles restent en l'air un moment, avant de retomber lentement. « Enfin, le gouvernement russe nous approvisionne en lumière ! », déclare Isa, sarcastique.

La stratégie de guerre de Doudaev ne lui plaît pas. Après trente années d'expérience dans l'armée soviétique, le président aurait dû comprendre que ça ne marcherait pas.

« Notre peuple est trop petit pour vaincre l'ours russe, en même temps il est trop fier et trop épris de liberté pour se résigner », soupire-t-il.

Isa a perdu ce qu'il estimait le plus : les trésors de la culture tchétchène. « L'armée fédérale a bombardé le Musée national de Grozny après y avoir pris ce qu'elle trouvait digne d'être classé monument historique : la peinture européenne, tout ce qui était en argent et en or, les pierres et les métaux précieux. L'art tchétchène et caucasien a été réduit en miettes. »

Isa regrette aussi les trésors architecturaux qui ont été perdus, aussi bien à Grozny que dans les montagnes. « Des petits hameaux uniques, remontant parfois au XII^e siècle, ont été rasés », soupire-t-il. « Matériellement, ils nous ont presque écrasés, mais pas spirituellement. Depuis trois cents ans ils essaient de nous briser les reins, mais nous avons quelque chose qu'ils n'ont pas. Nous savons ce pour quoi nous nous battons : la liberté, l'indépendance, dit-il, avant d'ajouter tristement : Actuellement, nous nous battons surtout pour survivre. »

Le lendemain, nous voyons le résultat des bombardements de la nuit. Les missiles ont été dirigés sur le village de Tchichki, à trois kilomètres de la maison d'Isa. Nous descendons d'abord dans la vallée, puis remontons sur les hauteurs de l'autre côté. Sur trois cents maisons, il n'en reste que quelques-unes intactes. Les habitants sont sous le choc. « Nous avions conclu un accord avec les Russes, ils ne devaient pas bombarder le village si nous n'hébergions pas la guérilla. Nous leur avons remis toutes les armes et des gardiens ont veillé à ce qu'aucun soldat de la guérilla ne vienne ici », raconte un homme. « Chaque semaine, le conseil des anciens négociait avec les troupes russes. Nous pensions que rester ici était sûr. À cause des promesses des Russes, peu de personnes ont fui, et quand l'attaque a commencé, nous n'avons eu que le temps de descendre dans les caves. Au bout de douze heures, les bombardements ont cessé et nous avons pu sortir », poursuit l'homme, qui a habité vingt ans en Sibérie afin de gagner assez d'argent pour construire une maison à sa famille. Il a tout perdu maintenant. « Jusqu'au dernier jour, ils nous ont assuré que nous pouvions être tranquilles. »

« Ils appellent ça la guerre », dit un autre. Certains murs de ce qui fut la maison cossue où il vivait avec sa femme et ses cinq fils tiennent encore debout. « Ils ont déclaré à la télé qu'ils avaient tué tant et tant de soldats de la guérilla. C'est un mensonge. Il n'y avait aucun rebelle ici, que des villageois pacifiques. Ils tirent comme s'ils avaient vraiment un ennemi et les seules victimes sont des civils. Pour nous, que ce soit Doudaev ou Eltsine qui dirige, c'est pareil. Que le pape nous dirige, s'ils veulent, tant que nous pouvons vivre en paix. »

Cinq personnes ont été tuées dans l'attaque de la nuit et plusieurs dizaines blessées. Plus tard, nous rencontrerons l'une d'entre elles dans un hôpital de Grozny. Il s'agit d'Elisa, neuf ans, une fillette maigre et pâle, dont la jambe a été sérieusement abîmée par les éclats. Sa mère et sa sœur ont été fauchées par le missile. Elles n'ont pas eu le temps de courir se réfugier dans la cave. « Je ne veux pas retourner à Tchichki, jamais », chuchote-t-elle dans son lit d'hôpital.

Nous redescendons dans la vallée. Dans la plaine entre Tchichki et Douba-Iourt, où l'Argoun coule paisiblement, les soldats de la 104$^{e}$ division parachutiste ont leur base. De là, ils tirent avec l'artillerie lourde sur de vagues cibles dans la vallée de l'Argoun et vers les montagnes. La portée des projectiles peut atteindre jusqu'à cinquante kilomètres.

« Tous les trois jours, nous nous déplaçons de quelques kilomètres vers le sud », dit Sergueï, un officier né à Saint-Pétersbourg. « Dans quelques semaines nous aurons pris toute la région jusqu'aux massifs enneigés. Pour ces deux villages, il ne nous a fallu que quelques jours », dit-il fièrement en indiquant Douda-Iourt et Tchichki.

Alors qu'il s'étend sur leur stratégie couronnée de succès, une voix hurle soudain : « *Snaïpery* ! Des snipers ! »

« Par terre, par terre ! » crie Sergueï avant de filer. Je me couche par terre, mais où doit-on s'allonger sur un terrain plat ? Où est le devant, où est l'arrière, et où est le tireur embusqué ? Le camp est en pleine effervescence. Martin prend des photos. Il n'est pas de ceux qui se cachent. La journaliste à tout faire d'ABC filme. Les soldats tirent vers l'endroit où le sniper est censé se trouver, ils lancent quatre fois des grenades, puis quelqu'un s'écrie : « On l'a eu ! »

Un soldat s'avance fièrement vers nous. « Il s'est relevé et je lui ai tiré dessus avec la mitrailleuse. Un Tchétchène de moins contre lequel se battre. »

Le calme revient dans le camp et les soldats sauvent les restes du samovar brûlé, que tout le monde a oublié quand un combattant solitaire a tenté d'affronter l'armée russe. Quelques soldats montent le chercher dans la colline, mais ils rentrent les mains vides.

Les gens de Douba-Iourt nous diront plus tard que tout l'épisode était une mise en scène destinée à nous montrer qu'ils avaient un ennemi dangereux et qu'ils ne bombardaient pas seulement des paysans pacifiques. « Mais ils ont sûrement réussi à tuer une chèvre », affirment les villageois. Une fois encore je me trouve perplexe, ne sachant qui croire. Tout en Tchétchénie a deux explications : une russe et une tchétchène. Est-ce les Russes qui s'ennuyaient et voulaient nous impressionner, ou est-ce les paysans qui nous cachent qu'ils hébergent réellement la guérilla ?

L'officier vient nous inviter au *shashlik* – de la viande rôtie à la broche. Il nous montre une chèvre abattue qui est étendue en plein soleil.

« Revenez ce soir », dit-il. Il nous promet même qu'une escorte militaire nous raccompagnera à Douba-Iourt après le repas. Il essaie de nous tenter avec de la viande et de la vodka, des chansons et des histoires drôles ; toute la guerre devient alors absurde et irréelle dans le visage souriant de Sergueï.

De retour chez Isa, nous lui racontons ce que nous avons vu. Son visage se durcit quand nous mentionnons l'invitation à dîner dans la plaine, mais il ne fait aucun commentaire. Un peu plus tard, son fils vient me trouver. « Mon père pense que vous ne devriez pas aller à ce dîner. D'abord c'est dangereux, vous savez que les Russes sont souvent attaqués quand la nuit tombe, et là, en bas, ils sont une cible facile. En outre... »

Il me regarde sans rien dire. Il n'a pas besoin d'ajouter quoi que ce soit. *En outre* signife : vous êtes nos invités, vous ne pouvez pas habiter ici et manger de la chèvre grillée avec ceux qui nous tuent.

Mes trois compagnons de voyage décident malgré tout d'y aller, pour leur reportage. Je reste chez Isa, qui arbore un visage sombre toute la soirée.

Il commence à être tard. Ne vont-ils pas bientôt rentrer ? Il est presque minuit. Est-il arrivé quelque chose ? Le silence est effrayant... n'est-ce pas ? Bien que ce soit dangereux pour lui, Isa demande à son fils d'aller voir ce qui se passe. Quand il ouvre la porte pour sortir, un char vrombit devant lui. Nous l'entendons s'arrêter un peu plus loin et faire demi-tour. Trois silhouettes sautent du tank. Isa hoche la tête, la bouche crispée. Nous partons tous nous coucher.

Le lendemain nous quittons Isa. Je ne l'ai jamais revu.

Nous faisons un saut chez les Russes, dans la plaine, pour les prévenir de notre itinéraire afin qu'ils ne nous tirent pas dessus. Sergueï dit qu'il a un cadeau pour moi. Il pénètre dans la tente et en ressort avec un drapeau en soie rouge bordé de franges dorées. Il est orné d'un Lénine pâle en costume cravate. Le marteau et la faucille sont brodés en fil couleur or. « Sous la bannière de Lénine, en avant vers la victoire du communisme », est-il marqué. En bas à droite, tous les soldats ont signé : « En souvenir de la 104e division parachutiste. Oulianovsk – Grozny – Tchichki. »

Je me promène avec le drapeau bien caché au fond du sac à dos. J'ai l'impression de porter du sang. Malgré tout, je ne me résous pas à le jeter. Je me promène aussi avec mes interrogations sur la générosité spontanée dont ils ont fait preuve à notre égard, nous qui venons de l'extérieur, et la haine, la colère et le désir de vengeance qu'ils nourrissent à l'encontre les uns des autres.

Nous finissons par atteindre l'objectif visé par Martin : rencontrer les *boeviki*. Pas là où ils combattent, mais dans le village de Goiti où ils se reposent. Après quelques semaines dans les montagnes, ils rentrent chez eux. On leur donne à manger, un lit, de l'eau chaude, puis ils reprennent les armes.

« J'allais partir au championnat du monde de karaté en Malaisie quand les Russes ont franchi la frontière tchétchène », explique un commandant de la guérilla, un jeune gars costaud qui s'appelle Rizvan. « Je ne me suis absolument pas posé la question de savoir si je devais rester et combattre pour mon peuple. La politique ne m'a jamais intéressé, mais j'ai toujours souhaité l'autonomie. La Russie n'est pas un pays libre et que Moscou nous dirige me répugne. Il n'existe pas de troisième voie pour nous. Nous avons suffisamment de gens pour prendre notre relève si nous sommes tués. *Svoboda ili smert*. La liberté ou la mort. Nous nous battons avant tout pour nos villages et nos familles. »

Juste avant que nous rencontrions les combattants, un soldat de Nijni Novgorod – une ville russe sur la Volga –, en faction devant Goiti, nous a dit : l'essentiel pour moi est que ma femme et ma fille aillent bien.

Ce soir, l'un d'eux tuera peut-être l'autre. Le bien-fondé de la résistance justifie-t-il vraiment toutes ces victimes innocentes ? Rizvan ne veut pas en discuter. « *Svoboda ili smert,* répète-t-il. Nous combattrons jusqu'au dernier homme et jusqu'à la dernière goutte de sang. Mais ne nous prenez pas pour des fanatiques, nous souhaitons un État séculaire, comme la Norvège par exemple », affirme-t-il.

Le plus âgé autour de la table, qui garde les moutons en temps de paix, n'est pas d'accord sur l'État séculaire. « Je combats au nom d'Allah », déclare-t-il.

Quand nous quittons les combattants, je me dis qu'il est vraiment dommage que les enfants de Goiti aient perdu un professeur de karaté, les moutons un berger et que, peut-être, cette nuit-là, une petite fille à Nijni Novgorod perdra son papa.

À ce stade du conflit, en mai 1995, les Russes contrôlent quatre-vingts pour cent de la Tchétchénie.

Boris Eltsine avait espéré gagner la guerre avant le 9 mai, date à laquelle les dirigeants internationaux se réunissent sur la place Rouge à Moscou pour célébrer le cinquantième anniversaire de la fin de la Seconde Guerre mondiale. Eltsine déclare le cessez-le-feu pendant la semaine des festivités, mais les généraux sur le terrain l'ignorent totalement. Dans la tribune d'honneur, les présidents et les Premiers ministres du monde entier restent assis sans broncher quand l'armée russe défile devant eux.

Toutes les cérémonies terminées, Eltsine souhaite en finir une bonne fois pour toutes avec les indépendantistes. Fin mai, seuls quelques villages se battent encore, parmi eux le légendaire Vedeno, où l'imam Chamil résista aux Russes au XIXe siècle. Quand Vedeno tombe début juin, les dirigeants tchétchènes changent de stratégie. Ils n'ont plus de bases et doivent se battre en petites unités dans les montagnes.

Un de leur chefs adopte une toute nouvelle tactique.

Quand le soleil est au plus haut et que la fraîcheur matinale a depuis longtemps disparu, une voiture de police suivie de deux camions militaires entre dans le centre de Boudiennovsk, une ville de province assoupie du sud de la Russie. Le convoi se gare tranquillement devant le commissariat de police. Des hommes barbus sortent des voitures, des camions, et ouvrent le feu. Il s'agit du redouté Chamil Bassaev – *le Loup* – et de ses hommes, au nombre de cent cinquante environ. Comme son célèbre homonyme, ce Chamil habite Vedeno. Dix jours se sont écoulés depuis qu'il a perdu onze membres de sa famille lors de la prise d'assaut du village. S'attaquer à une ville russe devrait réveiller la population et la pousser à s'élever contre l'injustice commise en Tchétchénie.

Du commissariat de police, les hommes gagnent la mairie et le marché. Ils attaquent deux immeubles, font sauter les verrous des portes, forcent les habitants et les gens qu'ils croisent à les suivre jusqu'à la cible la plus sensible de la ville, la plus vulnérable : l'hôpital et sa maternité, la seule du district.

Dans la soirée, mille deux cents personnes sont retenues en otage. Le Loup formule ses revendications au téléphone : la Russie doit cesser la guerre en Tchétchénie, retirer ses troupes et entamer des négociations de paix.

Le matin du quatrième jour, les habitants sont réveillés par une explosion, quand l'artillerie lourde ouvre le feu sur l'hôpital, qui était un monastère avant la révolution et a des murs épais. En retour, des balles sont tirées des fenêtres et des lucarnes. Une demi-douzaine de véhicules blindés se dirigeant vers l'hôpital sont touchés par des grenades et incendiés. L'offensive se calme quand un médecin, apportant une demande écrite de cesser les tirs, se fraie un passage au milieu des flammes. Cent vingt otages ont été tués, il en reste encore plus de mille. Les femmes qui se penchent aux fenêtres de la maternité en agitant des draps blancs réussissent à faire passer les Russes pour les agresseurs. Pour la première et la dernière fois, les autorités décident d'engager des négociations avec le chef d'une action terroriste. Elles sont menées par le Premier ministre Viktor Tchernomyrdine, Boris Eltsine étant parti pour le sommet du G7 à Halifax le lendemain du début du drame. Quatre conversations téléphoniques plus tard, Bassaev libère deux cents otages. Tchernomyrdine promet un cessez-le-feu et garantit un sauf-conduit aux Tchétchènes.

Quelques semaines plus tard, dans une interview, Bassaev déclarera que, au départ, il n'avait pas soutenu l'idée d'une intervention en Russie. « Je savais quel en serait le prix à payer. Mais quand nous avons été expulsés de Vedeno, quand ils nous ont acculés dans un coin en détruisant sauvagement et de façon horrible nos villages, en massacrant des femmes, des enfants, des anciens, tout un peuple, là nous avons décidé d'agir. Partons en Russie, avons-nous dit, et nous nous sommes sentis mieux. Nous nous y battrons, nous mettrons fin à cette guerre, ou alors nous mourrons tous. »

S'ensuivent des mois de négociations laborieuses – et de durs combats. Après une année de conflit, par une journée glaciale de janvier 1996, le second raid en terre russe est lancé, une copie de Boudiennovsk, mais les personnages principaux ont changé : il ne s'agit plus du Loup cette fois-ci, mais du *Loup solitaire* – Salman Radouev. C'est au tour de la ville frontalière de Kizliar, au Daguestan, de souffrir. Eltsine est furieux. Il convoque le Conseil de sécurité de Russie et tonne contre les généraux, les ministres de la sécurité et les forces frontalières. « Comment pouvons-nous vous comprendre, généraux ? Vous jouez à la poupée ou quoi ? Les garde-frontières se sont endormis ? Plusieurs milliers de nos hommes sont en faction sur les routes et ces individus leur sont passés sous le nez ! » rugit-il. L'intervention est filmée et diffusée à la télévision russe. Eltsine ordonne que la réplique soit ferme « pour neutraliser les bandits, douloureusement et totalement ».

« Nos villes sont détruites », répond le président tchétchène. « Nous avons besoin de maisons, les combattants doivent bien habiter quelque part, nous avons en outre besoin d'un nouvel hôpital. C'est pourquoi nous avons décidé de construire tout cela à Kizliar. Les premiers combats entre les forces russes et tchétchènes se sont tenus ici, il y a trois cents ans. C'est ici que la guerre entre nous a commencé, et c'est aussi ici qu'elle s'achèvera », déclare Djokhar Doudaev.

De nouveau on promet aux Tchétchènes un sauf-conduit. Ils emmènent plusieurs centaines d'otages pour protéger leur fuite. Au moment où ils passent la frontière tchétchène, des hélicoptères leur tirent dessus. Ils se retranchent dans le village le plus proche, à Pervomaïskaïa – « le village du 1er mai ». Là, ils forcent les otages à creuser des tranchées et les Russes, après avoir subi de lourdes pertes, renoncent à attaquer les combattants bien armés.

Quelques jours plus tard, je rampe pour franchir la frontière du Daguestan ; nous suivons le même chemin que celui emprunté par les combattants lors de leur retraite. Je suis accompagnée de la photographe Heidi Bradner d'Alaska, d'Anders Sæther du journal norvégien *Dagbladet* et d'un guide local, censé savoir comment éviter les Russes et quelles sont les zones non minées. Nous marchons courbés au clair de lune dans un vaste marais gelé. La nuit est étoilée et il fait froid, sans la glace l'endroit est impraticable. Le terrain est plat, il semble interminable. Sans que personne ne nous remarque, nous passons en territoire tchétchène.

Nous continuons jusqu'à Novogrozny, là où le Loup solitaire a emmené les otages après avoir fui Pervomaïskaïa. Ils résistaient depuis cinq jours quand Salman Radouev a entendu à la radio militaire que les Russes prévoyaient de bombarder le village parce que « les otages étaient déjà tués ». Il s'est alors replié en s'abritant derrière les prisonniers, tandis que le village était ravagé.

Notre guide arrête la voiture près d'un hameau et nous sommes conduits auprès de Radouev qui est assis dans une pièce nue glaciale. Il n'y a plus d'électricité et de gaz depuis longtemps. C'est un petit homme maigre, au visage ravagé, marqué de grosses rides profondes ; il fait plus vieux que ses vingt-huit ans. Son regard, sombre et sinistre, bordé de lourdes paupières, est voilé, mais néanmoins brillant.

Par une fenêtre cassée, nous apercevons des arbres noirs et nus qui se découpent sur le ciel. Son discours est aussi sec et désespéré qu'eux : « Cette action ne sera pas la dernière si les Russes ne se retirent pas. Nous avons découvert que les opérations hors Tchétchénie étaient plus efficaces. Plus personne ne cille quand nos villages sont bombardés, mais si nous agissons hors des frontières de la république, la presse du monde accourt, en quête de faits sensationnels. Nous sommes tous des volontaires sur le chemin d'Allah. Nous sommes des kamikazes disposés à mourir. La meilleure mort est celle pour le djihad. Je n'avais emmené au Daguestan que ceux prêts pour le paradis d'Allah. »

Deux dents en or luisent entre ses lèvres fines.

Radouev qualifie l'action terroriste de succès. « Ils ont utilisé toutes les armes possibles contre nous. Nous avons infiltré trois cordons de soldats russes. Aucun analyste militaire ne peut expliquer comment nous y sommes parvenus. Je n'ai qu'une réponse : Allah. »

Radouev ne tient pas en place. Son regard passe sans arrêt d'un point à l'autre : la porte, moi, Anders, moi. « Souhaitez-vous nous accompagner à la base et voir la préparation de la prochaine action ? Elle peut avoir lieu n'importe quand et n'importe où. Il suffit que nous frappions encore deux ou trois fois et les Russes devront renoncer. Si nous attaquons des cibles stratégiques, la guerre leur coûtera tellement cher qu'ils devront retirer leurs troupes. Quand les ouvriers font la grève et les étudiants hurlent pour avoir leurs bourses, les autorités finissent par céder. Nous les asphyxierons économiquement, comme ils asphyxient nos femmes et nos enfants. La guerre a fait de nos vies un cauchemar. Quel genre d'humain devient-on après avoir vu des enfants déchiquetés par les bombes ? » demande Radouev d'une petite voix aiguë. Il n'avait aucune expérience militaire quand la guerre a commencé ; il avait étudié l'économie à Moscou et Budapest et travaillait pour le Komsomol local à Goudermes, la deuxième ville de Tchétchénie. « Je croyais que j'allais participer à la construction de mon pays quand Doudaev est arrivé au pouvoir. À la place de quoi, je suis désormais obligé d'organiser des sabotages. »

Quand on mentionne Boris Eltsine ou Pavel Gratchev, le Loup solitaire montre les dents. Il pense cependant que la guerre pourrait cesser si le pays était dirigé par d'autres personnes. « Avec des gens comme Gaïdar ou Iavlinski au pouvoir, la Russie pourrait devenir un État de droit démocratique et civilisé. Mais le soutien financier de l'Occident encourage les dirigeants du Kremlin à poursuivre cette guerre : six milliards par-ci, neuf milliards par-là. L'argent passe directement dans le financement du conflit. L'Occident, avec son prétendu humanisme, pourrait nous aider, mais vous ne dites rien ! »

Nous sommes frigorifiés bien que nous ayons gardé notre blouson et notre bonnet. Radouev se tait un moment, avant de réitérer son invitation à visiter leur base secrète. Nous nous regardons. Et secouons la tête. Il montre alors notre polaroïd du doigt.

Cet appareil nous a aidés dans bien des situations. Il a parfois suffi de donner aux soldats russes une photo d'eux pour qu'ils nous laissent passer aux barrages. Une photo où, de préférence, ils posent avec leur kalachnikov. Pour beaucoup, ce cliché est le seul qu'ils ont d'eux pendant cette guerre ; rares sont les soldats qui ont les moyens d'acheter un appareil dans les années 1990. Salman Radouev en veut une aussi, et Anders photographie le Loup solitaire dans sa canadienne avec moi en doudoune rose foncé. Le jeune homme glisse la photo dans la poche de sa chemise et j'apprendrai plus tard qu'il la montre à ceux qu'il rencontre en disant : « regardez, c'est ma petite amie ».

« Mais venez voir », insiste-t-il une dernière fois.

Nous refusons de nouveau. Pour les Russes, le Loup solitaire figure en tête de la liste des personnes à abattre et nous ne sommes pas tous sous la protection d'Allah.

Le loup – *borz* – est un symbole de liberté qui s'est enraciné au cours des siècles de lutte contre l'empire. Le loup libre et sauvage représente le Tchétchène, le chien lâche et apprivoisé le Russe.

Les indépendantistes ont choisi le carnassier comme emblème de la république. Selon eux, le loup est le seul animal qui ose se mesurer à un adversaire plus fort. Ce qui lui manque en force et en taille, il le compense par son audace et son courage ; le loup est en outre loyal envers la meute et prêt à se sacrifier pour elle. Il est épris de liberté, ne peut pas être dressé et préfère mourir en combattant que se rendre.

Les Tchétchènes ne gardent que les traits qu'ils préfèrent et oublient que le loup est un carnassier impitoyable qui chasse tout animal faible et sans protection. La guerre des années 1990 a détruit le tissu social tchétchène et porté l'inhumanité à son apogée ; le commerce des otages, le meurtre des innocents, la torture et les violences – des deux côtés – deviennent de plus en plus courants. Mais le mythe du Loup est entretenu et transmis de génération en génération. Ce poème date de l'époque soviétique :

*Nous sommes des loups.*
*Contre les chiens nous sommes peu.*
*Au bruit des armes,*
*le temps a réduit notre nombre.*
*Comme dans une exécution,*
*nous sommes tombés par terre sans bruit,*
*mais nous avons survécu,*
*même si nous sommes bannis.*
*Nous sommes des loups.*
*Nous sommes peu nombreux.*
*Il ne reste que peu d'entre nous.*

*Nous, loups et chiens, avons la même mère,*
*mais nous, nous ne nous sommes jamais rendus.*
*Votre destin est une gamelle bien remplie*
*le nôtre, la faim sur une terre gelée.*
*L'empreinte des animaux sur le sol,*
*la neige qui tombe sous les étoiles silencieuses.*
*Dans le froid de janvier*
*on vous laisse entrer,*
*tandis que nous sommes entourés*
*d'un cercle de lumières rouges.*
*Vous jetez un œil à l'extérieur par l'entrebâillement*
*[de la porte,*
*nous errons dans la forêt.*

*À l'origine vous étiez des loups*
*mais il vous manquait le courage.*
*Vous étiez gris,*
*et vous étiez braves autrefois,*
*mais vous avez mangé des restes*
*et êtes devenus esclaves.*

*Mendier et vous mettre à plat ventre pour un bout de*
*[pain*
*vous convient,*
*mais le collier et la laisse*
*sont la récompense – bien méritée !*
*Tremblez dans votre cage*
*tandis que dehors nous chassons !*
*Car, plus que les ours,*
*nous les loups détestons*
*les chiens.*

# La chasse au loup

« Prenez autant de souveraineté que vous en êtes capables ! » mugit une voix rauque.

En 1990, Boris Eltsine fait une tournée en Russie, encourageant les régions et les petits États à réclamer plus de pouvoir au Kremlin. En tant que dirigeant de la Russie, une des quinze républiques soviétiques, il cherche à déstabiliser le président Mikhaïl Gorbatchev, tout en essayant de sauver l'URSS de l'effondrement.

Le 19 août 1991, Gorbatchev est en vacances en Crimée quand les anciens communistes lancent un coup d'État à Moscou. Toutes les lignes de sa luxueuse datcha sont coupées, mettant hors jeu le chef suprême de l'Union soviétique.

Boris Eltsine se jette dans la bataille contre les putschistes. D'un char, en bras de chemise, il rugit à l'intention de la foule qui s'est rassemblée pour protester contre le coup d'État.

À Grozny, qui est alors une capitale provinciale soviétique, Djokhar Doudaev approuve.

En tant que président du comité exécutif du Congrès national tchétchène, et alors que d'autres s'abstiennent de prendre position, il encourage à la mobilisation générale contre le putsch. Il exige que le gouvernement soviétique démissionne et que le parlement soit dissous.

Djokhar Doudaev est le seul Tchétchène à avoir le grade de général dans l'armée soviétique. Il commandait la division des bombardiers stratégiques nucléaires de l'Union soviétique, basée à Tartu, en Estonie. Le général, qui très tôt a soutenu la lutte des Baltes pour l'indépendance, est le premier à avoir permis que le drapeau estonien soit hissé à la base militaire. Il quitte l'armée de l'air en 1991, après avoir refusé d'intervenir à Vilnius, la petite capitale lituanienne, et de tirer sur les habitants. Il rentre chez lui.

*Prenez autant de souveraineté que vous en êtes capables !* C'est exactement ce que Djokhar Doudaev a l'intention de faire.

Après le coup d'État, une série de manifestations éclatent en Tchétchénie. Elles sont suivies d'une grève générale pour protester contre les autorités soviétiques locales. Les hommes de Doudaev occupent les édifices officiels, la tour de la télé et de la radio. La révolution est un véritable soulèvement, elle ne se fait pas en douceur comme dans les autres républiques soviétiques. Lors du coup d'État, Doudaev relâche les six cents détenus d'une prison et plusieurs parmi eux intègrent directement sa garde personnelle ; tous les criminels, du condamné pour meurtre à l'escroc, sont libérés.

Dans le courant de l'automne 1991, Doudaev renforce son pouvoir. Il prend le contrôle de la police et de son arsenal, il achète, vole ou obtient par la force le matériel des troupes soviétiques qui opèrent sans chef alors que les luttes de pouvoir se poursuivent à Moscou. En octobre, Doudaev remporte l'élection présidentielle avec quatre-vingt-dix pour cent des voix et les formations nationalistes obtiennent tous les sièges au parlement. La première semaine de novembre, ce même parlement proclame l'indépendance de la Tchétchénie. La deuxième semaine de novembre, Eltsine instaure l'état d'urgence en Tchétchénie et y envoie un demi-millier d'hommes. Ils sont encerclés par les tireurs d'élite tchétchènes dès l'aéroport et bloqués dans le terminal. Les troupes soviétiques, qui se trouvent sous le commandement de Gorbatchev, ne sont pas déployées. Le Soviet suprême de Russie condamne l'état d'urgence. Les soldats quittent la république. Pour cette fois.

Doudaev est fermement décidé à ce que la Tchétchénie se sépare, non seulement de l'Union soviétique, mais aussi de la Russie. En décembre 1991, l'Union soviétique est dissoute, et les quinze républiques obtiennent leur indépendance. La Tchétchénie n'a que le statut de « république autonome » à l'intérieur de la Russie et son indépendance n'est pas reconnue. Boris Eltsine, le moteur derrière la chute de l'Union soviétique, veut à tout prix garder les frontières du pays intactes et n'accepte aucune sécession.

Ces hommes qui menaient auparavant le même combat – contre le pouvoir de l'Union soviétique – deviennent ainsi des ennemis mortels. Ce sont eux les principaux responsables de la tragédie tchétchène.

Doudaev lance une guerre des mots contre Eltsine. « Le russisme est pire que le nazisme », « Boris Eltsine est le chef d'une bande de meurtriers » et son régime est « l'héritier diabolique d'un monstre totalitaire ». En plus de couper tous les principaux subsides, le Kremlin instaure un blocus économique particulièrement inefficace. La seule chose que l'État russe paie encore, ce sont les retraites, pour permettre aux Russes vivant en Tchétchénie de rester. Le tarissement des financements russes accroît le chaos et la corruption, et le régime de Doudaev n'est bientôt plus en mesure de payer les salaires – le phénomène est encore plus marqué que dans le reste de la Russie. Un braquage de banque commis par des criminels tchétchènes à Moscou rapporte presque un milliard de dollars, cet argent retournera en grande partie en Tchétchénie. Grozny devient une plaque tournante de la contrebande, du trafic et du blanchiment d'argent, tandis que le rôle de l'État dans la république s'effondre.

C'est à cette époque que les requins de l'administration Eltsine aspirent à une « petite guerre victorieuse » qui permettrait d'accroître leur popularité au sein des nationalistes russes ; l'ultranationaliste Vladimir Jirinovski vient alors de remporter une voix sur quatre aux législatives. La principale raison de l'invasion de la Tchétchénie reste cependant la crainte de l'effet domino. Si les Tchétchènes se séparent, l'ardeur de la révolte risque de s'étendre au reste du Caucase Nord, et toute la Russie pourrait s'écrouler.

L'hiver 1996, la guerre bat son plein. L'ours, avec toute sa force de frappe, chasse le loup. Mais le chef de la meute – Djokhar Doudaev – leur échappe toujours.

Anders et moi chassons aussi.

Nous sommes transportés d'un lieu à l'autre, dans une nouvelle ferme, une nouvelle maison, et recevons toujours la même consigne : attendre. On nous donne à manger, un lit, une place dans une autre voiture ; souvent nous ignorons où nous nous trouvons, mais nous sommes conduits à une maison dans l'obscurité, introduits dans une pièce. Pour attendre.

Il ne dort jamais plus d'une nuit au même endroit. « Il était ici hier. Il est dans le coin. Il est de l'autre côté de la frontière. Il est partout, donc si vous voulez le rencontrer, vous n'avez qu'à attendre. Tôt ou tard, il se manifestera », voilà ce que nous disent ses hommes.

Un soir, ils nous conduisent jusqu'à une maison en périphérie d'Ourous-Martan. « Asseyez-vous ici », nous disent-ils avant de disparaître. La soirée passe. Et la nuit. Le lendemain soir, tard, ils nous emmènent dans une autre maison. « Attendez ici. »

Presque tous les chefs tchétchènes sont là. Nous sommes installés dans un canapé. C'est la prière commune – le *Zikr* – où les combattants, les uns derrière les autres, tournent en rond en tapant du pied et en criant une prière.

Quand ils s'assoient pour manger, ils ont l'air soucieux, épuisés.

Les Russes ont lancé une nouvelle offensive et l'hiver est dur. Quand le sol est gelé et les rivières sans eau, les lourds véhicules russes se déplacent facilement. Quand la nature est dépouillée de ses feuillages, quand le sol est blanc, les Tchétchènes cachent plus difficilement leurs bases.

Du séjour, nous sommes conduits dans une nouvelle pièce. Vers 2 heures, le responsable de la presse de Doudaev apparaît et accroche un drapeau au mur. Il avance une chaise et ressort. Entrent ensuite le chef de la sécurité et un homme qui se présente comme l'avocat d'État de la Tchétchénie. Nous sommes assis par terre sur des coussins mous, une petite lampe à pétrole posée entre nous. Le chef de la presse revient, et nous comprenons qu'il est temps de sortir nos carnets, les magnétophones et les appareils photo.

La porte s'ouvre. Le général distingué en treillis fraîchement repassé serre, doucement et en souriant, les mains de l'assistance et s'assied devant le drapeau orné du loup tchétchène. Il est petit mais musclé, il a un visage maigre, un nez aquilin et une moustache soignée. Le regard sombre est intense. Méticuleux dans les manières et l'expression, comme dans sa mise, il se met à parler. Il semble content de lui, oui, presque suffisant. À cette époque-là, il est le chef incontesté des indépendantistes, même si certains pensent qu'il a perdu sa clairvoyance après une année passée dans les caves et les bunkers, pendant que d'autres dirigent la résistance sur le terrain. Quoi qu'il en soit, dans les zones contrôlées par la guérilla, le long des routes, sur notre passage, les enfants lèvent le poing en criant Djokhar, Djokhar, Djokhar !

Cette nuit-là, il a décidé de diriger le tir contre nous : l'Occident. L'état d'esprit des Tchétchènes à l'égard de l'Occident a changé au cours de cette première année du conflit. Oui, l'Occident est critique. Oui, l'Occident proteste. Oui, l'Occident mentionne la guerre dans ses discussions avec Eltsine. Mais que se passe-t-il ? La guerre continue.

« Vous ne faites rien pour pousser la Russie à respecter les droits de l'homme. Ils bombardent nos villages et vous haussez les épaules. Tout va bien pour vous tant qu'on vous laisse tranquilles », tonne l'ex-général de l'armée soviétique. « La paralysie de l'ONU est honteuse ! Nous avions espéré de l'aide pour construire un État de droit démocratique, mais vous nous avez trahis. Depuis que l'OSCE joue les médiateurs, le conflit est devenu dix fois pire. L'ONU devrait instaurer des sanctions économiques strictes envers la Russie. À la place, vous l'acceptez comme membre du Conseil de l'Europe et lui donnez des petits devoirs à faire à la maison ! »

Ces citations, je les ai extraites de l'interview réalisée avec le chef de la guérilla pour le journal *Arbeiderbladet*. Aujourd'hui – avec une situation du monde complètement chamboulée depuis 1996 – il est intéressant de relire les prédictions de Doudaev. « Dans quelques années, le conflit s'étendra. Ce sera alors le conflit du monde musulman contre l'Ouest. Ce sera la fin du monde occidental, car vous n'êtes pas prêts à combattre. »

Il ajoute que c'est parce que l'Occident n'a pas suffisamment aidé la Russie à construire un État de droit après la débâcle de l'Union soviétique que les Tchétchènes regardent maintenant vers la charia – les lois et règles islamiques. « Vous nous avez contraints à devenir une société musulmane », dit l'homme qui n'est jamais apparu comme particulièrement croyant et qui aurait crié dans un meeting que les musulmans devaient prier trois fois par jour. Quelqu'un l'aurait corrigé, il aurait alors claironné : « Oui, cinq, disons cinq, c'est encore mieux ! »

Sa critique a quelque chose de désespéré. D'une voix calme, monotone, il trouve plus intéressant de parler de la fin prochaine de l'Occident que du cours de sa propre guerre : « Vous ne savez plus créer et vous trahissez les idéaux de l'humanisme en fermant les yeux sur ce qui se passe ici. Par nature, l'Européen de l'Ouest est enclin à l'égoïsme et au fascisme. Vous êtes incapables d'inventer quoi que ce soit, vous n'êtes bons qu'à faire fructifier l'argent et empaqueter des Snickers. Vous êtes un rassemblement de pays impérialistes qui brûlent de dominer les autres. Chaque semaine en Europe, on met le feu à des centres d'accueil de réfugiés. N'est-ce pas du fascisme ça ? »

Les dernières heures de la nuit, il les passe à tourner en dérision l'ours féroce – Boris Eltsine. « Un jour il veut retirer ses troupes, le lendemain il veut me tuer. La guerre devait d'abord être bouclée en deux heures, puis en trois jours, puis pour le cinquantenaire de la Seconde Guerre mondiale, puis pour l'anniversaire d'Eltsine, puis pour l'anniversaire de Gratchev, et maintenant c'est pour les élections présidentielles. »

La séance se termine par une menace contre nous, avec nos carnets. « Vous vous promenez partout et récoltez les informations qu'ensuite vous transmettez aux services de renseignements russes ! »

Puis il sort, raide comme la justice.

Un soir de printemps quelques années plus tard, quand le feuillage dissimule à nouveau les bases de la guérilla, le président tchétchène quitte le QG pour téléphoner. Avec deux conseillers et des gardes du corps, il est conduit dans la forêt au-dessus du village de Gehki-Tchou. La jeep est garée dans un petit ravin et les conseillers déploient l'antenne du téléphone, qui ne fonctionne qu'à ciel ouvert. Djokhar Doudaev compose le numéro du parlementaire russe Konstantin Borovoï à Moscou pour discuter de l'éventualité de pourparlers de paix.

La conversation est longue, un peu trop longue, ou tout juste assez longue pour qu'un avion militaire russe réussisse à détecter le signal, repérer la source et lancer un missile air-sol qui tape dans le mille. Selon les gardes du corps, qui ont tous survécu, il aurait réussi à dire : « Continuez la lutte jusqu'au dernier... »

J'ai changé avec les voyages en Tchétchénie. Quand je rentre à Moscou pour me reposer, je suis déprimée, sans énergie. Je n'ai qu'une envie : repartir. La vraie vie est dans les montagnes, où les gens combattent côute que coûte. Je deviens presque anti-russe. Moi qui adorais la poésie, la musique et tout ce qui était différent, moi qui étais en quête de « l'âme russe », je remarque désormais le racisme, le nationalisme, la toute-puissance des hauts fonctionnaires, l'ignorance, l'histoire sinistre, ou pour le dire avec les mots d'Anton Tchekhov : « La vie russe écrase si bien ses sujets qu'ils ne peuvent se relever, elle les écrase de sa masse de mille kilos. »

Un appartement en sous-sol reste un appartement en sous-sol. Tout commence à m'agacer : le smog au-dessus de Moscou, la bousculade dans le métro, l'aigreur non dissimulée des vendeurs, les boutiques de luxe dans lesquelles seule la mafia a les moyens d'aller. Le capitalisme a en effet gagné du terrain : l'usine de montres devant laquelle je passe chaque jour est devenue un casino. Tout m'énerve, mais le pire est la désinformation pratiquée par la télé.

Un soir, j'appelle mon rédacteur pour l'informer que j'ai l'intention de partir en Tchétchénie le surlendemain. Il me dit qu'il ne m'autorise pas à y aller.

« Tu ne m'y autorises pas ? dis-je sidérée.

— Non, c'est trop dangereux.

— Tout à coup c'est devenu trop dangereux ? »

Je découvre qu'il a reçu des appels de Lillehammer. Je compose le numéro de mes parents.

« Maman, tu as appelé *Arbeiderbladet* ? »

Silence au bout du fil.

« Maman ? !

— Moi ? Oui, j'ai appelé plusieurs fois pour bavarder un peu. Cet Øyvind Johnsen est un homme fort sympathique. De plus, il est d'accord avec moi, il trouve lui aussi que tu ne devrais plus partir en Tchétchénie. »

Je broie du noir dans ma chambre ; de mon fauteuil, je regarde par la fenêtre couleur gaz d'échappement le brouillard sur la perspective Leningrad. Tous mes sacs sont prêts, les billets achetés, mes compagnons de voyage doivent passer me prendre le lendemain matin, Didier de *Libération*, Isabelle du *Figaro* et Thomas du *Times*. J'appelle les Français. Les deux journalistes, que rien n'arrête, restent sans voix quand je leur raconte pour ma mère.

« Ben, bon voyage », dis-je d'une petite voix en redressant les coussins effilochés. Je suis free-lance, et quelque part je fais ce que je veux, mais maintenant qu'on m'a interdit de partir, je n'ai plus d'argent pour voyager. Couvrir une guerre revient cher : il faut louer un chauffeur, et ces derniers demandent des prix fous à cause du risque encouru, à cela s'ajoutent les bakchichs. Didier a une idée lumineuse : « Accompagne-nous comme interprète, on se répartira tes frais ! »

Nous dormons par terre. Nous mangeons du fromage tendre et du pain sec. Nous lisons des cartes. Cet été 1996, nous pourchassons le chef d'état-major tchétchène, Aslan Maskhadov. De nouveau, nous sommes conduits de maison en maison, de voiture en voiture, jusqu'à ce qu'on nous dépose à un carrefour et qu'on nous demande de monter un sentier dans la forêt. Je sursaute quand j'aperçois une paire d'yeux sombres qui me fixent à travers le feuillage. Et encore d'autres. Et encore. Plusieurs dizaines d'hommes à la barbe sombre, un bandeau vert sur la tête et en uniforme noir, sont cachés entre les troncs. L'arme chargée, ils nous suivent du regard, telles des statues de pierre, tandis que nous grimpons, et là, soudain, juste devant nous, nous avons Aslan Maskhadov, assis sur une souche. Il nous observe depuis longtemps quand nous levons enfin les yeux, et nous sourit alors que nous peinons dans la montée.

Aslan Maskhadov se démarque des autres chefs tchétchènes : il parle bas, ses yeux sont doux et paisibles. Il est le stratège derrière l'extraordinaire faculté des Tchétchènes à combattre, opposant quelques milliers d'hommes à une des plus puissantes armées du monde. Ce jour-là, il nous regarde avec un petit sourire narquois.

La forêt de hêtres brille sous un doux soleil de mai, l'ensemble est une nuance de vert – les feuilles, l'herbe, la mousse, l'uniforme du chef tchétchène ; je porte moi-même un pantalon kaki. Si un hélicoptère tournait au-dessus de nous, il ne verrait que la forêt.

Nous l'interrogeons sur l'évolution de la guerre, sur la volonté de combattre, l'ambiance, la tactique, la stratégie. Puis il dit :

« Je vais rencontrer Eltsine.

— Quand ? Où ?

— À Moscou, le 27 mai. »

Nous nous regardons et pensons la même chose : nous tenons un scoop. Les deux dirigeants ne se sont encore jamais rencontrés. Cette entrevue est en soi une grande victoire pour les Tchétchènes : depuis le début, ils la réclament. Dans deux mois ce sont les élections présidentielles russes, et Eltsine est mal placé dans les sondages. Une paix en Tchétchénie serait bienvenue. Maskhadov reconnaît que cette rencontre comporte un certain risque, il sait qu'elle peut apporter à Eltsine un soutien accru pour l'élection présidentielle, mais malgré toute la méfiance que lui inspire le dirigeant russe, il ne voit aucune autre façon de mettre fin au conflit. Eltsine a pour principal adversaire le communiste Guennadi Ziouganov. « Je n'ai pas confiance en Eltsine, mais personne ne s'est autant moqué de nous que les communistes », conclut le stratège tchétchène.

Des pourparlers de paix ! Des négociations ! Maskhadov à Moscou ! Ce n'est pas rien comme information et sur le chemin du retour, nous nous demandons comment nous allons pouvoir la transmettre. Aucun de nous n'a de téléphone satellite, et les seuls centraux qui fonctionnent se trouvent à Grozny ou Chali, bien loin donc.

Nous croisons à un carrefour une correspondante au nez crochu, de l'Agence France Presse. Dans sa grande bonté elle nous laisse utiliser son téléphone, à condition de pouvoir elle aussi communiquer la nouvelle.

Nous écrivons chacun notre article. Toute contente, je le dicte à la secrétaire d'*Arbeiderbladet*. Puis j'ai Øyvind Johnsen au bout du fil.

« J'ai lu ton article. Passionnant, mais je ne peux pas l'utiliser.

— Quoi ?

— Tu avais l'interdiction de partir en Tchétchénie. Je ne peux pas t'interdire quelque chose un jour et publier tes articles le lendemain. Désolé, Åsne. »

C'était LE scoop. Merci, maman.

Mes trois reporters ne veulent pas me croire. Il a refusé mon article ? !

Ils me supplient de le rappeler. De retour à Grozny, je me rends au bureau des télégraphes bombardé. La poussière du béton s'engouffre dans la porte démolie, je parle à Øyvind sur une ligne qui craque. Il rigole.

« Tu as gagné, rit-il. 1-0 pour toi ! »

Est-il devenu fou ?

« Une dépêche traduite de l'Agence France Presse vient de tomber : elle annonce que Maskhadov doit rencontrer Eltsine à Moscou "*according to the correspondents of* Le Figaro, Libération, The Times *and* Arbeiderbladet" ! Jamais encore depuis que je suis rédacteur à *Arbeiderbladet,* le journal n'a été cité comme source par l'Agence France Presse. Dans ces conditions je n'ai pas le choix, je dois exploiter l'article. Il est déjà publié ! »

Je raccroche, un peu étourdie. J'ai donc été sauvée par la dame au téléphone satellite.

Les négociations de paix ont lieu à Moscou. Le 27 mai au bout de deux heures, un accord sur un cessez-le-feu et sur l'échange de prisonniers est signé. Eltsine a eu sa paix avant les élections, et les Tchétchènes ont eu leur rencontre avec le président. Les pourparlers doivent se poursuivre le jour suivant dans la datcha du gouvernement, à l'extérieur de Moscou. Le lendemain matin, Eltsine part en Tchétchénie où il donne sa plus brillante représentation de toute la campagne électorale en annonçant que la guerre est gagnée et que « les hordes de bandits sont réduites à néant ». Pendant ce temps, la délégation tchétchène est isolée dans la datcha, sans interlocuteur ni accès aux médias. Ils viennent de participer à une pirouette électorale.

Le premier week-end de juillet, Boris Eltsine remporte l'élection présidentielle.

Le deuxième week-end de juillet, les avions russes bombardent le village de Makhety, dans les montagnes, où sont rassemblés tous les chefs tchétchènes. Plusieurs maisons, dont la mairie, sont pulvérisées et des douzaines d'hommes tués. Les chefs des rebelles se dispersent. Maskhadov descend vers la plaine en rampant le long du fleuve. Iandarbiev gagne les hauteurs, où il attend la tombée de la nuit pour poursuivre sa route à cheval. Bassaev fuit vers l'ouest. Pendant trois jours, ils vont se déplacer en se nourrisant de feuilles et en buvant l'eau des ruisseaux. Ils se fraient un passage dans la forêt épaisse, les précipices et les ravins, et quand Maskhadov et Bassaev se retrouvent, ils sont presque emportés par le courant d'un affluent de l'Argoun. Tous les chefs et tous les *boeviki* réchappent de Makhety ; les seules victimes, comme si souvent déjà, sont des civils.

Quoi qu'il en soit, la paix est révolue.

L'élection présidentielle sonne aussi la fin de mon séjour en Russie. Je suis la prochaine décennie de loin.

La Tchétchénie obtient une sorte d'indépendance, la question de l'appartenance constitutionnelle étant sans cesse reportée. En 1997, Aslan Maskhadov est élu président de la République tchétchène à une large majorité. Il ne réussira jamais à contrôler le pays ou à empêcher la propagation du wahhabisme, un mouvement radical de l'intégrisme musulman auquel appartient notamment Oussama Ben Laden. La Tchétchénie est dévastée. Presque tout ce que la Russie envoie pour la reconstruction disparaît en cours de route, tandis que l'argent du Moyen-Orient sert à bâtir des mosquées, des madrasas et à financer l'armement. Les islamistes minent les relations avec le reste du monde en exécutant des infirmières, des médecins, des ingénieurs et des journalistes occidentaux. La lutte pour le pouvoir entre le modéré Aslan Maskhadov et le toujours plus extrême Loup – Chamil Bassaev – est ouverte, celle entre l'islam traditionnel pratiqué en Tchétchénie et le nouveau courant venu du monde arabe aussi.

La république voisine du Daguestan lance une campagne contre les extrêmistes musulmans qui fuient en Tchétchénie où ils sont chaleureusement accueillis par les ennemis de Maskhadov et les groupes radicaux. Leur but est de renverser le gouvernement pro-russe du Daguestan et ensuite, avec la Tchétchénie, de fonder la fédération islamique du Caucase Nord. L'été 1999, les troupes soviétiques se massent de nouveau aux frontières tchétchènes, des bombes sont larguées sur ce que les porte-parole militaires appellent « des camps de bandits ». Les gens recommencent à stocker de la nourriture et à organiser leur fuite.

Le 7 août 1999, quelques milliers d'hommes armés menés par Chamil Bassaev passent la frontière tchétchène et pénètrent au Daguestan. Ils prennent le contrôle de plusieurs villages et déclarent l'indépendance du Daguestan.

Deux jours plus tard, Boris Eltsine annonce le nom de son nouveau Premier ministre, inconnu de la plupart des Russes – un ex-homme des renseignements qui a consacré sa vie au service de sécurité et y a fait carrière. Il s'appelle Vladimir Poutine.

Le nouveau Premier ministre se distingue en adoptant à l'égard de la Tchétchénie une ligne encore plus dure que celle de Boris Eltsine.

Le 9 septembre 1999, une bombe explose dans la cave d'un immeuble à Moscou. Environ cent personnes sont tuées. Quatre jours plus tard, un autre bâtiment part en fumée, laissant de nouveau cent morts. Le maire de Moscou parle de la « piste tchétchène », ce que fait également le Premier ministre fraîchement nommé. Ni le Loup ni aucun Tchétchène ne revendique les explosions dans les immeubles, mais les médias russes sont sûrs : c'est eux. Le 22 septembre, un nouvel événement change la donne. À Ryazan, une ville à l'est de Moscou, un homme remarque une voiture à la plaque d'immatriculation déguisée, d'où l'on décharge des sacs qui sont ensuite transportés au sous-sol de son immeuble. Il appelle la police qui les trouve, ainsi qu'un détonateur. Ils sont remplis d'hexogène, une substance hautement explosive, la même que celle utilisée à Moscou deux semaines plus tôt, annoncent les enquêteurs locaux. On découvre que l'ensemble a été déposé par des agents du FSB. Deux jours plus tard, le FSB déclare que l'opération était un exercice pour tester « la vigilance du public », et que la poudre contenue dans les sacs n'était en réalité que du sucre. Les incohérences dans les déclarations peuvent laisser penser que le FSB a été pris en flagrant délit – en train de préparer le terrain pour une nouvelle guerre.

Fin septembre, les bombardiers russes repoussent Chamil Bassaev hors du Daguestan. La deuxième guerre de Tchétchénie est en route.

Elle est encore plus violente que la précédente. Des dizaines de milliers de personnes sont à nouveau tuées. Les disparitions recommencent. Une quantité de gens fuient. Sur la grande route entre Bakou et Moscou, les voitures sont immobilisées pendant des jours. Les gens affluent hors des frontières pour rejoindre les camps qui sont établis en l'espace de quelques jours dans la république voisine d'Ingouchie. Un espace y est attribué à chaque famille. Une fois par jour, tout le monde se retrouve autour d'un camion-citerne où les gamelles sont remplies de soupe et le pain distribué.

Aidé par une large couverture médiatique en Russie, l'image de Vladimir Poutine passe de celle du bureaucrate gris à celle d'un chef ferme et dynamique qui n'a pas froid aux yeux. Au premier de l'an 1999, Boris Eltsine annonce qu'il se retire et qu'il a trouvé son successeur.

Le Premier ministre sera président.

Boris Eltsine est le premier dirigeant russe à quitter le pouvoir de lui-même, mais il a assuré ses arrières ; sa famille croule sous les scandales liés à la corruption. Poutine ne le déçoit pas : son premier geste, le 1er janvier 2000, est de promulguer un décret garantissant l'immunité judiciaire à Eltsine.

Puis les dirigeants tchétchènes vont être éliminés, les uns après les autres.

Le Loup solitaire, Salman Radouev, est fait prisonnier par les forces spéciales russes en 2000 et condamné à perpétuité pour terrorisme, banditisme et prise d'otage. En 2002, il meurt d'hémorragies internes à la prison du « Cygne Blanc » à Perm. Les circonstances de sa mort ne sont pas claires. La même année, notre hôte Khunkar Pasha Israpilov est tué. Autre personne à nous avoir hébergés, le commandant Rouslan Guelaev est abattu en février 2004, alors qu'il tente de s'introduire en Géorgie. La voiture de l'ex-président Zelim-Khan Iandarbiev explose à Doha, la capitale du Qatar, en 2004 ; deux agents russes du FSB seront condamnés pour ce meurtre. Le président Aslan Maskhadov est tué dans une attaque russe le 8 mars 2005 dans la ville tchétchène de Tolstoï-Iourt. Les images du président abattu, étendu sur le sol, la chemise ouverte et les bras en croix, sont montrées comme un trophée à la télévision. Le corps n'a pas été remis à la famille pour être enterré.

Martin Adler, qui m'a aidée dans mon tout premier voyage, est décédé lui aussi. En juin 2006, le journaliste suédois est tué par un tir à bout portant lors d'une manifestation à Mogadiscio en Somalie. Il reste l'un des rares journalistes à avoir réussi à rencontrer Chamil Bassaev, celui qui fut un jour l'homme le plus recherché de Russie. Le Loup meurt trois semaines après le Suédois, quand le camion à côté duquel il se trouve explose. La dissidence tchétchène a les reins brisés.

Il va s'écouler dix ans entre le moment où je quitte la Russie et la Tchétchénie et celui où je pense : il est temps d'y retourner.

# Le retour

Elle veut remplacer le châle en soie bleu par un marron, plus petit et plus épais. Il est parsemé de fleurs jaunes et noires. La jupe est longue, le manteau a une ceinture à la taille, les bottines à talons hauts sont pointues.

« Maquille-toi », m'ordonne-t-elle en sortant la palette de maquillage. Elle étudie les couleurs. « Nos femmes veulent être belles. »

Les cils et sourcils ont déjà été teints en noir, on y ajoute maintenant le fard à paupières et le rouge à lèvres luisant.

Elle me trouve des bijoux en or – des boucles d'oreilles ornées d'une petite perle en forme de larme, un bracelet, et une bague qui ressemble à une alliance. « C'est mieux comme ça », dit-elle, satisfaite du résultat.

Le châle marron foncé est bien serré dans ma nuque.

Deux Caucasiennes du Nord – une vraie et une déguisée – vont prendre l'avion. Un fichu sur la tête, une jupe ample, des talons qui claquent.

« Mais surtout, le plus important : tu ne dois pas te promener en souriant tout le temps ou en regardant partout, comme tu le fais d'habitude. Ton visage ouvert te trahira immédiatement. Baisse la tête, fronce les sourcils, prends un air pas aimable. »

Les bouleaux de l'aéroport Vnoukovo à Moscou ont vieilli de dix ans depuis mon dernier passage. Nous sommes en 2006. Nous baissons la voix. J'ai promis de ne dire que le strict minimum. Quand nous atterrirons, mes lèvres doivent être scellées.

Zaïra est elle-même de Grozny. C'est une belle jeune femme élancée, étudiante en droit à Moscou. Elle va essayer de me faire entrer en Tchétchénie. Elle a décidé de prendre un vol pour Vladikavkaz en Ossétie du Nord. Là, elle connaît une employée de l'aéroport qui essaiera de nous faire passer hors de la file, afin que j'échappe au contrôle des passeports, pour éviter d'être enregistrée.

L'avion est plein à craquer. Je constate avec satisfaction que j'ai la bonne tenue. Je souris à Zaïra, qui me retourne un regard noir. Les gens, chargés d'un nombre impressionnant de colis, poussent de tous les côtés. Arrivées à notre rangée, ma compagne de voyage m'indique sèchement la place près du hublot. La sueur brille sur son front. Le fichu glisse sur ses longs cheveux bruns. Le mien est tellement bien attaché à la racine de mes cheveux qu'il n'a pas bougé d'un pouce.

Une lumière matinale grise donne à l'intérieur fatigué de l'avion un air encore plus vieilli, avec des taches, des éraflures, des fissures, des fauteuils aux dossiers cassés et des tables qu'on ne peut plus fixer. Le coffre à bagages au-dessus de nos têtes grince lamentablement sous le poids des sacs que l'on y entasse.

Le moteur rugit, nous cahotons le long de la piste. Durant le décollage, je vois que l'homme à deux places de moi parle encore au téléphone. Je chuchote à Zaïra de lui demander d'éteindre, mais elle se contente de hausser les épaules. J'entends alors que plusieurs personnes autour de moi ont toujours leur portable allumé. « Oui, nous avons décollé », dit une femme derrière moi. « On se voit dans quelques heures », ajoute un jeune homme devant. « Putain, mais éteignez ces téléphones », dit mon regard. Tout à fait en vain.

Le brouillard ressemble à du coton sale derrière la fenêtre, un silence engourdi tombe dans la cabine.

Après deux heures de vol en direction du sud, la couche de nuages au-dessous de nous se fend et à nos pieds, les montagnes légendaires s'élèvent, fières et luisantes. Nous approchons de Vladikavkaz, qui signifie *Le Souverain du Caucase*. À une époque, la ville fut une station de villégiature à la mode. Au XIXe siècle, ses sources de phosphore attiraient la noblesse qui venait y soigner toutes sortes de maux, la bourgeoisie se promenait à cheval sous de grands parasols tenus par des serviteurs, pour respirer l'air sain des jardins luxuriants. À l'époque soviétique, les touristes prirent d'assaut les sanatoriums et les ouvriers des usines quittèrent le brouhaha des villes industrielles pour l'ancien lieu de prédilection des maîtres. Aujourd'hui, *Le Souverain du Caucase* est un bled paumé dans la zone limitrophe d'une guerre aux conséquences tragiques pour les Ossètes aussi.

Il y a douze ans, je prenais ce vol pour la première fois, assise entre deux pilotes en uniforme de l'armée. À l'époque, personne ne demandait qui, quoi et où. Maintenant je dois me cacher des autorités. Poutine a compris ce dont Eltsine ne s'était jamais soucié : la puissance de la libre expression. Dans les premiers temps de la guerre, on pouvait voyager librement en Tchétchénie, c'est aujourd'hui illégal, et presque impossible. En tant qu'étranger, il faut d'abord une accréditation du ministère des Affaires étrangères russe à Moscou, et ensuite une autorisation du ministère de l'Intérieur. De plus, on doit être accompagné d'un représentant des autorités. « Pour votre sécurité », nous dit-on. Quand on reproche aux mêmes autorités d'entraver le travail des journalistes, elles grognent. Plusieurs fois par an, le ministère des Affaires étrangères russe organise des voyages de quelques jours pour des journalistes triés sur le volet dans une sélection d'endroits du Caucase, où ils sont suivis du matin au soir et où les interviews sont surveillées. J'ai voulu essayer d'entrer en Tchétchénie par mes propres moyens.

Au moment où le commandant de bord nous annonce que nous nous préparons à atterrir, les passagers se mettent à appeler leurs proches pour les prévenir. La rumeur des conversations envahit la cabine et plusieurs personnes se lèvent pour extraire leurs bagages des coffres. Un femme âgée se faufile entre les rangs pour prendre place près du rideau et sortir la première. Les hôtesses de l'air, attachées à leur siège, réprimandent les passagers comme des maîtresses d'école et tentent par des gestes fermes de la main de les faire asseoir. Mais les voyageurs ont décidé qu'ils sortiraient au plus vite, qu'ils rentreraient le plus rapidement possible chez eux, et ça, ça ne regarde qu'eux. Faisant preuve d'une fascinante indifférence à l'égard des remontrances des hôtesses de l'air russes, ils continuent imperturbablement à descendre leurs affaires, et boum, quand nous touchons la piste d'atterrissage, les désobéissants se cramponnent aux dossiers des fauteuils, oscillent légèrement vers l'avant, puis vers l'arrière, mais restent debout. C'était quoi le problème au juste ?

Quand l'avion file sur la piste, la majorité des passagers sont levés. Ils arrachent les derniers bagages des coffres et des sièges et se pressent vers la sortie.

« Nous n'avons pas dit que vous pouviez vous lever ! » s'exclament les hôtesses d'une voix tranchante. Les gens s'agglutinent encore davantage vers la porte et dévalent l'escalier, chargés de tout leur barda, quand elle s'ouvre.

Nous sommes entraînées dans le ressac. Le contact de Zaïra nous attend. Elle nous accompagne jusqu'à l'entrée de service et nous demande de passer rapidement, tête haute, devant la police. Peu après, nous nous asseyons dans la voiture qui nous attend. Le femme de l'aéroport s'en retourne avec une bouteille de parfum dans la poche et une boîte de chocolats dans la main. Zaïra a pensé à tout.

Mais maintenant elle hésite. Devons-nous attendre jusqu'au soir ? Voyager la nuit est plus dangereux, les soldats ont alors la gâchette plus facile. D'un autre côté, on peut espérer qu'à cette heure-là, les militaires aux barrages en ont marre et sont épuisés. Et eux non plus n'aiment pas être là la nuit, eux aussi préfèrent éviter les problèmes. Cependant, si nous attendons ici ou tournons en rond jusqu'au soir, nous risquons d'éveiller l'attention. La première frontière à franchir n'est qu'à une demi-heure.

« On y va », décide Zaïra.

En quittant l'aéroport, nous passons devant un cimetière. Les tombes blanches toutes identiques sont soigneusement alignées, comme dans un cimetière militaire. Les plaques sont sobres et de coûteuses couronnes sont accrochées à la grille. Mais l'endroit se distingue d'un cimetière habituel : des ours en peluche, des poupées, des angelots et des photos d'enfants sont fixés aux stèles. Il y a trois cent trente tombes, une pour chaque victime de l'école numéro un de Beslan. Une tombe pour tous ceux qui ont été tués après avoir été menacés dans le bâtiment de l'école en ce 1er septembre qui est un jour de fête en Russie. Depuis l'époque soviétique, il est marqué par des festivités célébrant le début de l'année scolaire ; à Beslan, il s'est transformé en enfer quand les terroristes ont pris l'école. Ces derniers voulaient attirer l'attention du monde sur l'injustice et le non-respect des droits de l'homme en Tchétchénie. Quand une mère a imploré les terroristes de libérer les plus petits, l'un d'eux lui a répondu : « Mes enfants aussi ont été abattus. Vos enfants sont-ils mieux que les miens ? »

Plusieurs élèves sont morts de déshydratation, d'autres ont été victimes des balles, d'autres encore ont été tués par les explosions dans le gymnase quand les troupes russes ont donné l'assaut.

Trois femmes passent la porte du cimetière. Elles marchent la tête basse et le pas lourd. Peut-être éprouvent-elles le sentiment de culpabilité décrit par Timothy Philips dans son livre *Beslan* : celui d'avoir survécu. Nous devons continuer notre route. Zaïra murmure une prière et demande au chauffeur d'emprunter une route secondaire. La grand-route, où mon passeport sera à coup sûr vérifié, est exclue : je n'ai pas le droit de séjourner en Ossétie du Nord, où nous nous trouvons alors, ni dans aucune autre des républiques caucasiennes. Il me faudrait une carte KTO, à savoir une autorisation de séjour dans la zone de *Kontrterroristitcheskaya Operatsiya* – la zone d'opération antiterroriste. Pour l'obtenir, il faut faire partie d'un voyage organisé par les autorités.

Le premier barrage, pour l'Ingouchie, se passe comme sur des roulettes ; l'endroit grouille de soldats, mais seul le chauffeur doit montrer ses papiers. Dans le territoire ingouche, nous prenons une piste étroite qui longe des champs et une forêt. À l'horizon, nous distinguons vaguement les montagnes hautes, presque invisibles dans la brume grise. Il commence à neiger. Nous roulons à tombeau ouvert. Je me souviens maintenant : les règles de sécurité ne sont pas pour les Caucasiens, et les ceintures de sécurité encore moins. Elles ont été enlevées dans notre voiture, elles ne servaient à rien de toute façon, elles gênaient. Je demande au chauffeur de ralentir. Il se retourne et rit. « Celui qui a peur ferait mieux de ne pas venir en Tchétchénie. »

Zaïra ne sourit pas. Son regard glisse sur le paysage. Les arbres au bord de la route sont nus, les feuilles sont tombées depuis longtemps et la neige n'a pas encore tout recouvert. Les flocons blancs fondent en touchant le sol. Elle n'a pas vu sa famille depuis plus d'un an. Elle prend de gros risques en m'introduisant ainsi en Tchétchénie. « Mais quelqu'un doit raconter ce qui se passe chez nous, dit-elle, c'est plus important que mes études. »

Nous approchons de la frontière. En arrivant, nous voyons deux baraques barricadées derrière de gros sacs de sable et un mur de pierre. Des blocs de béton sont disposés sur la route de façon à ce que personne ne puisse passer à toute allure, sans s'arrêter. Il faut ralentir et zigzaguer lentement entre les obstacles. Puis une barrière coupe la route. Quelques camions et voitures individuelles font la queue devant nous. Je prends ma nouvelle expression froide et pas aimable. Zaïra affecte de regarder avec indifférence par la fenêtre. Nous sommes deux femmes épuisées qui rentrons chez nous. Entre nous, un sac sale plein de pommes rabougries. La voiture s'arrête, un Russe blond jette un coup d'œil dans le véhicule, nous dévisage, balaie l'intérieur du regard, demande au chauffeur de sortir et de lui montrer le coffre. S'il ouvre mon sac, il ne trouvera que des grenouillères, des combinaisons molletonnées pour enfants et des ours en peluche.

Le chauffeur se rassoit au volant, appuie sur l'accélérateur, se retourne et sourit. Il n'a même pas eu besoin de donner le moindre bakchich à qui que ce soit. Les deux paysannes n'ont pas été jugées dignes d'une vérification de papiers. Il passe la frontière de la Tchétchénie à vive allure.

Zaïra se tourne vers moi, toute contente : « Tu vois, Allah est avec nous. »

Nous apercevons tout d'abord quelque chose de rouge au loin, une tache, là où les terres, brunâtres et clairsemées, se fondent dans le ciel brumeux. Les couleurs sont comme pompées du paysage, l'endroit est plongé dans la torpeur, tout a perdu de son éclat, tout est poussiéreux, enseveli, excepté cette chose rouge là-bas. La tache s'agrandit, prend forme à mesure que nous approchons et se transforme en une arche érigée au-dessus la route, un arc de triomphe de pierre rouge qui, au milieu d'un paysage désolé, s'élève vers le ciel. Quel triomphe ? Quel vainqueur ? Et qui sont les vaincus ?

L'arche s'étend sur toute la largeur de la route. La porte principale est encadrée de part et d'autre par deux ouvertures latérales, dont on ne comprend pas bien l'utilité – il est difficile d'imaginer que quelqu'un arrête sa voiture pour passer à pied sous les petites arches, et la reprenne ensuite pour continuer sa route. On dirait presque de l'art naïf. Avec ses créneaux au sommet, l'arche ressemble surtout à une porte de forteresse en Lego, en un format un peu plus grand.

« Bienvenue à Grozny » est-il écrit en lettres tarabiscotées au sommet de l'arche. Un portrait est accroché de chaque côté. « Nous sommes fiers de toi ! » proclame l'inscription au-dessus du portrait d'un homme d'un certain âge. « Nous sommes avec toi », indique celle au-dessus de celui d'un homme plus jeune.

Le revêtement est inégal quand nous passons sous ces deux Napoléon du Caucase – Kadyrov I et Kadyrov II –, qui nous regardent sévèrement derrière les gravillons qui giclent sur notre passage.

« Ils l'ont construite cet été. »

Zaïra lève les yeux au ciel en secouant la tête.

À mesure que nous avançons vers la ville dévastée, les deux hommes apparaissent de plus en plus souvent le long de la route. En portrait sur un mur de maison, sur des monuments commémoratifs, des affiches, des poteaux de lampadaires, des panneaux publicitaires, dans des vitrines de magasin, et en statues. Des banderoles annoncent que le fan club du plus jeune organise un concert de soutien en son honneur. Ce qu'il restait des ruines du palais présidentiel, où les chefs rebelles se sont autrefois retranchés, a été rasé et transformé en un parc à la mémoire du plus âgé. Il ne manque rien : les fontaines, les lampes, les arbres à feuilles persistantes et les fleurs, tout est là. Au centre de celui-ci trône une statue de l'homme – très aminci, mais aux épaules gonflées – qui, jusqu'à sa mort soudaine, a dirigé la Tchétchénie d'une main de fer. Akhmad Kadyrov, nommé président de la

Tchétchénie après un vote bidon en 2003, était la marionnette de Moscou. En tant que *mufti* de la république, il a soutenu les rebelles durant la première guerre mais il a conclu un accord avec le Kremlin par la suite. L'homme noir rutilant étincelle à toute heure ; un employé armé d'un balai et d'un chiffon est en train d'astiquer le granit quand nous passons.

En cette grise journée d'hiver, c'est comme si l'histoire commençait avec ces deux hommes, qu'il n'y avait rien eu avant eux et qu'après eux l'avenir serait lumineux. Aucun des autres dirigeants n'a été jugé digne ne serait-ce que d'une petite photo, seules ces deux paires d'yeux nous suivent, avec ces inscriptions « Nous nous souviendrons toujours de toi », « Nous te suivrons toujours » et « Ensemble pour toi ! ».

Les portraits, bien évidemment, ont meilleure allure sur les bâtiments qui sont entiers. Ils se plaisent beaucoup sur les divers portails de la ville, s'étalent là où les caméras de télévision peuvent faire un plan sans avoir la moindre bâtisse bombardée dans l'objectif. Ils évitent les ruines et les tas de gravats, les vestiges d'usines, d'immeubles, les portes en fer enfoncées, les charpentes de maisons autour de cours exiguës ou les fondations de maisons bourgeoises, autrefois entourées de vergers d'abricotiers. Mais des gens habitent dans ces endroits aux murs trop abîmés pour les portraits. De la rue, on peut voir comme dans une maison de poupée l'intérieur d'un immeuble sans façade, où les pantalons, les tapis et les tee-shirts suspendus à des cordes font office de rideaux. Ici les gens se protégent des regards indiscrets, là un panneau met en garde contre les mines.

Le long de la grande rue – l'avenue de la Victoire –, les ministères, la mairie, le commissariat de police et le tribunal ont désormais de solides murs blanchis à la chaux. Sur les édifices publics, un autre portrait a trouvé sa place. Un homme maigre, pâle, presque exsangue, est accroché entre les deux hommes imposants. Il nous fixe de ses yeux clairs sous un front lisse. L'expression indique qu'en réalité il n'avait pas le temps de se laisser photographier, et que celui qui le regarde l'empoisonne légèrement.

Le vainqueur. Le véritable *Souverain du Caucase*, celui qui a financé les portes et les monuments commémoratifs, comme l'ont toujours fait les vainqueurs.

Vladimir Poutine n'est que le dernier d'une série de conquérants tentant de dresser les loups.

Pour ma part, je m'intéresse davantage aux louveteaux. Zaïra sait où je peux les trouver et a promis de m'emmener chez une femme qu'ils appellent *L'Ange de Grozny*.

# L'Ange de Grozny

La voiture s'arrête. Il fait nuit. Zaïra descend et frappe à un portail vert. Des chuchotements et des voix étouffées nous parviennent de l'intérieur. Un jeune garçon entrouvre la porte et jette un coup d'œil à l'extérieur. Zaïra dit quelque chose en tchétchène, et nous nous faufilons dans une cour faiblement éclairée par une lampe isolée. Une femme vient à notre rencontre. Elle étreint Zaïra à la manière tchétchène – épaule contre épaule, le bras passé autour de la taille de l'autre. À moi, elle me tend une main douce. Elles échangent rapidement à voix basse quelques consignes. Zaïra doit rentrer auprès des siens. Je reste.

« Tu es en sécurité ici », dit-elle avant de se glisser dehors. Le moteur démarre, la voiture s'en va.

La femme me conduit dans un petit salon à l'étage. La lueur d'un poêle danse sur le mur.

Elle s'appelle Hadizat. Elle est imposante. Ses yeux sont beaux, profonds, et elle a de longs cheveux légèrement grisonnants, vaguement couverts d'un châle. La peau pâle de son visage est sèche, elle fait dix ans de plus que son âge.

Il est tard. Le reste de la maison dort. Devant le poêle il y a deux gros fauteuils. Une théière et deux tasses ont été préparées à notre intention sur une petite table.

Une fois que nous sommes installées entre les coussins mous, Hadizat commence à raconter son histoire.

Elle a grandi dans un orphelinat soviétique à Grozny dans les années 1960. Son père est mort quand elle avait quatre ans et sa mère est tombée malade. Les cinq frères et sœurs ont été dispersés dans différents orphelinats. Hadizat n'a jamais su de quoi sa mère souffrait, mais elle a passé la plus grande partie de l'enfance de sa fille à l'hôpital, jusqu'à ce qu'elle meure. Exceptionnellement, quand elle était assez forte, elle venait la voir. Les responsables de l'orphelinat craignant la contamination, elle avait seulement le droit de rester à la barrière et de faire coucou de la main.

« Un jour maman m'a envoyé un sac de graines de tournesol et deux roubles, c'était beaucoup à l'époque, deux billets. J'ai tout caché sous mon matelas. La nuit, je les sortais pour les sentir. C'était l'odeur de maman. Une nuit je me suis réveillée, j'avais très faim ; j'ai extrait le sac, pensant éplucher deux ou trois graines, mais je n'ai pas réussi alors je les ai rangées. J'ai respiré l'odeur à la place. Puis un soir tout a disparu. Quelqu'un a tout volé, a mangé les graines de tournesol et pris les roubles. J'ai pleuré comme une madeleine. Ce que je souhaitais par-dessus tout au monde, tu sais ce que c'était ? Quelqu'un que je puisse appeler maman.

La directrice frappait les enfants sur les tempes avec la jointure de ses doigts quand elle n'était pas contente d'eux. Hadizat se faisait taper sur les ongles avec une règle si elle ne finissait pas son assiette, faisait une bêtise, se salissait.

« Je me souviens encore d'elle. Vera Vasilievna, elle s'appelait. Vera Vasilievna, ce nom me donne la chair de poule. On nous frappait si on parlait tchétchène. Comme tu peux l'entendre, je parle parfaitement le russe, sans la moindre trace d'accent caucasien, car nous vivions dans un environnement soviétique. Nous avions même des cochons : il était hors de question que des enfants ne mangent pas de viande de porc, bien que nous soyons musulmans. Nous avons été formés à l'athéisme, comme tous les enfants de l'Union soviétique. La porcherie était du reste le seul endroit où je me sentais en sécurité. Je restais souvent là-bas à parler avec les cochons. En tchétchène. Mais la solitude, la solitude de l'orphelinat, c'était le pire. Mon plus grand souhait était de fonder ma propre famille. »

Elle rencontre Malik dans le bus de Mineralnye Vody, la dernière année avant la guerre. Elle monte dans le bus au dernier moment et il ne reste plus qu'une place libre. À côté de lui. Ils échangent à peine un mot pendant les six heures de trajet, mais à mi-chemin, elle lui offre des poires. Il lui donne une bouteille de limonade. C'est en plein hiver, le froid est mordant. Sous le siège, Malik a une grosse caisse de chapkas qu'une entreprise lui a données à la place de son salaire. La crise de liquidités en Russie est alors telle que les gens sont payés en nature. Il met ses pieds dans les toques pour se réchauffer et propose à Hadizat de l'imiter.

Il fait nuit quand ils descendent du bus. Il lui propose de partager son taxi, il peut la déposer en route. Deux semaines plus tard, il frappe chez le voisin pour poser quelques questions. Oui, elle est célibataire. Apprenant même qu'elle fête son anniversaire une semaine plus tard, il achète des chocolats étrangers – en forme de coquillages, se souvient-elle – et se présente chez elle. Il s'apprête à partir en Sibérie, où il est censé vendre les chapkas du Caucase, mais il veut la voir avant de partir. Il s'avère qu'elle doit, elle aussi, aller en Sibérie. Chaperonnés par une tante, ils traversent les steppes russes puis écument la taïga. Une fois les deux cents toques vendues, ils rentrent à Grozny et se marient.

C'est en 1993. Le chaos règne. Les salaires ne sont pas versés, les poubelles pas ramassées, le téléphone est coupé. Les gens manifestent, protestent et passent leurs journées dans des réunions publiques.

Le nationalisme gagne du terrain. Malik et Hadizat décident de retourner en Sibérie. Ils y ouvrent une boutique où ils vendent des manteaux, des toques, des uniformes scolaires, tout ce qui peut être cousu et coupé. Le soir, ils se réchauffent avec leurs projets. Leur rêve est d'économiser suffisamment pour construire une maison avec un jardin à Grozny. Le ventre de Hadizat grossit. Malik fait les comptes, calcule et met de côté. Un soir, en rentrant à la maison après être allés faire des achats dans une usine, la voiture dérape sur la route verglacée, se déporte sur la voie opposée et fonce dans un semi-remorque. Ils gisent inconscients sur le bas-côté. Quand Hadizat se réveille à l'hôpital, elle sait que quelque chose de terrible est arrivé. Elle touche son ventre. L'enfant ne vit plus.

Malik est ausculté en premier. « Vous vous en remettrez très bien, mais votre femme sera handicapée », dit le médecin. Hadizat est informée : « À cause de cet accident, vous ne pourrez malheureusement plus avoir d'enfant. »

Elle est laminée. Inconsolable. Malik retient sa douleur. Couchés, le pied en gouttière et les hanches cassées, chacun fait son deuil à sa façon. Le deuil de l'enfant perdu, des enfants qu'ils n'auront jamais. Bien que ce soit absolument contraire au règlement, on les laisse partager la même chambre. Entre les larmes et la somnolence due aux calmants, ils regardent par des fenêtres fêlées le paysage blanchir autour d'eux et sentent les moins quarante s'infiltrer dans le bâtiment. Peu à peu, ils ne distinguent plus rien à travers les carreaux couverts de givre. On leur apporte une télévision. Cloués au lit, à des milliers de kilomètres de chez eux, ils voient l'agitation de leur pays d'origine se transformer en guerre. Des colonnes de chars entrent dans leur ville, des missiles s'abattent sur les murs des maisons et les salves de tirs retentissent dans les rues. Ils assistent au spectacle des enfants morts, des anciens qui errent. Ils se regardent, et pleurent. Six mois après l'accident, ils s'extraient péniblement de leur lit en se traînant sur des béquilles. Ils veulent rentrer chez eux. Ils reviennent à Grozny en février 1995, après un voyage en train pénible ; le pays est alors en pleine guerre. Le jeune couple choisit de rester et ouvre un café sur la place du marché.

Les mois passant, ils se rétablissent. Une fois l'accord de paix signé avec la Russie en 1996, ils trouvent tous les deux un travail – Hadizat comme infirmière, Malik comme chauffeur d'une équipe de médecins – dans la kommandantur, le gouvernement provisoire, le cœur battant de la ville. Tout passe par là. Les gens viennent y chercher leur famille, mettre des annonces, demander de l'aide. Dans la confusion générale, une question se pose : Que faire de tous ces enfants qui affluent ?

Au bout de quelques semaines, le commandant demande à Hadizat d'en prendre quelques-uns chez elle. Il leur faut un endroit où dormir. Quand Malik revient le soir, Hadizat le pointe du doigt en disant aux petits garçons : « Lui, c'est votre papa ».

Malik se force à sourire. Il ne parle jamais de son déchirement, du fait de ne pas avoir d'héritier, de n'avoir personne qui portera son nom, continuera la lignée. « Je crois que les êtres humains sont physiquement prédisposés à ce qu'il y ait des enfants dans une famille. C'est presque une nécessité », me déclarera-t-il plus tard.

Les deux premiers enfants ramenés à la maison, Adam et Abdoul, ont douze ans. Ils sont tout l'opposé l'un de l'autre. Les yeux d'Adam apparaissent derrière une chevelure sombre ébouriffée pleine de poux. Il est petit, trapu, brusque et insolent. Abdoul est chétif, son visage pâle est parsemé de taches de rousseur de la même couleur que ses cheveux. Calme et timide, il suit Adam partout. Tous les deux ont longtemps vécu dans la rue. Adam s'était adapté à cette vie et savait se procurer ce dont il avait besoin. Abdoul n'osait pas voler et préférait encore rester sans manger. Adam est intrépide, Abdoul a toujours peur. Mais tous les deux ont fait preuve de courage pendant la guerre : à l'âge de dix, douze ans, ils se faufilaient aux barrages russes pour apporter des messages et du pain aux rebelles.

Le soir suivant, Hadizat accueille deux autres garçons, puis deux autres, et ainsi de suite. Beaucoup ont passé une grande partie de la guerre dans la rue et y ont vécu selon leurs propres règles. Malik doit souvent ramener des choses qu'ils ont volées – une télé, un magnétophone, des morceaux de pain. Un jour, Adam vole une voiture qu'on lui a demandé de laver. Les clés sont dessus, il s'engouffre à l'intérieur. Pour atteindre les pédales, le petit Adam doit s'allonger sur le siège, tandis qu'un autre garçon passe les vitesses. La voiture donne l'impression de rouler sans chauffeur. Quoi qu'il en soit, ils ne sont pas allés loin. Il faut une certaine expérience pour conduire dans les rues de Grozny avec toutes les crevasses et les nids-de-poule.

Un soir, avant le premier de l'an, Adam entraîne Abdoul avec lui dans le théâtre bombardé de Grozny où le ministre de la Culture, Akhmad Zakaev, a un jour joué Hamlet. Cet hiver-là, le ministre a fait mettre un grand sapin pour les fêtes de fin d'année. Adam grimpe à l'arbre et scie la cime, avant de redescendre tranquillement. Les deux garçons rentrent discrètement chez eux dans l'obscurité hivernale ; quand une voiture passe, ils s'arrêtent, se cachent derrière l'arbre, et les gens ne voient qu'un sapin sur le trottoir. Ils escaladent le portail de la maison et le lendemain, en se réveillant, tout le monde découvre un arbre de Noël dans la cour d'Hadizat et Malik. On le garde. Les garçons disent que quelqu'un l'a offert à l'orphelinat. Un matin, Malik sort dans la cour et un rugissement retentit. « Adam ! Aslam ! Aslambek ! Mourat ! Abdoul ! Qui a accroché ça ? »

Le squelette d'un soldat russe décore l'arbre. Il s'agit d'un sniper qui a été abattu sur un toit. Son corps resté en plein soleil s'est putréfié avant d'être parfaitement nettoyé par la pluie et la neige ; des morceaux, dont le crâne, en sont maintenant accrochés dans la cour de Malik et Hadizat. Adam finit par avouer que c'est lui.

Malik ne comprendra toute l'histoire qu'en entendant les gens parler de l'arbre de Noël du théâtre qui a été vandalisé. La cime du sapin est immédiatement débitée en petits morceaux et brûlée.

L'éducation des garçons est à refaire entièrement. Il faut les sevrer de la colle et de la drogue, leur apprendre à vivre en temps de paix. Le cas d'Adam semble désespéré. Il ne veut pas écouter, pas apprendre, il est incapable de rester assis tranquillement. Il pense que les chiens peuvent être dressés par la force de l'exemple et quand il en voit un dévorer un cadavre, il l'attrape, le suspend à un mur et lui taille lentement les pattes, l'une après l'autre, tout en le grondant pour avoir mangé un homme. L'animal hurle. Adam coupe. À la fin, il l'égorge et l'abandonne là, sans pattes, le cou tranché, à l'attention des autres chiens, en guise d'avertissement, pour les effrayer.

Les enfants affluent. En larmes, tremblant de froid, affamés. Certains sont retrouvés par des parents et peuvent rentrer chez eux, d'autres restent. Progressivement les gens commencent à amener les orphelins qu'ils trouvent, des bébés âgés de quelques mois aux adolescents dégingandés. Hadizat va elle-même extraire les enfants des ruines, et elle ne dit jamais non quand quelqu'un frappe à sa porte. C'est ainsi qu'elle est surnommée L'Ange de Grozny.

Ce sont des années pleines d'espoir. Pour la kommandantur, ce travail est le plus important que Hadizat et Malik puissent faire pour une Tchétchénie indépendante. On leur attribue deux appartements, juste à côté du stade Dynamo détruit par les bombes, et de quoi nourrir la maisonnée. Au sous-sol, ils lancent une blanchisserie, où les aînés aident pour gagner un peu d'argent. Très vite, ils ont cinquante enfants, qu'on appelle *les enfants de Maskhadov*, car c'est lui qui leur a donné les appartements. L'ancien président étant désormais considéré comme un terroriste par les Russes, ce nom cause bien du souci à Hadizat et Malik. D'autres les surnomment *les enfants de Bassaev*. Le chef des rebelles, héros de la résistance, Chamil Bassaev, qui sera plus tard le cerveau à l'origine de la prise d'otages de Beslan, passe souvent avec des jouets ou les poches pleines de billets de dollars roulés. Un jour, il apporte une grosse télé, tandis que les enfants sautent autour de lui et tirent sur son pantalon : « Oncle Chamil ! Gentil oncle Chamil ! »

C'est le même oncle Chamil qui, en s'introduisant au Daguestan, donne à Poutine le prétexte d'un nouveau conflit. Une fois encore, les bombes explosent au-dessus de Grozny. Tout l'orphelinat déménage en Ukraine, mais les enfants ne sont pas délivrés de la guerre : ils font des cauchemars, se lèvent la nuit, pleurent. Tout les effraie : les avions dans le ciel, les hommes en uniforme, le contrôleur dans le tramway, les voitures qui freinent, les bruits forts, les détonations, les coups à la porte.

« Je crois que la peur reste des années. Moi-même, je rêve de la guerre la nuit, je me réveille en sueur, en alerte », dit Hazimat pensivement dans la pénombre. « Les garçons croient qu'ils ne doivent pas pleurer et ils intériorisent tout. Ils hurlent, se précipitent dans notre chambre, racontent en sanglotant ce dont ils ont rêvé. Ils tombent de leur lit, se font pipi dessus », soupire Hadizat.

« Comment les enfants peuvent-ils apprendre quelque chose quand ils entendent les tirs en faisant leurs devoirs ? »

# L'outrage

« Liza... »

Un murmure se glisse dans mon rêve.

« Liza... Liza ! »

Le soleil s'insinue à travers mes paupières. Je les ouvre, une jeune femme se tient au-dessus de moi, elle rit.

« Il est temps de se réveiller, Liza. Du thé ? »

Brusquement je me souviens. Je m'appelle Liza. C'est le nom que Hadizat m'a donné hier soir. « Pour éviter que les enfants nous trahissent et prononcent ton nom bizarre à l'extérieur », dit-elle.

Je regarde l'horloge sur le mur. Bientôt midi.

« Ton petit déjeuner t'attend sur la table de la cuisine », dit la femme qui s'appelle presque comme moi : Louiza.

Je regarde par la fenêtre, à travers une grille en fer forgé. La cour est joliment pavée et se termine par un portail de plusieurs mètres de haut surmonté de piques. Les arbres derrière lui sont noirs, la neige de la veille a déjà fondu. Elle laisse des taches humides en suintant du toit en tôle ondulée du voisin, il ne reste des taches blanches qu'entre les gouttières. Sans sortir de la maison, sans même ouvrir la fenêtre, on devine la douceur de l'air.

Je vais habiter ici un moment et je passe le reste de la journée à découvrir les lieux – la maison et la petite cour devant la barrière. « Ne sors pas sans moi. Reste à l'intérieur. Si quelqu'un frappe, cache-toi ! » sont les consignes claires que Hadizat m'a données la veille. Elle devait elle-même partir tôt. Ce premier jour à l'orphelinat, comme les enfants, je rentre et je l'attends.

La porte s'ouvre en grand. Ils s'attroupent autour d'elle, l'étreignent.

« Maman ! Maman est rentrée ! »

Les plus grands se jettent à son cou, les plus petits tirent sur sa jupe. Quand elle s'est soudain trouvée responsable d'une ribambelle d'enfants de la rue, Hadizat était sûre d'une chose : elle ne voulait pas d'un orphelinat qui ressemblerait à celui dans lequel elle avait elle-même grandi. Elle voulait que ce soit une famille, avec la maman, le papa et les enfants. Malik fut le papa. Hadizat la maman, les enfants sont devenus frères et sœurs. Au cours des dix dernières années, elle a été la maman de centaines d'enfants, aussi bien tchétchènes que russes. Certains sont retournés chez eux, d'autres ont grandi et fondé leur propre famille, mais pour tous elle est maman. « Celle qui a été là quand personne d'autre ne l'était. »

« Où est papa ? demande soudain un petit garçon.

— Il reviendra cet été, répond Hadizat, il a tellement de choses à faire là où il est. »

Hadizat ne leur a pas dit que Malik ne reviendrait pas avant un certain temps. « Ils doivent croire que papa peut rentrer à tout moment. Ils ont tant perdu, il ne faut pas qu'ils croient que c'est encore le cas, pour lui aussi. »

Malik vit en Lituanie avec une douzaine d'enfants. Ils étaient partis là-bas pour les vacances d'été, et le gouvernement lituanien les a autorisés à rester. Il s'agit avant tout de ceux qui ont besoin d'un suivi médical, ainsi que de quelques garçons plus âgés qui risquent d'être appelés sous les drapeaux, ou pire encore, qui pourraient être accusés de participer à la résistance. Avoir de la famille parmi les rebelles suffit souvent à vous mettre en danger.

Après les baisers et les câlins, on dîne. C'est une jolie maison de brique rouge, robuste, que Malik a retapée après la guerre. La famille a reçu une aide de l'organisation Cap Anamur pour l'acheter. La cuisine est la pièce la plus grande. Par terre, des carreaux à fleurs forment une frise d'un bout à l'autre de la salle. Des dessins d'enfants sont accrochés au murs et les vitres sont embuées par la nourriture qui mijote sur le feu. Aux fourneaux il y a Malika, qui est mariée au frère de Hadizat. Elle est belle et épaisse, elle porte une toque de cuisinier sur la tête et un grand tablier. Son visage a les joues rougies par la vapeur. Quand Hadizat s'en va, c'est Madina, la plus jeune sœur de Malik, qui dirige la maison. C'est une petite femme gracieuse, au regard concentré et aux mouvements vifs.

Une équipe de filles de service en cuisine s'active et coupe le pain, dresse la table, verse la soupe dans les assiettes creuses.

L'une d'entre elles se distingue des autres, elle semble lointaine, comme perdue dans son propre monde. Elle ne parle à personne et met le couvert dans son coin. Ses pieds touchent à peine le sol quand elle marche, on ne voit pas ses pas, fluides. Elle est mince comme un fil, sans hanches ni taille, avec de longs bras et de longues jambes. Ses traits sont purs et lisses. Son visage a une teinte particulière, comme si un peintre de la Renaissance en avait choisi les couleurs. Elle a une peau presque diaphane et des pommettes roses. Quand elle croise mon regard, ses joues se colorent, et très vite, si je continue à l'observer, elle baisse les yeux.

Elle est de service permanent en cuisine, avec quatre des autres filles les plus âgées. Comme dans une danse libre longuement répétée, elles mettent des assiettes, des cuillers, des fourchettes et des tasses, glissent agilement entre les tables, dont la taille varie selon les enfants. Il y a celle des garçons et celle des filles. Chacun a sa place attitrée.

Quand l'équipe cuisine a terminé, les enfants entrent à la queue leu leu. Hadizat est déjà assise au bout de la table des adultes. Les plus petits veulent encore faire un bisou à maman, ce qu'ils font, avant d'être gentiment poussés vers leurs places.

« Sans discipline, dit Hadizat, ça n'aurait jamais marché. »

Les enfants installés, ils s'étirent pour saisir les morceaux de pain.

« Mais ce n'est pas un orphelinat, c'est une famille », explique Hadizat. « Nous ne les menons pas à la baguette comme ils le faisaient là où j'ai grandi. »

Hadizat se souvient avec horreur des repas. Ils devaient se mettre en rang et marcher au pas jusqu'à leur place. Là, ils restaient debout jusqu'à ce que Vesa Vasilievna dise : Bienvenue à table. Ils devaient alors tous crier en cœur « SPA-SI-BO ! » avant de pouvoir s'asseoir. MER-CI !

Les cuillers tintent. D'abord la soupe. Les discussions vont bon train. Puis les macaronis. Certains rient. On finit avec un thé léger avant d'aller au lit. Le repas du soir est terminé. L'équipe cuisine débarrasse.

Cette jeune fille aux allures d'elfe a quelque chose qui éveille ma curiosité. Alors qu'elle va et vient en souriant seule dans son coin, elle donne l'impression de se cacher. Elle a la tête rentrée entre les épaules.

Je demande à Hadizat qui elle est.

« Oh, elle ! On a failli la renvoyer. »

Le regard de Hadizat glisse sur elle.

« Elle était terrible ! Elle était voleuse comme une pie et s'emparait de tout ce qui lui tombait sous la main – l'argent, la nourriture. Elle dérobait le pain, les morceaux de sucre, n'importe quoi. Ou elle volait des choses qu'elle pouvait revendre au marché. Nous avons mis un moment à comprendre. Nous avions bien remarqué que des choses disparaissaient. Certains parmi nous avaient tout à coup moins d'argent dans leur porte-monnaie. Elle faisait en sorte que nous ne nous en apercevions pas. Nous pensions qu'il s'agissait d'un des garçons, nous les avons menacés et avons demandé au coupable d'avouer. Nous ne pouvions pas vivre comme ça. Il n'était jamais rien arrivé de pareil dans notre maison. Ce sont les autres filles qui nous l'ont dit. Elles sont venues me voir et m'ont raconté qu'elle avait toujours des bonbons, toujours de l'argent pour acheter quelque chose. »

Hadizat parle à voix basse, tandis que les filles débarrassent les dernières assiettes, puis elles nous souhaitent bonne nuit. Celle dont les pieds ne touchent pas terre me lance un dernier regard.

« Je l'ai prise à part, poursuit Hadizat, et je lui ai passé un sacré savon. Je pensais qu'après ça, elle n'oserait plus voler un kopeck. Mais elle a recommencé, plus maligne qu'avant : elle volait dans la réserve et revendait. À nous, elle ne prenait que des pièces et des petits billets, mais on l'a de nouveau attrapée, et cette fois j'ai été plus dure. Malgré tout, les choses ont continué à disparaître. J'ai pleuré, j'étais furieuse. Elle persistait. Je lui ai crié dessus. Je l'ai prise dans mes bras, je l'ai consolée. Elle aussi pleurait. Elle sanglotait : "Je ne peux pas m'en empêcher, ce n'est pas moi, c'est ma main qui fait ça toute seule..." »

Hadizat secoue la tête. La cuisine est silencieuse, un long néon diffuse un éclairage verdâtre.

« Comment s'appelle-t-elle ?

— Liana. »

La lumière crue fait mal aux yeux. La cuisine semble froide et désolée maintenant qu'elle est vide.

« Allons prendre le thé dans ma chambre », propose Hadizat. Nous montons au premier étage, dans la pièce que nous allons partager. Il y a deux lits, chacun contre un mur, et, dans la petite alcôve, les fauteuils devant le poêle près duquel nous nous sommes assises la veille.

« Je la tenais fermement pendant qu'elle donnait des coups de pied et tapait, se souvient Hadizat. Elle m'a mordue pour échapper à ma prise, comme un chat. Ça n'allait plus, il fallait que je pense aux autres enfants, son comportement commençait à se répercuter sur eux. Elle était incontrôlable, tellement dure, exactement comme son frère. Quand il est arrivé, il passait son temps à tout casser. Il frappait les autres enfants quand il croyait qu'on ne le voyait pas. Il jurait, fumait en cachette. Il enfreignait toutes les règles. Comme pour Liana, je me contentais de le prendre dans mes bras et de le tenir fermement quand il était déchaîné. Je lui parlais de l'amour de Dieu pour tous les hommes, pour tous les êtres vivants. Timour s'est calmé avant sa sœur. Un soir où nous l'avons encore prise sur le fait, j'ai crié que maintenant ça suffisait, que maintenant je devais la renvoyer chez son oncle. Un hurlement a fendu l'air. Je n'aurais jamais cru qu'un enfant pouvait crier comme ça, comme le cri de douleur d'un animal. C'était Timour, son frère. Il s'est jeté sur moi, m'a frappée et a crié : "Tu ne dois pas, tu ne dois pas !" Il tournait sur lui-même. "Envoie-moi plutôt ! Envoie-moi !" Puis il a tiré Liana par les cheveux, l'a tenue fermement et a hurlé : "Tu ne comprends pas ? Tu dois arrêter de voler !" Puis il m'a suppliée. "Donne-lui encore une chance", a-t-il sangloté. Liana s'est raidie entre les mains de son frère puis s'est effondrée. Je les ai gardés tous les deux dans mes bras le reste de la soirée. »

Le regard de Hadizat se perd dans le vacillement des flammes.

« Aïe, aïe, aïe, comme elle a souffert... »

Le frère et la sœur vivent à l'orphelinat depuis six mois quand j'arrive là-bas. Après avoir vécu quelque temps dans la rue, Timour ne supporte plus l'idée d'avoir lâché sa sœur. Se droguer ne change plus rien, tuer les chiens non plus, il n'arrive pas à effacer de ses pensées ce qu'il sait être en train de se passer. Un jour, par hasard, il rencontre Liana et ils mettent un plan au point. D'habitude, l'oncle ferme la porte à clé quand il ne veut pas que Liana sorte. Cette fois-là, elle devra veiller à ce que la porte reste ouverte, afin que Timour puisse le prendre sur le fait. L'après-midi, Timour se précipite chez l'oncle.

Il entre dans l'appartement en trombe et les trouve sur le canapé. Sa sœur pleure. Il claque la porte et court, à toute vitesse, au commissariat de police du quartier, où il crie : « Venez, venez vite, sauvez-la ! »

Deux agents l'accompagnent et la police emmène les deux enfants. Ils laissent l'oncle à la maison. Une femme qui travaille au commissariat connaît Hadizat. Elle l'appelle et lui demande si elle peut les prendre.

« Voilà comment ils sont arrivés ici, dit Hadizat. C'est affreux, et c'est tellement fréquent dans ce pays les adultes qui maltraitent les enfants. Je sais que cela arrive partout, dans le monde entier. Mais les sociétés, en général, ont des cadres qui limitent ce type d'actes, des normes, des règles. Nous les avons aussi, très sévères qui plus est, mais quand une société s'effondre, les règles s'effondrent avec, et les sadiques agissent à leur guise parce que personne ne fait attention, les gens ont bien assez à faire, et ils peuvent passer inaperçus, laisser s'exprimer leur méchanceté. J'ai vu ça tellement de fois, tellement d'enfants abusés, certains depuis qu'ils portent des couches. Peut-être veux-tu en discuter directement avec Liana ?

— Est-ce vraiment une bonne idée de raviver tout ça ?

— Non, peut-être pas. »

Je ne passe pas la porte.

Peu à peu, je prends part à la routine de l'orphelinat et trouve ma place. Je suis surtout sollicitée pour aider à faire les devoirs. Les enfants vont à l'école en deux temps, certains le matin, d'autres l'après-midi, il y en a donc toujours à la maison. L'enseignement est basé sur le rabâchage, pas sur la compréhension. Les poèmes doivent être appris par cœur et tous les dialogues en anglais connus sur le bout des doigts. Que les enfants comprennent ou non ce qu'ils disent n'a pas grande importance. Plusieurs fois par semaine, ils ont des contrôles et ramènent des notes à Hadizat, des 18, des 12, des 8, des 3.

Je les aide à tour de rôle. Un jour, c'est au tour de Liana. Elle pose sur moi son regard d'ange, lointain mais déterminé. Maintenant, tu es à moi, me dit-il.

« C'est tellement dur les maths, soupire-t-elle.

— Mais non. »

Liana a treize ans, elle est en CM2. Ils ont commencé les équations. Celles qu'elle doit résoudre sont composées de a, b, x, y et de grands nombres à plusieurs chiffres. Je dois réfléchir avant de me souvenir des règles pour simplifier, isoler l'inconnue et résoudre l'équation membre par membre. J'aide Liana à simplifier pour isoler le x. Mais quelle que soit la manière dont j'explique, elle me regarde d'un air suppliant : dis-le toi, dis-le toi... Je simplifie encore, et encore. Je finis par réaliser qu'elle ne connaît pas les tables de multiplication. Comment pourrait-elle diviser dans ces conditions ? J'essaie de lui apprendre à multiplier, en tout cas avec les petits nombres. Je comprends qu'il va falloir y consacrer davantage de temps. Je l'aide à résoudre les exercices pour le lendemain matin, je lui expliquerai le reste plus tard.

« Mais nous devons les résoudre ensemble », dis-je. Ses réponses sont systématiquement fausses. Je simplifie encore l'exercice, et à la fin nous nous retrouvons avec 2 moins 1.

« Trois », répond Liana.

J'utilise mes doigts, j'en montre deux, puis en retire un.

« Deux », répond-elle

J'essaie avec des pommes : « Tu as deux pommes et tu en manges une. Il t'en reste combien ?

— Une », répond Liana.

Liana ne comprend pas les chiffres, en tout cas pas le calcul. Pas du tout. On l'a mise en CM2 parce que cette classe correspondait plus ou moins à son âge. Mais dans sa tête, les chiffres s'envolent.

Je suis épuisée. « L'anglais, dit-elle, apprends-moi l'anglais. C'est tellement dur. »

Nous devons compléter par *is* ou *isn't* et apprendre la différence entre *on* et *under. On the table. Under the table. The pen is on the desk. The cat isn't on the desk, it is under the desk.* Quand je demande à Liana de lire, elle reste muette.

« Vas-y toi », dit-elle. Nous y allons mot par mot. Il s'avère que Liana ne connaît pas les lettres anglaises. Les textes qu'elle doit lire, elle les a transcrits en cyrillique dans son cahier de brouillon. À l'oreille, quand le professeur a lu à voix haute, elle a noté les sons. Elle peut réciter a,b,c,d,e et ainsi de suite, comme un poème, mais elle ne sait pas à quoi ressemblent les lettres correspondant aux sons. J'essaie de les lui apprendre. C'est laborieux. Elle devine, plutôt que d'essayer de se rappeler.

« Tu n'apprendras rien en devinant », dis-je.

Elle me regarde un moment. Et continue à deviner.

« Ne devine pas. Réfléchis, prends ton temps. Tu n'es pas obligée de répondre tout de suite. »

Nous retournons à la toute première leçon, où des choses connues sont représentées en images. *Hat. Cat. Dog. Box. Desk. Pen.* Il faut déjà qu'elle sache ça, et après nous pourrons continuer. Mais une heure plus tard, elle ne connaît pas plus de mots qu'au début. Parfois elle devine juste. Elle s'illumine : « Ça y est, je sais, ça y est je sais ! » Puis elle se trompe de nouveau. *Box. Cat. Dog.* Tout se mélange.

« Oh ! Pourquoi j'ai tellement de mal à me souvenir ? » demande Liana désespérée. Son regard sur moi se rétrécit. « Quand je vais au tableau, je ne me souviens jamais de rien, et je suis renvoyée à ma place. »

Je n'ai aucune réponse, mais elle insiste.

« Pourquoi je ne retiens rien ?

— Peut-être parce qu'il y a beaucoup de choses que tu essaies d'oublier. »

Son visage se déforme. Ses yeux se remplissent de peur, puis de larmes. Ses lèvres tremblent. Elle se cache le visage dans les mains, ses épaules se secouent.

« Mais Liana... »

Je lui caresse le dos. Elle lève les yeux vers moi, le visage décomposé par les larmes.

La phrase éclate dans ma tête. *Peut-être parce qu'il y a beaucoup de choses que tu essaies d'oublier.* Ceux qui ont vécu le pire ne peuvent pas choisir d'oublier une chose et d'en retenir une autre. La mémoire n'est pas sélective, comme l'affirment certains. Toute sa vie, Liana s'est efforcée de repousser, de ne pas voir, de ne pas sentir.

Toutes les forces qu'elle a, elle les emploie à oublier.

Liana a grandi seule avec sa mère, après la disparition de son père.

« Ça a été le seul bon moment de ma vie », raconte-t-elle, une fois que nous avons renoncé aux leçons. « Je jouais aux poupées, le ventre de maman grossissait, nous préparions à manger. Puis j'ai eu une petite sœur. Un jour maman a dû aller au marché pour acheter du pain. Ils bombardaient sans arrêt, et nous n'avions plus rien à manger à la maison. Je devais surveiller ma petite sœur qui n'avait qu'un an. J'entendais les avions et les bombes, ma petite sœur pleurait. Elle était trempée. La nuit est tombée. La voisine est venue chez nous et a demandé où était maman. Quand je lui ai raconté qu'elle était partie au marché le matin, elle a regardé autour d'elle, est entrée dans la salle et a changé ma petite sœur. « Elle devrait bientôt revenir », a-t-elle dit, puis elle est retournée chez elle. Ma petite sœur marchait à quatre pattes par terre. Une voiture est arrivée, j'ai couru à la fenêtre, la voisine était déjà en bas près du véhicule. Je suis sortie. Elle hurlait. Elle avait les mains sur son visage et hurlait. J'ai couru vers elle, elle est venue vers moi en criant : « Ne descends pas jusqu'à la voiture, ne descends pas jusqu'à la voiture ! Ne regarde pas ! » Ils avaient ramené maman. Quand je suis remontée chez nous, ma sœur gisait dans une grande flaque. Elle avait marché à quatre pattes jusqu'à la gazinière et un bac d'eau bouillante lui était tombé dessus. Elle est morte. Le même jour que maman. »

La suite de l'histoire, je la connais. Liana a été confiée à l'oncle Omar. Nous sommes assises par terre, adossées au canapé, elle me raconte ce qui s'est alors passé.

« Vous allez travailler pour moi », nous a-t-il dit à Timour et moi. Je n'avais que sept ou huit ans, je pouvais donc facilement me faufiler entre les gens. Si nous rentrions sans argent, il tapait. Au bout d'un moment, il m'a regardée, un sourire répugnant aux lèvres, et m'a dit « Viens ici, viens vers moi ». Je me suis cachée derrière Timour. Il était tellement méchant avec Timour. Quand la nuit commençait à tomber, il a battu mon frère, l'a jeté dans le couloir et a fermé la porte à clé. Timour a crié : « Qu'est-ce que tu vas faire à ma sœur ? Qu'est-ce que tu vas faire à ma sœur ? » Il criait en cognant contre la porte. L'oncle m'a violée. Chaque jour. Chaque jour pendant six ans. Ici, et ici, et ici. »

Liana montre du doigt plusieurs endroits sur son corps. Elle sanglote. Les larmes ruissellent. J'ai un bras autour d'elle.

« C'est fini maintenant, dis-je, c'est fini. »

Qu'est-ce que je peux dire ?

C'est fini... Mes mots me semblent vides. Car ça continue dans la tête de Liana.

Elle tressaille, un tremblement la traverse, sa respiration s'apaise, le pleur se calme, nous ne disons rien. « On continue l'anglais ? » demande-t-elle calmement.

Je reste sans voix.

Elle me regarde, le visage boursouflé. « Il ne faut pas que tu t'en ailles », crie-t-elle en m'agrippant le bras. « Ne t'en va pas ! *Cat. Dog. Hat. Pen. Box* », récite-t-elle à toute vitesse. « Ne t'en va pas ! *Cat. Dog. Hat. Pen. Box.* Ne t'en va pas ! »

# Une vie dans le brouillard

Dinara traîne des pieds sur le sol en linoléum. Ses mains se crispent à intervalles réguliers. Elle dodeline de la tête, comme dans un spasme sans fin. Ses yeux changent sans arrêt d'expression ; ils sont parfois complètement écarquillés, parfois mollement entrouverts, quelquefois ils se figent ou errent ici et là. Sa lèvre inférieure pendouille. Elle a la peau du visage cireuse après des années sans soleil. Ses cheveux coupés court sont presque striés de noir et de gris, des raies graisseuses. Dinara a passé une robe de chambre à fleurs usée.

Elle est entourée de femmes vêtues de vieux peignoirs, au regard perdu dans le vide ; un agent d'entretien lave le linoléum à fleurs marron à l'eau tiède avec un produit qui ne mousse pas et ne sent rien. L'odeur écœurante qui règne dans le bâtiment ne disparaît pas, même si le sol est briqué. C'est l'odeur d'une vie renfermée.

Hadizat tenait à ce que je rencontre Dinara. Une connaissance ayant une voiture s'arrête juste devant notre porte, nous nous glissons dehors, nous nous asseyons sans un mot, la voiture sort de la petite rue et nous sommes sur la grand-route, nous roulons vers l'ouest.

Juste avant d'arriver à Samachki, où les Russes ont commis un des pires massacres de la première guerre, nous traversons la rivière Valerik, puis nous sortons à

Zakan-Iourt et passons sous une autre porte rutilante ornée de portraits. Après avoir tourné encore une fois, la voiture s'arrête devant une grosse grille ; un panneau indique l'hôpital psychiatrique de Samachki.

Nous finissons à pied et longeons des bâtiments de brique blanchis à la chaux. C'est une enfilade de longues bâtisses de cinq étages. L'une empeste les excréments, l'autre l'urine. Les pavillons sont entourés de jeunes arbres aux branches nues. Rien ne pousse dans les plates-bandes de terre noire. Au quatrième bâtiment, nous empruntons un petit sentier où jouent deux chats, ils se roulent par terre et crachent gaiement ; nous suivons le chemin jusqu'à ce que nous arrivions devant encore une autre porte, fermée par une grille lourdement cadenassée.

C'est à travers cette grille que nous apercevons Dinara, errant dans la pièce. Elle soulève à peine les pieds quand elle marche, elle va et vient, tourne en rond, recommence ses allers-retours. La porte est ouverte sur cette douce journée d'hiver, seule la grille est fermée. Sa vue a beaucoup baissé. Est-ce dû à sa maladie ou aux médicaments ? Hadizat l'ignore. En reconnaissant la voix à travers les barreaux, Dinara s'avance vers nous d'un pas lourd et hésitant, les mains à tâtons devant elle. Elle saisit les bras de Hadizat. « Mon ange, mon ange », sanglote-t-elle. La surveillante nous ouvre. « Pas longtemps », nous donne-t-elle comme consigne.

Dinara ne quitte pas Hadizat des yeux, ne la lâche pas. Elle lui tient la main, la prend par la taille, lui tapote le visage. « Mon ange, mon ange », bredouille-t-elle.

Nous sommes assises côte à côte sur un banc, Dinara regarde Hadizat dans les yeux.

« Comment vont mes enfants ?

— Ils se portent à merveille. Ils travaillent bien à l'école. Ça va maintenant.

— Adlan aussi ?

— Adlan aussi.

— Lida aussi ?

— Oui, Lida est devenue très jolie.

— Ils vont pouvoir me rendre visite ?

— Ils ont tellement à faire à l'école, mais nous allons voir si c'est faisable. Je dois t'embrasser très fort de leur part. »

Mais les médecins jugent préférable que Dinara ne voie pas ses enfants. Ou plutôt que les enfants ne voient pas leur mère, selon Hadizat. Ils ne lui ont pas demandé de l'embrasser. Ils ne sont pas au courant de cette visite.

À une époque, il y avait eu la mère, le père et les deux enfants. À une époque, c'est-à-dire avant la guerre. Dinara enseignait l'éthique islamique dans un lycée de Grozny, c'était une prof appréciée. « Elle était intelligente, cultivée, tout le monde l'admirait, m'a raconté Hadizat en venant. Et puis elle était si élégante, toujours bien habillée, bien coiffée, joliment maquillée. »

Après son mariage, Dinara a d'abord eu Lida, puis Adlan. Ils avaient cinq et quatre ans quand les bombardements ont commencé. Son mari est parti à la guerre, la laissant seule avec les enfants. Les longues semaines dans la cave, sans savoir où se trouvait son mari, ni même s'il était vivant, la rendirent malade. Quand il est rentré, la jeune femme qu'il avait quittée avait disparu. Pendant la guerre, ses cheveux avaient grisonné, sa peau était devenue blafarde et son regard fuyant. Il est reparti, abandonnant Dinara et les enfants dans leur appartement.

« Comment pourrais-je vivre avec une femme folle ? » disait-il aux gens. « Oui, un bel homme comme lui, aussi fort, il mérite mieux », le soutenait sa famille.

Il n'est jamais revenu, Dinara ne sachant pas s'il était mort ou s'il l'avait simplement abandonnée.

Le deuxième hiver de la guerre, elle a complètement sombré, passant pratiquement tout son temps au lit, sans manger ni dormir. Lida et Adlan se faisaient tout petits dans le séjour pour éviter qu'elle se mette en colère. Les rares fois ou leur mère se levait, les enfants n'avaient qu'un souhait : qu'elle se recouche. Elle brûlait Lida avec des cigarettes et lui demandait en souriant : « T'as mal ? T'as mal maintenant ? Et là ? »

La fillette hurlait et la supplier d'arrêter, tandis que le petit frère Adlan restait assis dans un coin, trempé. Les enfants n'avaient presque rien à manger, n'étaient pas lavés, ils étaient frigorifiés.

« Tolstoï a écrit que la folie était due au manque d'amour », a dit Hadizat dans la voiture, alors que nous roulions vers la clinique. « C'est le cas de Dinara », a-t-elle ajouté. « Ou à une terrible angoisse : nombreux sont ceux parmi nous qui ont perdu la raison pendant ces guerres. »

Un matin, la mère a été réveillée par Adlan qui jouait dans la cuisine. Elle est sortie comme une trombe de sa chambre, a pris le garçon de cinq ans dans ses bras et s'est précipitée sur le balcon au huitième étage, où elle l'a balancé dans le vide, au-dessus de la balustrade, en criant : « Je vais te jeter, vilain ! Je vais te jeter ! »

Lida a tenté de l'écarter de la rambarde pendant qu'Adlan hurlait. Les gens dans la rue ont grimpé les escaliers quatre à quatre et ont finalement réussi à la maîtriser. Elle s'est calmée, a étreint ses enfants en s'excusant, en pleurant, en les embrassant. Les enfants sont restés chez elle. Où seraient-ils allés ? Mais Adlan a cessé de parler.

Une nuit on a cogné à la porte. Des soldats russes sont entrés et ont emporté la mère, sans se soucier des enfants qui criaient. En tant qu'épouse de combattant, on l'avait dans le collimateur, où que soit son mari.

Bien avant notre visite à l'hôpital psychiatrique de Samachki, Lida, qui a maintenant seize ans, m'a raconté le jour où les Russes ont embarqué sa mère.

« Nous avons passé la journée à l'attendre. Puis la nuit est tombée. Nous ne savions pas comment allumer la lampe, nous nous sommes donc couchés dans le noir. Quand nous nous sommes réveillés à l'aube le lendemain, maman n'était pas encore rentrée. Nous essayions d'être aussi silencieux que possible, pour que les Russes ne nous trouvent pas. Je ne comprenais pas pourquoi le monde était si méchant. Je croyais qu'il ne restait plus que nous, Adlan et moi. Nous connaissions une vieille dame qui habitait sur notre palier, je suis finalement sortie lui demander si elle pouvait nous donner à manger, ce qu'elle a fait ; nous dormions chez nous et mangions chez elle. Puis maman est revenue. Elle avait un peu d'argent, cinquante roubles, et elle m'a envoyée acheter du pain, avant d'aller se coucher. Elle est restée au lit. Nous mangions du pain, rien d'autre. Un matin elle s'est mise à faire la vaisselle, à ranger et puis quand elle a dû faire le lit, elle s'est recouchée et n'a plus bougé. Elle ne nous voyait plus, ne faisait pas attention à nous, son état a empiré. Elle criait beaucoup. Nous étions les plus pauvres du quartier. Il y avait un petit marché à côté de chez nous où nous mendions du pain. Nous frappions chez les gens aussi et ramenions des morceaux de pain pour maman ; je disais qu'on nous les avait donnés. Elle disait que papa était mort, mais parfois elle disait que non, elle pensait qu'il était encore en vie. D'une certaine façon, nous les avions perdus tous les deux. »

Lida a peu de souvenirs de son père. « Il était rarement là, il était sévère et criait beaucoup. Mais le soir il nous racontait des histoires, des récits affreux qui nous empêchaient presque de dormir. Tout nous semblait inquiétant. Nous étions avec lui sur le balcon quand la guerre a commencé. Quels bruits bizarres, je me souviens. Et puis on nous a dit de descendre dans la cave. Et papa a disparu. Les Russes nous ont pris tellement de choses. »

Lida et Adla traînaient au marché, main dans la main, pieds nus, vêtus de loques sales, le jour où ils ont rencontré Hadizat. Elle se souvient, la fillette avait levé les yeux, le garçon les avait baissés. Les rares fois où son regard quittait le sol et croisait celui de quelqu'un, il se dérobait immédiatement.

« Que faites-vous ici ?

— Nous habitons ici », avait répondu Lida.

Ils étaient sortis le matin pour échapper aux cris et aux coups de leur mère. Adlan n'avait rien dit. Il s'était écoulé plus d'un an depuis qu'il avait cessé de parler.

Voici la rencontre telle que Lida s'en souvient : « Elle achetait tellement de pain, du pain frais délicieux. Je me suis approchée d'elle et lui en ai réclamé. "Qui êtes-vous ?" a-t-elle demandé. "Où sont vos parents ?" Je me souviens lui avoir répondu : "Papa est mort et maman est folle." Elle a promis de nous rendre visite le lendemain, ce qu'elle a fait. Nous étions restés chez nous à l'attendre. Elle a parlé avec maman. "Je les ai vus mendier sur le marché", a-t-elle expliqué. Le week-end, elle est venue nous chercher. Nous étions en larmes, nous n'arrêtions pas de pleurer, nous ne voulions pas quitter maman. Mais quand je suis entrée dans leur maison, j'ai cru que j'étais arrivée au paradis. Il y avait tellement d'enfants, tellement de jouets, la nourriture était si bonne. Je ne sais pas vraiment ce qui est arrivé à maman. Elle nous a rendu visite une fois. "Je vois que vous êtes bien ici", a-t-elle dit. Elle a demandé à Hadizat de prendre soin de nous. Je sais qu'elle nous aime, mais elle n'a pas toute sa tête. »

Son petit frère a les épaules étroites et voûtées, il marche en baissant la tête. Son regard fuit toujours celui des autres. Il faut lui dire quand se laver, quand se changer, quand manger.

Au bout d'un certain temps chez Malik et Hadizat, Adlan a recommencé à parler, par bribes de mots d'abord, puis des phrases entières. Mais il n'arrive pas à suivre à l'école et même s'il a presque quinze ans maintenant, il sait à peine lire. Il est doué pour réparer les vélos et rêve d'apprendre à conduire.

À l'orphelinat il restait généralement dans son coin. Au bout de quelques années, il est parti vivre à la campagne chez le mari de Malika, le frère de Hadizat, où on lui a confié la responsabilité de trois chevaux. Il passe son temps auprès d'eux. Quand on lui donne un morceau de sucre, il le cache dans sa poche pour les chevaux, il fait pareil avec les caramels. S'il reçoit des sous, il leur achète des sucres.

C'est l'été quand je rencontre Adlan. Il est assis sous un arbre, vêtu d'un polo Burberry bleu foncé avec des boutons et un col à carreaux. Un don visiblement, comme tous les vêtements des enfants. Le polo disparaît à la taille dans un pantalon de survêtement noir brillant. Aux pieds, il porte des sandales en plastique rose.

Il mâche des graines de tournesol ; il les met entre ses dents de devant, un craquement, la graine est extraite de la coquille qui est recrachée, et il croque la graine qui a un goût de soleil et une légère saveur de brûlé.

« Je me souviens d'elle faisant à manger, dit-il, et qu'elle répétait tout le temps : "S'il te plaît, Adlan, sois gentil." J'étais toujours malheureux, parce que je n'étais pas gentil. »

Les coudes sur les genoux, Adlan regarde autour de lui. Il se lève et se dirige vers un groseillier. Je pense que c'est sa façon de me signifier que je ne dois plus lui poser de questions sur sa mère. Le garçon de quinze ans s'agenouille, il est presque sous l'arbuste, et déniche les branches les mieux cachées, les plus lourdes, celles du dessous, celles que personne n'a encore touchées et qui sont pleines de fruits. Lentement, il cueille les baies rouges au goût légèrement acidulé et les met dans sa bouche. Son visage est à la fois concentré et absent. Le soleil est doux, nous sommes entourés par l'odeur fraîche de l'herbe et des feuilles de groseilliers. Adlan me regarde et sourit.

« Les chevaux sont plus gentils que les hommes », dit-il entre deux bouchées. Il est toujours à genoux et fait rouler quelques groseilles dans sa main. « Ils ne te quittent jamais. Ils t'attendent toujours. Ils sont bons, intelligents et fidèles. »

Il regarde en direction de la porte où quelques enfants descendent l'escalier et sortent dans le soleil matinal.

« Je sais qu'ils rêvent de moi la nuit », dit Adlan.

Une vingtaine de lits en fer sont collés les uns aux autres dans la grande salle. Ils sont alignés de part et d'autre de l'allée qui passe au milieu. Il ne reste entre eux que l'espace d'une table de nuit. Des femmes y sont assises ou allongées, les yeux écarquillés et aux aguets ou vides et apathiques ; certaines sanglotent, l'une d'entre elles émet des bruits bizarres. D'autres traînent dans la pièce. Le matelas de Dinara est creusé au milieu. Les ressorts sont cassés. C'est là qu'elle dort. La porte de la table de chevet est entrouverte, l'intérieur est vide. Nous lui donnons les petites choses que nous avons apportées, des sous-vêtements, une chemise de nuit, du savon, une brosse à cheveux, un peu de nourriture et des fruits. Elle les met de côté, sans quitter Hadizat des yeux.

Pour la troisième fois, la surveillante vient vers nous, la clé du cadenas à la ceinture. « Si vous ne partez pas maintenant... »

« Il faut qu'on y aille », dit Hadizat à Dinara. « Nous ne pouvons pas risquer... » me chuchote Hadizat, qui m'a présentée comme son amie russe.

Dinara dodeline de la tête et son regard sur Hadizat est désespéré quand nous la quittons. « Embrasse mes enfants », dit-elle en s'agrippant à la main de Hadizat.

Hadizat promet de le faire. Dinara pleure quand nous nous levons, et nous suit vers la porte en traînant des pieds. Elle reste derrière les barreaux, nous sommes dans l'escalier et plissons les yeux sous la lumière crue.

« Tu embrasseras aussi Adlan ?

— Oui, Adlan aussi.

— Et Lida aussi ?

— Lida aussi », répond Hadizat, tandis que l'infirmière tente d'éloigner Dinara de la porte. Nous remontons le sentier à reculons en faisant des signes de la main. Dinara est debout, accrochée aux barreaux, et résiste à l'infirmière. Arrivées au bout du chemin, nous ne la voyons plus. Nous suivons la route gravillonnée. Et puis nous entendons une voix étouffée par la distance, mais claire :

« Dis-leur que je les aime ! »

# Vendredi soir

Le salon en sous-sol se trouve un demi-palier au-dessous de la salle à manger. Dans la journée il est aux enfants, le soir ce sont les femmes qui y paressent. Il est aménagé douillettement avec des tapis, de vieux canapés dans lesquels on s'enfonce et quelques fauteuils. Dans ce monde sans hommes, elles s'allongent sur le côté, la tête dans la main, ou étendent les jambes sur le dossier des sièges. Leurs journées de travail commencent à l'aube pour se terminer bien après le coucher du soleil. Elles allument alors la vieille télévision posée dans le coin. Il y a deux chaînes. Une russe et une tchétchène.

Les actualités russes portent de plus en plus l'empreinte soviétique, comme si elles étaient préparées et montées au Kremlin. Chaque soir, les téléspectateurs – qu'ils se trouvent dans le Caucase, en Sibérie ou au bord de la mer Noire – sont informés des faits et gestes de Vladimir Poutine. Poutine serre la main des chefs d'État. Poutine admire le gouverneur. Poutine désigne le gouverneur. Poutine démet le gouverneur. Poutine regarde une exposition. Poutine assiste à la production d'avions, de voitures, de bateaux, il suit l'élaboration de nouveaux chars et de nouveaux missiles, il décore d'une médaille M. Kalachnikov – l'inventeur de l'arme du même nom – et décerne un diplôme aux vétérans de la Seconde

Guerre mondiale. Poutine tient le conseil des ministres à l'écran, où il remonte les bretelles de ses hommes. Il les réprimande comme des élèves désobéissants. Le directeur et ses élèves sont assis chacun de leur côté de la petite table. Poutine dit par exemple au ministre de la Défense :

« Sergueï Ivanovitch, où en sommes-nous de la construction des nouveaux appartements de nos officiers ?

— Vladimir Vladimirovitch, cette année nous leur avons construit cent mille appartements. Nous en prévoyons cent mille de plus d'ici 2012.

— Ça ne va pas, Sergueï Ivanovitch, vous devez accélérer le rythme. D'ici 2008, tous les officiers doivent avoir un appartement pour eux et leur famille. Il est important de faire le maximum pour atteindre ce but.

— Ce sera fait, Vladimir Vladimirovitch. »

Tous les soirs, les téléspectateurs ont droit à un petit extrait, une parodie de discussion. La mine grave, les hommes – car Poutine a choisi de s'entourer d'hommes – s'entretiennent de l'état du pays, jusqu'à ce que les images disparaissent. Dieu sait de quoi ils parlent quand les caméras sont éteintes et les gens de la télé reconduits à la porte. Les retransmissions des réunions du Conseil de sécurité, auquel Poutine ne cesse d'accorder plus de pouvoir au détriment du gouvernement, sont tout aussi absurdes. Elles ont pour moi un petit air de déjà vu, c'était à Bagdad en 2003, dans les mois qui ont précédé la chute de Saddam Hussein. La télé irakienne diffusait d'interminables réunions entre Saddam et ses ministres. La différence, c'est qu'à la télé irakienne la voix de ces derniers était couverte par de la musique classique. À la télé russe, on les entend, et les hommes du président ont toujours une réponse toute prête, chiffres et statistiques à l'appui, quand Poutine leur pose une question. Celui-ci les écoute, les sourcils froncés, l'air sceptique. Pas une fois durant tous mes séjours en Russie en 2006 et 2007, je n'ai entendu un journaliste télé formuler ne serait-ce que l'ombre d'une critique à l'encontre de Poutine.

Quant à la Tchétchénie, pour toutes les chaînes la paix y règne. Si des images de la république sont retransmises, c'est toujours à propos de la reconstruction, d'une fête religieuse, de gens qui dansent et célèbrent quelque chose. « Nous allons devenir la nouvelle Suisse ! Les touristes vont affluer ! » rayonne le ministre du Tourisme devant la caméra. « Nous avons tout ce qu'ils peuvent souhaiter, des montagnes, de l'air pur, une belle nature, du drame et de l'aventure ! »

« Exactement comme à l'époque soviétique, dit Hadizat, ils nous traitent comme des enfants. Ils croient que nous sommes dupes ? » Elle zappe sur la chaîne tchétchène et les informations régionales, où le président Poutine est remplacé par le Premier ministre Kadyrov, qui sera bientôt le président Kadyrov.

« Tu remarques quelque chose ? me demande Hadizat au milieu de l'émission.

— Tu veux parler de la façon dont ils encensent Ramzan Kadyrov ?

— Où est notre président ? La Tchétchénie a un président en réalité, tu sais, il s'appelle Alou Alkhanov, mais tout à coup on ne le voit plus au journal télévisé. Cela signifie qu'il ne sera bientôt plus là. »

Le nouvel an 2006 approche et tout le monde attend que Poutine nomme Ramzan Kadyrov. Pour cela, il fallait d'abord que Kadyrov junior ait trente ans, et il les a depuis octobre où son anniversaire a été fêté en grande pompe. La nomination peut donc survenir à tout moment.

Comme une vieille kremlinologue, Hadizat juge l'état des rapports de force en regardant les émissions de télévion, dont le vrai président – Alou Alkhanov – est totalement absent. C'est le jeune Ramzan Kadyrov qui contrôle la république, et donc les médias. Ce soir-là, il rencontre les habitants d'un village de montagne, qui crient : « Merci, Ramzan ! Nous sommes en sécurité maintenant ! Merci pour la paix ! » Ramzan est suivi de près par ses propres forces de sécurité. Ayant maintenant vu quelques journaux télévisés, je commence même à reconnaître le visage de ses hommes. Ramzan inaugure une école, visite un chantier, Ramzan offre une voiture, un minibus, remet les clés d'un appartement. Généralement, une bonne moitié des actualités parle du jeune Premier ministre, que la télévision et les gens appellent par son prénom. Il donne des cadeaux à ceux qui le méritent et aux nécessiteux qui l'encerclent et l'applaudissent. Parfois ils dansent pour lui et il leur jette de l'argent.

Comme Vladimir Poutine, Ramzan Kadyrov n'est jamais critiqué, que ce soit dans les médias nationaux ou régionaux. Les caméras de télévision ne couvrent que ce qu'elles sont autorisées à filmer.

« Les gens ont plus peur aujourd'hui que pendant la guerre », m'a expliqué Zaïra quand nous avons passé la frontière tchétchène. « C'est comme Moscou dans les années 1930, les gens se dénoncent, ils disparaissent la nuit, ne reviennent jamais. Nous ne faisons plus confiance à personne, car Poutine a eu une idée de génie : il a laissé Ramzan Kadyrov faire le sale boulot. Ce sont les Tchétchènes contre les Tchétchènes maintenant. »

C'est ce qu'on appelle la « tchétchénisation » du conflit. Les pires exactions étaient autrefois commises par l'armée russe, aujourd'hui ce sont les milices tchétchènes qui ont le contrôle d'une société étouffée par la peur.

Malgré la « normalisation » officielle de la république, les meurtres, les disparitions et la torture se poursuivent. Les plus redoutées sont les forces de sécurité de Kadyrov, appellées les *Kadirovski*. Elles sont connues pour leur brutalité. Les témoignages des rares personnes à être ressorties vivantes des prisons et des camps qu'ils dirigent sont terribles. Les enregistrements qui circulent sur des cassettes ou des téléphones portables, pris par les bourreaux eux-mêmes et détournés par la suite, montrent des gens en train d'être torturés à mort. Sur une vidéo où un homme subit des électrochocs, on entend le bourreau crier : « On ne te tuera pas et on ne te laissera pas vivre. On va te garder comme ça quelques mois, jusqu'à ce que tu ne sois plus ni homme ni femme ! »

Quand elle a été assassinée, Anna Politkovskaïa était sur le point de terminer un long article où elle apportait la preuve des exactions et de la torture en Tchétchénie. L'article inachevé a été publié dans le journal *Novaïa Gazeta* le jour de son enterrement, avec des photos floues extraites d'une vidéo où deux prisonniers sont torturés par les hommes de Kadyrov. La vidéo se termine sur l'homme gisant par terre avec un des tortionnaires demandant à l'autre :

« Est-ce qu'il est mort ?

— Oui, complètement mort. »

En juin 2004, Anna Politkovskaïa a interviewé celui qui venait d'être nommé vice-Premier ministre, Ramzan Kadyrov.

« *Comment vous voyez-vous ? Quel est le point fort de votre caractère ?*

— *Comment ça ? Je ne comprends pas la question.*

— *Quel est votre point fort, et quel est le faible ?*

— *Je ne me vois pas comme faible. Je suis fort.*

— *Qu'aimez-vous faire par-dessus tout ?*

— *Me battre. Je suis un combattant.*

— *Et quand il n'y a plus personne contre qui se battre ?*

— *J'ai des abeilles, des taureaux, des chiens de combat.*

— *Et sinon, qu'est-ce qui vous plaît ?*

— *Faire la fête. J'aime les femmes.*

— *Et qu'en pense votre épouse ?*

— *Je le fais en cachette.* »

La dernière chose que Kadyrov a dite à Politkovskaïa était : « *Je vais vous montrer. Vous êtes une ennemie. Je vous forcerai. Je ne suis pas un bandit. Je vous forcerai. Je ne vous lâcherai pas.* »

L'interview a été réalisée un mois après le décès du père de Ramzan – celui qui est aujourd'hui une robuste statue de bronze –, mort à Grozny le 9 mai 2004 dans une explosion au stade Dynamo. Akhmad Kadyrov était le *mufti* de la république – le chef religieux – jusqu'à ce qu'il devienne le candidat de Poutine au poste de président. Il a combattu du côté des indépendantistes pendant la première guerre, avant de devenir l'homme de Moscou et un dictateur, au vrai sens du terme. Par la suite, la marionnette a tenté de se libérer quelque peu de ses liens, et elle a été tuée, sans qu'aucun fil ne soit touché. Quand une bombe a déchiqueté son père, Ramzan se trouvait à Moscou.

Dès le lendemain, Poutine a reçu le fils de vingt-huit ans qui s'est rendu au Kremlin en survêtement et en tee-shirt. On lui a enjoint de poursuivre le travail de son père. Pas formellement. Le vice-président Alou Alkhanov a bien sûr été promu président, mais Poutine l'a complètement ignoré, bien que, de tous, il soit le plus fidèle à Moscou. Le Premier ministre était le jeune Russe Sergueï Abramov. Ramzan Kadyrov, pour sa part, a été nommé vice-Premier ministre, mais, soutenu par les kadirovski vêtus de noir, c'était lui qui détenait le vrai pouvoir. Il n'est devenu Premier ministre que début 2006, quand Sergueï Abramov a été gravement blessé dans un mystérieux accident de voiture. La cérémonie a eu lieu au club de boxe « Ramzan » qui, dès l'aube, en plus des gardes du corps, grouillait de policiers et d'unités de combat. La fête a commencé sous une pluie de coups de pistolets.

Le correspondant du *Kommersant*, un des rares journaux qui, avec *Novaïa Gazeta*, soit encore critique à l'égard de Kadyrov, l'a décrite ainsi : « Pour des raisons de sécurité, seuls les ministres et les dirigeants de la République eurent le droit d'avancer en voiture jusqu'au bâtiment. Les autres invités, les vice-ministres y compris, durent marcher sur plusieurs centaines de mètres dans la neige fondue et la boue et salirent leurs chaussures bien cirées. Certains avaient prévu la situation et apporté une paire de rechange qu'ils mirent à l'entrée de la salle de banquet. Kadyrov répéta plusieurs fois que le principal invité était Sergueï Abramov, et c'est en son honneur que les toasts du banquet furent portés, avant qu'on lui remette l'ordre Akhmad Kadyrov, d'après feu le père de Ramzan.

Abramov dit qu'il se sentait vraiment tchétchène et qu'il avait prénommé son fils aîné Akhmad, même s'il s'appelle Nikolaï sur son passeport. Pour souligner ses propos, il montra son épouse, habillée à la tchétchène avec un foulard sur la tête, comme toutes les autres femmes présentes au banquet. Au cours du mois passé, Kadyrov a mené une campagne pour que davantage de femmes portent le foulard – pour redonner vie aux traditions nationales –, il a notamment enjoint à toutes celles travaillant dans l'administration de le faire. Celles qui n'en ont pas tenu compte ont déjà perdu leur emploi.

Pour finir, M. Abramov dansa la *Lezguinka* sous les tapements de mains et de pieds, et Kadyrov fit honneur à “son meilleur ami” en tirant un coup de feu et en jetant une liasse de billets sur l'ex-Premier ministre. Selon des témoins, celle-ci contenait au moins dix mille dollars. Cette vieille tradition tchétchène signifie que l'on respecte vraiment celui qui danse. La fête dura longtemps, mais personne ne se vit servir à boire : le retour aux traditions tchétchènes avait eu pour but de garder les gens à distance des boissons alcoolisées. »

Dans le séjour, les femmes soupirent quand on annonce que Khoj-Akhmed Kadyrov va répondre aux questions des téléspectateurs. Et un autre Kadyrov envahit l'écran, cette fois-ci l'oncle de Ramzan, le frère du feu président, qui a désormais sa propre émission télé le vendredi soir en prime time. En vêtements sombres, une calotte bordée d'un ruban doré sur la tête, il prend ses aises dans un canapé de cuir. À ses côtés, un jeune homme bien habillé qui a l'air d'un mannequin d'Armani tient une liste de questions sur l'islam. L'émission commence par une musique religieuse, puis Khoj-Akhmed Kadyrov prend la parole :

« Avant tout, souvenez-vous : chaque pas que vous faites, Allah le note. Dieu vous punit si vous ne prenez pas le bon chemin. Dieu pardonne, mais punit. Si vous êtes tchétchène, vous devez vous conduire comme un Tchétchène. Vous devez être fier de ce que vous êtes et vous devez donner envie aux autres d'être fiers d'être tchétchènes. Il faut prier cinq fois par jour et écouter les anciens. Si vous ne prenez pas le bon chemin, vous brûlerez en enfer et ne finirez pas au paradis. Lénine a dit que la religion était l'opium du peuple. Non, la religion est la base, et les mosquées doivent être toujours ouvertes. Avant nous devions prier en cachette, maintenant nous pouvons le faire ouvertement. Nous devons en être reconnaissants. Cinq fois par jour, il faut obligatoirement tout laisser et prier. Oh ! pardon, là j'ai employé un mot russe – obligatoirement – *Obiazatelno*. Je me suis laissé emporter par mon enthousiasme », marmonne l'oncle de Ramzan.

Après plusieurs siècles de colonisation, les Tchétchènes utilisent beaucoup de mots et d'expressions russes. Il m'arrive souvent, tout à coup, de comprendre un mot dans une conversation. Les expressions comme « pas du tout », « au moins », « en tout cas », « jusqu'au bout », « au bord », reviennent souvent, sans parler des expressions officielles pour lesquelles la langue tchétchène n'avait pas de mot.

Après ces phrases d'introduction, le jeune homme passe aux questions que les téléspectateurs ont envoyées durant la semaine.

« L'islam autorise-t-il à emprunter de l'argent ?

— Oui, si vous le remboursez et que tout n'est pas pour vous, répond Kadyrov. N'empruntez que si l'argent est destiné à votre famille, pour construire une maison, par exemple. N'oubliez pas de rembourser dans les trois mois si cela vous a rapporté.

— Peut-on divorcer ?

— Le divorce est un péché. Ceux qui se marient doivent y être préparés et la famille qui donne sa fille a une plus grande responsabilité que celle qui la reçoit. L'honneur de la famille dépend du comportement de la fille qui doit être irréprochable, bonne ménagère, bonne mère et respectueuse. Elle ne doit pas manquer aux traditions ni être de mœurs légères.

— Et si l'homme boit, peut-on divorcer ?

— On doit alors l'aider, mais s'il persiste, on peut partir. C'est permis. »

Hadizat acquiesce de la tête.

« Et si un mari va voir ailleurs ?

— Cela signifie qu'il a d'autres femmes, traduit Hadizat.

— C'est le plus grand péché. Si la femme est malade ou si elle ne peut pas avoir d'enfant, il peut se remarier, sinon on doit se contenter de ce qu'on a. Du reste, on peut avoir jusqu'à quatre femmes, il n'est donc pas nécessaire de divorcer d'une épouse malade, même si on se remarie.

— Quel est le bon âge pour se marier ?

— Quand une fille a ses menstruations, elle est à même de se marier. L'âge n'a aucune importance. Elle est alors une femme, même si elle n'a que douze ans. Les parents peuvent arranger un mariage dès la naissance de leur fille. C'est la meilleure chose à faire. »

Hadizat secoue la tête. « Tu entends ? Douze ans ! »

« Quand la fille est accueillie dans la famille du mari avec ses valises et ses coffres, ils n'appartiennent qu'à elle. Une tradition s'est généralisée, les femmes de la maison ayant de plus en plus tendance à se jeter sur le coffre et à demander des choses – ça c'est pour moi, et ça aussi. Elles tripatouillent les affaires que la mariée et sa mère ont réunies. Ce sont les siennes, et que tout le monde veuille un cadeau ne change rien ! Elle ne doit même pas avoir à ouvrir son coffre devant les autres. Seul son mari est censé savoir ce qu'il contient. Le type de sous-vêtements que porte la fille ne regarde personne d'autre que lui. En outre, tout le monde n'a pas les moyens de s'offrir de la lingerie coûteuse, cela doit donc, de toute façon, rester secret. Mais toutes ces traditions liées au mariage ont été minées parce qu'on a laissé les femmes s'en charger, il est temps que les hommes prennent les choses en main et resserrent les boulons.

Les femmes doivent surveiller les fourneaux et je dis : Femme, reste à la maison et ton mari fera tout pour toi ! Il est le maître, il doit veiller à nourrir toute la famille et à assurer sa sécurité. Et femmes, quel besoin avez-vous de sortir ? Quant à la vie conjugale, sachez que si l'épouse se plie à la volonté de son mari, si elle l'adore, ne cherche pas noise et ne se plaint pas, elle ira droit au paradis. Mais l'homme aussi doit respecter certaines exigences : s'il va voir ailleurs en espérant qu'elle sera sienne alors que sa propre femme est enceinte, son enfant sera considéré comme illégitime ! Femme, reste inférieure à l'homme. Essayer de se mesurer à son mari n'est pas bien, on l'humilie et l'épouse n'est qu'une femme, malgré tout. Elle ne sait pas tout. Regardez Pompéi, Dieu y a puni les gens qui ne se comportaient pas bien. C'est pareil ici, nous avons eu assez de deux guerres. Ça suffit ! Si vous continuez à vous habiller comme ça et si vous n'obéissez pas à vos maris, cela se finira encore par une guerre ! Allah doit aider, nous avons besoin de lui, mais nous ne devons pas mener une vie qui le détourne de nous.

— Quand une femme se marie, que peut-elle laisser voir de ses épaules et de son décolleté ?

— Les décolletés profonds ne sont pas bien. Qui donc voudrait d'une femme dont le décolleté attire le regard de tous les hommes pendant le mariage ? Une robe de mariée doit avoir des manches longues et un col fermé passant au-dessus de la clavicule. »

Hadizat lève les yeux au ciel.

« La jupe doit bien sûr être longue. Elle doit descendre jusque sous les chevilles. Et pour un homme c'est *haram* – interdit – de porter des bijoux en or. Oui, même une bague en argent, ce n'est pas bien.

— Si on est malade, est-il permis de mélanger les médicaments à du cognac ?

— Pour rien au monde ! Un musulman ne doit jamais toucher à l'alcool ! Ne jamais boire de cognac. Tout ce qui peut déséquilibrer un homme est un péché pour les musulmans.

— Doit-on aller à La Mecque ?

— Celui qui le peut a intérêt à y aller. Mais on ne doit jamais emprunter pour faire ce voyage. Si vous partez, vous devez être pur, sans mauvaises pensées. Alors vous renaîtrez, innocent comme un nourrisson. Tous les péchés seront effacés. Et vos enfants – oui, même ceux qui ne sont pas encore nés – bénéficieront aussi de votre voyage à La Mecque. Et la paix sera avec vous.

— Si je trouve un homme mort, que dois-je en faire ?

— Pour peu qu'il ait un signe indiquant qu'il est chrétien – s'il porte une croix autour du cou ou quelque chose comme ça –, on doit le laver selon le rituel musulman, l'enterrer selon les traditions de l'islam et lire pour lui la prière des morts afin d'effacer tous ses péchés.

— J'ai quarante ans et jusqu'ici j'ai négligé la prière, est-il trop tard pour commencer ?

— Priez autant que vous le pouvez, vous serez peut-être sauvé. Le soir, le matin, dans la journée, autant que possible, tout le temps. Allez à la mosquée. Dites à votre famille que vous vivez selon les règles de l'islam. Plus vous lirez de prières, plus facile ce sera. Vous ne devez pas non plus vous vanter de bien prier, ou de prier longtemps ou cinq fois par jour. C'est une évidence. Vous devez le faire pour vous, pas pour les autres. Vous ne devez craindre qu'Allah, personne d'autre. Cela vaut aussi pour vous les femmes, mais vous ne devez jamais prier quand vous êtes indisposées, car vous êtes alors impures et ne devez pas invoquer Allah. »

Hadizat acquiesce de la tête. Elle est elle-même pratiquante. Cinq fois par jour, elle met une longue robe de drap informe à capuche pour la prière, déroule le tapis et s'agenouille.

« J'allaite mon enfant et ma voisine n'a plus de lait. Puis-je nourrir le sien ?

— Si votre mari vous y autorise, oui. Et quand vous avez allaité l'enfant d'une autre femme cinq fois, vos petits sont comme des frères, c'est ce qu'on appelle des frères de lait. »

L'émission terminée, de beaux paysages et de la musique religieuse remplacent l'oncle Kadyrov. Puis, tout à coup, l'image d'un cadavre remplit l'écran. Le visage est en sang, roué de coups, maltraité, avec les yeux collés et les joues marquées de profondes cicatrices rouges. Durant le temps où le corps reste à l'écran, une voix off annonce que le mort a été trouvé en périphérie de Grozny. « Toute personne connaissant cet homme est prié de contacter la police. »

Puis c'est la publicité. D'abord pour des robes de mariée, qui ont des manches courtes, certaines même n'en ont pas et d'autres sont sans bretelles. Nous regardons, un peu stupéfaites. On s'attendrait presque à ce que l'oncle Kadyrov interrompe la réclame et la condamne. Mais il n'est plus à l'écran. Il n'est plus retransmis. « Passez voir notre catalogue ! Nos robes sont à vendre ou à louer », dit une voix suave. « Vous nous trouverez dans le centre de Grozny, perspective de la Victoire, numéro... Nous pouvons aussi vous maquiller et vous coiffer pour le grand événement où vous voudrez apparaître sous votre plus beau jour. »

Nous rions de cette absurde confusion des genres, mais Hadizat retrouve vite son sérieux.

« C'était une émission intéressante, dit-elle. Il y a beaucoup à apprendre. Nous en avons besoin. Pendant l'époque soviétique, nous étions tous athées et devions prier en cachette, et maintenant, maintenant on peut choisir entre tellement de courants. »

Les spécialistes ne sont pas d'accord pour dater l'arrivée de l'islam en Tchétchénie. Les premières tribus autour du fleuve Sounja auraient introduit l'islam sunnite au XVIe siècle, sous l'influence des Ottomans. Les peuples dans les montagnes, eux, s'accrochèrent à leurs traditions païennes : ils adoraient les ancêtres et croyaient que les forêts, les montagnes, les cascades et le ciel étaient peuplés d'âmes, des bonnes et des mauvaises, à même de les aider ou de les punir. Ils avaient plusieurs dieux de la nature, le plus important étant Yalta – le dieu de la chasse.

Un siècle et demi après les peuples des plaines, les tribus des montagnes adoptèrent aussi l'islam. De nombreux dogmes furent adaptés aux vieilles croyances. Selon la tradition musulmane, le monde est entouré de montagnes ; les Tchétchènes, eux, placèrent les montagnes au centre du monde.

Le soufisme – une doctrine mystique de l'islam – s'implanta fortement en Tchétchénie après son introduction dans le Caucase du Nord au XIXe siècle. Le but y est d'atteindre l'union avec Dieu. Le *zikr* – une prière en rond toujours pratiquée en Tchétchénie – vient de cette tradition. Le soufisme permit de mêler l'*adat* – le droit coutumier – à la religion, et il est souvent difficile aujourd'hui de déterminer ce qui est propre à l'*adat* et ce qui est propre à l'islam.

Infiltrer le réseau des confréries soufies fut presque impossible pour les Russes, et l'islam joua un rôle central dans la mobilisation de la population contre l'armée du tsar aux XVIIIe et XIXe siècles et dans la *gazawat* – la guerre sainte.

La plupart des Tchétchènes refusaient d'avoir affaire à l'administration russe et préféraient s'adresser aux cheiks soufis. Aujourd'hui encore, les disputes et les conflits sont souvent réglés par les confréries soufies, ou par leur équivalent laïque – les conseils des anciens – plutôt que par un système judiciaire. La vendetta est courante. Un meurtre doit être vengé et il peut l'être sur plusieurs générations. Tant que la vengeance n'est pas accomplie, le coupable ne peut pas se montrer dans les endroits publics ni se couper la barbe. On ne peut pas l'attaquer chez lui, car la maison est sacrée. S'il sort couvert d'un châle de femme, une grande honte, personne ne peut le tuer. Si un père est assassiné son fils doit le venger, s'il n'a que des filles c'est au frère de le faire, et s'il n'a pas de frère, c'est au cousin. Si le meurtrier qui se cache est introuvable, on peut s'en prendre à ses proches.

On peut se réconcilier en acceptant de payer pour le sang versé, la somme est alors déterminée par le conseil des anciens. Un jour est fixé, où les hommes de la famille de la victime sont assis en face du meurtrier ; ils discutent et décident du prix à payer. L'assassin doit ensuite leur serrer la main à tous et les étreindre, du plus vieux au plus jeune. Il a la tête couverte d'une capuche et ne voit que leurs pieds. Il est alors libre et peut partir.

Bien qu'interdite sous l'époque soviétique, la vendetta s'est poursuivie dans l'ombre. Depuis les guerres des années 1990, ces règlements de comptes familiaux ont terriblement augmenté.

Après la révolution de 1917, la religion fut réprimée dans toute l'Union soviétique. Au même titre que les églises orthodoxes de Russie, les mosquées du Caucase furent brûlées ou transformées en granges ou en écuries pour les kolkhozes. Plusieurs chefs religieux furent tués ou envoyés aux travaux forcés dans les goulags. Mais les Tchétchènes continuèrent à prier en cachette et les anciens à se rassembler pour lire le Coran.

La *gazawat* – la guerre sainte – ne joua qu'un rôle mineur dans les mouvements indépendantistes des années 1990. C'était alors le nationalisme ethnique qui était au premier plan. L'islam ne fut utilisé comme force de rassemblement par Djokhar Doudaev qu'à partir du moment où l'invasion est devenue imminente et quand, à l'instar d'Imam Chamil, le héros du XIXe siècle, il appela à la guerre sainte.

La guerre radicalisa fortement les jeunes. Le comportement brutal de l'armée russe fournit un terrain propice aux idées et à l'argent des courants musulmans pour qui la Tchétchénie était un pion sur l'échiquier du *djihad* internationnal. Certains chefs de la guérilla adoptèrent un discours fondamentaliste et ne dirent pas non à l'aide des réseaux islamistes du Moyen-Orient et d'Asie. Ceci explique pourquoi des Tchétchènes embrassèrent le wahhabisme – une doctrine loin du soufisme caucasien traditionnel. Beaucoup de jeunes hommes furent faciles à séduire dans une région où le fanatisme religieux était peu répandu jusqu'aux guerres des années 1990.

Dans le salon, une météo qui montre que l'hiver est en train de lâcher prise a remplacé les actualités. Adam descend l'escalier, s'arrête sur la dernière marche et lâche d'un air bourru et concerné : « Ça, je n'y crois pas ! »

Hadizat et les autres femmes, épuisées et allongées dans le canapé, ne peuvent pas s'empêcher de rire quand Adam pointe un doigt menaçant vers la carte météo.

Le garçon qui a accroché le cadavre d'un soldat dans l'arbre de Noël et qui voulait éduquer les chiens par la force de l'exemple est devenu un homme de vingt-deux ans. Il ne croit pas la météo, mais il croit profondément en Allah et il est chargé de l'éducation religieuse des plus petits.

Prier est la première chose que les enfants apprennent quand ils arrivent à l'orphelinat. Les préceptes du mollah Kadyrov sont suivis. Cinq fois par jour les garçons se rassemblent pour la prière commune menée par Adam. Les petits imitent ses gestes.

Depuis sa vie de mécréant dans la rue, Timour – *le jeune loup* – s'est lui aussi converti. Un soir il monte me voir pour me montrer le manuel de religion qu'ils utilisent à l'école. Le programme en Tchétchénie est le même que dans toute la Russie. Il ouvre le livre à l'endroit où il a raturé quelque chose au stylo bille.

« Regarde ici, page quatre-vingt-douze. Celui qui a mis cette image doit être puni. Dessiner Mahomet est un grand péché. Je l'ai barrée », déclare-t-il indigné.

« Seul ce qui est dit dans le Coran est vrai. Les professeurs mentent. Maintenant tout est en russe. Les professeurs croient qu'ils sont russes. Ils devraient plutôt nous donner des enseignants qui soient de vrais tchétchènes, des gens qui croient vraiment en Allah. Si on croit en Allah, même si on a trente ans et qu'on n'est jamais allé à l'école, il sera toujours là. Je n'ai compris que je ne devais plus fumer que quand j'ai commencé à prier. »

Ce que Timour connaît d'Allah, il l'a appris en grande partie d'Adam. Ce sont les idées et les phrases d'Adam qui s'écoulent de la bouche du garçon.

« Ces poissons aussi prient Allah », dit Timour en montrant du doigt des poissons dans un bocal. « Ils prient à leur façon. Dans leur propre langue. Ils ont un cœur eux aussi. Avant je tuais tous les animaux, les chats, les chiens, les souris, les araignées, les papillons, tout ce qui me tombait sous la main. Je ne pensais pas, je ne voulais pas penser. Je tapais sur les petits. Allah m'a maudit et à cause de lui j'ai commencé à fumer pour me détruire. Mais ça, j'ai arrêté. Grâce à Allah, je ne fais plus rien de mal. Avant, quand je mendiais de la nourriture, je m'asseyais dans la rue, me faisais aussi petit que possible et je demandais l'aumône : “*Bismillah....*” Mais je ne connaissais pas bien la prière, je murmurais seulement des trucs sans réfléchir », dit-il en me regardant gravement.

« Allah est partout, poursuit-il. Quand on coupe une pomme en deux, il y a écrit Allah dedans, dans la laine du mouton aussi. Tu ne l'as pas vu ? Dans le ciel, dans les nuages : Allah. Tu te souviens du tsunami ? Là aussi l'eau avait écrit Allah. Il a envoyé les vagues en punition.

La guerre fut aussi une punition de Dieu parce que nous l'avions perdu, laissé partir. Je remercie Dieu de tout ce qui m'est arrivé. Staline aussi était bien. Il a tenu les tsiganes hors des villes. Ils sont partout maintenant et volent comme des pies. Ce sont eux qui ont appris aux Tchétchènes à voler, tu le savais ? »

Timour reste immobile. Pour une fois il ne bouge pas. Il fixe les flammes dans le poêle.

« Quand je suis arrivé ici, la première chose que j'ai pensé c'est que j'allais faire exploser la maison. J'ai essayé de trouver comment. Le gaz, peut-être ? J'ai cherché où était la citerne. Et si j'y mettais le feu... Je frappais tout le monde, je donnais des coups de pied, criais, hurlais. Mais maman ne se fâchait jamais, elle me serrait dans ses bras, c'est tout, me gardait contre elle. Et le mal est sorti de ma tête. Tu imagines, maman m'a supporté », dit Timour.

« Tu imagines, elle supporte tout ça. »

Elle me supporte.

L'enfance d'Adam ressemble beaucoup à celle du jeune loup, son cadet de dix ans. Ils présentent les mêmes signes : la révolte, l'agitation, la violence. Le premier souvenir d'Adam est la peur. La peur de son père. Il a encore en mémoire la façon dont son père le battait ou le jetait dans l'escalier de la cave avant de fermer la porte à clé. Il y restait jusqu'à ce que sa mère vienne le chercher. « Mon meilleur souvenir d'enfance est celui du jour où j'ai fui de chez moi, dit-il. Je me rappelle aussi que nous avons reçu un insigne de Lénine à l'école, dessus c'était marqué "apprendre, apprendre, apprendre". J'avais un foulard rouge, je faisais partie des Jeunesses communistes. Mais je ne voulais pas leur obéir. Je ne voulais pas rester assis sur les bancs de l'école et qu'on me tape sur les doigts avec une règle. Je ne voulais plus aller à l'école et maman m'a dit : Tu veux devenir un larbin ? Celui qui fait les sales boulots ? Les boulots de merde ? »

Après le pilonnage de Grozny, Adam n'a jamais retrouvé ses parents et a vécu dans les caves et les remises. À dix ans à peine, il s'est trouvé une nouvelle famille en devenant l'homme à tout faire des combattants, dans les immeubles de Grozny d'abord, puis dans les montagnes.

Quand Adam parle de la guerre – les guerres passées, la dernière guerre, les guerres à venir –, ses yeux s'illuminent. Il glisse parfois quelques phrases sur l'islam. Comment on doit vivre, et surtout comment les autres doivent vivre.

« Je veux partir au Pakistan. Lire le Coran. Ils ne le comprennent pas ici. Je veux apprendre l'arabe », dit-il un jour.

Le deuxième jour : « Je veux me battre, je veux être un martyr. »

Le troisième : « Je veux être artiste. Peintre, dessinateur ou bien sculpteur, sculpteur sur bois. »

Le quatrième : « À Hollywood, ils ne sont pas purs, ce sont de vrais pécheurs. »

Le cinquième, il aime Hitler. « Parce qu'il a combattu les Russes, parce qu'il a tué les juifs. Personne ne parle plus des camps de concentration de Staline, on ne parle que de Hitler. Ce n'est pas juste. »

Le sixième : « Je déteste les filles qui fument et boivent. Tu aurais dû voir les deux filles que j'ai croisées aujourd'hui. Si j'étais leur frère, je les aurais tuées. Je leur aurais creusé leur tombe et j'y aurais envoyé des chacals. »

Le septième, il approfondit : « Les femmes doivent se faire respecter. Elles doivent nous donner la possibilité de les respecter. Se laisser respecter. Rien de moulant. Rien de court. »

La semaine suivante, il remet la guerre sur le tapis.

« Attends, il va y avoir une attaque surprise vers le nouvel an. Ils descendront de la montagne. Peut-être le soir du 31. J'aimerais bien fabriquer une bombe atomique, si on en avait une, le monde aurait peur de nous et on nous respecterait. Si on me le demandait, je pourrais partir me battre n'importe quand. La guerre... » Il s'interrompt une seconde. « Nous serons toujours en guerre. La première a commencé avec les fils d'Adam et Ève. Le pape a dit que Mahomet avait commencé la guerre ! Je déteste ce pape. Le jour du Jugement dernier ils seront punis, ce sera très dur pour les pécheurs. Je n'aime pas les catholiques parce que les Italiens ont tué Jeanne d'Arc. Je l'aime bien elle. Gengis Khan n'a jamais mis les pieds en Tchétchénie, alors que la Russie a tremblé de peur pendant trois cent cinquante ans. Ah ! Je n'ai pas peur, ce sont les chiens en laisse qui ont peur. Mais même Chamil Bassaev a eu peur. Il devait traverser un champ de mines, il y a une cassette là-dessus avec des gens qui explosent, ils sont déchiquetés, ils tombent, ils marchent sur des mines. Bassaev crie : "Je perds du sang, aïe ! aïe ! aïe !" Il crie comme une vieille bonne femme. Alors que moi, quand on a dû m'opérer sans anesthésie, je n'ai pas pleuré. »

Adam et moi discutons souvent là-haut le soir, une fois les autres couchés. Le jeune homme a des cheveux brillants qui ondulent, des traits marqués et un visage taillé à la serpe. Che Guevara est son héros, et quand il prend la pose du Che, ils ne sont pas sans se ressembler. Il aime parler « des grandes choses », et Adam vit dans un micmac de rumeurs et d'histoires à dormir debout. En Tchétchénie, la mythomanie a les coudées franches. Toute histoire ou théorie en vaut une autre. Pour Adam, le plus important est qu'elles conviennent à son système.

« Les gens disent que le Che était communiste, mais moi je sais qu'il ne pouvait pas les souffrir. Il n'aurait pas aidé et sauvé des gens s'il avait été communiste ou voleur ou quelque chose comme ça. Il a guéri plein de monde. Il aimait son peuple de tout son cœur. »

Pour Adam, communiste et voleur sont des synonymes.

« Si le Che avait survécu, il ne serait peut-être pas devenu aussi célèbre. Qu'est-ce que tu en penses ? Moi aussi je veux mourir jeune. Je ne veux pas avoir trente ans. Je ne veux pas vieillir. »

Le soir, les garçons de Malik et Hadizat du « premier lot » viennent souvent nous rendre visite. Abdoul – le garçon taciturne aux taches de rousseur – a trouvé un travail sur un chantier. Il est inquiet parce qu'il n'a pas de contrat et il craint de ne pas être payé, mais il n'ose pas protester, car il risque de perdre sa place au profit d'un de ceux qui font la queue à l'entrée. Au cours de la première semaine, deux ouvriers sont morts en tombant d'échafaudages non sécurisés. Après des années passées sans qu'aucun clou ne soit planté, toute la ville est reconstruite à un rythme effréné – le travail doit être terminé pour la cérémonie d'investiture de Ramzan Kadyrov en avril 2007. Abdoul continue donc de se rendre chaque matin au travail, malgré la précarité de celui-ci. Il n'a pas le choix maintenant qu'il a déménagé dans son propre logement avec sa femme et qu'il va bientôt devenir papa.

Abdoul a rencontré son épouse dans un village de montagne il y a six mois. Il allait en pèlerinage à Avtoury, où l'on dit que Heda, la fille du Prophète, est enterrée. Ils sont partis à pied de Grozny et ont demandé l'hospitalité à une famille du village, qui les a invités à passer la nuit. Abdoul est tombé amoureux de Diana – la fille de la maison – dès qu'il l'a vue. Elle avait seize ans et lui a servi un *galouchki*, un plat traditionnel qui ressemble à des gnocchis à l'ail accompagnés de viande d'agneau. La fille s'est jointe à eux pour la dernière partie du pèlerinage et ils sont rentrés ensemble. Quatre jours plus tard, Abdoul a envoyé quelqu'un pour demander sa main.

« Nous nous sommes mariés ici, dans la cour », raconte Abdoul. Nous sommes restés dans la cuisine et buvons le thé du soir. « Elle est ce que je connais de plus beau. »

« Les femmes doivent couvrir leur corps, intervient soudain Adam. Porter le *hijab*. Il n'y aurait plus tous ces viols. Ceux qui violent devraient être fusillés en public. De toute façon, les femmes doivent porter le voile. On parle différemment à celles qui ne l'ont pas. Si nous appliquions la charia ici, les femmes n'auraient plus à travailler à l'extérieur », déclare Adam, qui n'a ni femme ni enfant.

« Notre relation est pure et belle, objecte Abdoul. Diana est une femme honnête. »

Je demande à Abdoul ce qu'il attend d'une femme.

« J'attends d'elle qu'elle supporte tout. Qu'elle ne me laisse jamais tomber. Que je ne la laisse jamais tomber. »

Abdoul se tait, avant de conclure : « Tu sais, je veux seulement qu'on vive normalement, comme des gens normaux. »

Il ne bouge pas, le regard dans le vide.

« Quoi qu'il en soit, les femmes ne devraient pas se promener seules. Elles devraient être accompagnées. En tout cas, elles ne devraient pas faire le marché, encore moins y vendre des marchandises », poursuit Adam.

Aslan, son frère d'orphelinat, s'est aussi marié, mais il se plaint que sa femme de seize ans soit fainéante et fasse toujours la tête. C'est pourquoi il vient souvent dîner et dormir chez Hadizat. Il se demande s'il ne va pas divorcer.

« Si la femme n'obéit pas au mari, il peut la renvoyer chez ses parents », le soutient Adam.

Le quatrième des premiers garçons arrivés est Zaour. Il est marié à Louiza, papa d'une fille de deux ans, mais il est au chômage et déprimé ; il passe le plus clair de son temps chez lui, dans son appartement à Grozny, à lire sur Internet tout ce qu'il trouve sur la guerre. Ce que Hadizat redoute le plus, c'est que ses fils soient envoyés au service militaire. « Ils ne survivront pas une journée », gémit-elle.

Le seul moyen d'échapper à l'armée est d'avoir deux enfants de moins de cinq ans, elle supplie donc Zaour de se dépêcher d'en faire un autre. Elle songe également à acheter le certificat attestant qu'il est en mauvaise santé, mais c'est cher.

Dernièrement, une femme s'est présentée à l'orphelinat avec une liste. Elle a dit qu'elle était là pour voir si de jeunes hommes vivaient ici. « Non, a répondu Hadizat, nous n'avons que des enfants dans cette maison. » Elle est partie, mais Hadizat craint qu'elle revienne.

« Je préférerais encore partir dans les montagnes que de faire l'armée, dit Zaour.

— Quoi qu'il en soit, ça va être encore la guerre, dit Adam. Si les Russes se retirent, ce sera la guerre entre les murides et les wahhabites. »

Muride est le nom que les garçons donnent aux partisans de la doctrine traditionnelle tchétchène de l'islam, celle du soufisme mêlé aux coutumes locales. Le wahhabisme est une doctrine pratiquée notamment en Arabie Saoudite ; les Arabes ont profité des guerres des années 1990 pour l'introduire en Tchétchénie.

« On doit suivre le Coran, intervient Zaour, et Mahomet n'a jamais dit qu'on devait sauter et danser comme le font les murides. La forme du *zikr* est un péché selon l'islam pur.

— Mais c'est basé sur vos propres traditions, pourquoi est-ce tout à coup si terrible ? objecté-je.

— Peut-être, mais dans ce cas c'est une très mauvaise tradition. Une tradition païenne, lâche Zaour méprisant.

— Je veux purifier la Tchétchénie, dit Adam, ce n'est pas une vie ça. »

Abdoul, Aslan et Zaour finissent par se lasser de la discussion et vont se coucher. Seul Adam reste.

« Que penses-tu de Robert de Niro ? Tu as vu *Il était une fois l'Amérique* ? Où Al Capone dit : “La mort ou le portefeuille !” Quand a-t-il vécu du reste, cet Al Capone ? C'était après la révolution rouge ? »

Adam se nourrit de morceaux d'histoires, de bouts qu'il a entendus, de rumeurs, de légendes. Il n'a jamais quitté la Tchétchénie, est à peine allé à l'école et a troqué la loi de la rue contre une éducation religieuse stricte.

« Las Vegas. Je déteste cet endroit. Les casinos, les jeux de hasard. C'est des péchés tout ça, dit-il. Ici aussi il y a des jeux, des machines. On devrait les faire exploser. Les fermer. Dix personnes se sont pendues à cause de dettes de jeu à Grozny, tu savais ça ? Tous les casinos devraient être supprimés de la surface de la terre. Les gens jouent toute la journée, et les jeux informatiques, ça coûte vingt roubles l'heure. Une fois qu'on est là-bas on y reste jusqu'à la fermeture. On néglige sa maison et sa famille. C'est un péché. Tu la vois maintenant la génération Pepsi à Grozny. C'est comme s'ils voulaient faire partie de la Russie. Les jeunes Russes veulent ressembler aux Américains, et nos jeunes veulent ressembler aux Russes. Ils restent assis sur des bancs à mâcher des graines de tournesol et à boire du Pepsi. Ils devraient se lever et laisser leur place aux anciens, mais ils ne le font pas. Et à la télé, des femmes à moitié nues chantent des histoires d'amour. C'est un péché. Le rap et le hip hop sont encore pires. Je n'aime pas ça. Ça ne se fait pas de chanter des "Je t'attends, tu me manques". Le rock devrait être interdit. Si tu avais une fille, tu la laisserais écouter Madonna ?

— Oui... »

Adam se tait. Il préférerait que nous soyons d'accord, mais poursuit.

« Pourquoi les patriarches orthodoxes n'aiment pas Madonna ? Ils veulent lui interdire de chanter à Moscou. C'est bizarre, car je ne l'aime pas non plus. Mais je n'aime pas non plus les dirigeants de l'Église chrétienne. Je voudrais bien d'ailleurs qu'on me traduise les textes de Madonna. Ce serait intéressant. Elle raconte quoi au juste dans ses chansons ? »

Adam réfléchit.

« Si elle retirait de ses textes tout ce qui est un péché et mal, et si elle s'habillait correctement, elle aurait le droit de venir chanter à Grozny. Pareil pour Britney Spears et Christina Aguilera. Dans les années 1970, c'était beaucoup plus simple. Bryan Adams s'habillait normalement. The Scorpions aussi. Et Michael Jackson, Allah lui a donné la force de transformer un homme noir en blanc. Les Américains blancs détestent les Noirs, n'est-ce pas ? Il a réussi à devenir blanc, et ils l'ont aimé. Ah ça non, je ne tiendrais pas une nuit en Amérique. Ce sont des vrais robots là-bas. Il n'y a pas de soleil, pas de nature. Ils mangent dans la rue. Non, manger est quelque chose que l'on doit faire assis. Tu crois en Dieu ? Pense à ceux qui n'y croient pas. Ce sera terrible pour eux le jour du Jugement dernier. Après la mort, les vrais croyants ont droit à la vie éternelle au paradis, où il y a des ananas, des bananes, des jardins... en fait, je n'arrive pas à imaginer. Il y a sûrement des groseilles et des cassis aussi. Et au paradis, on n'est pas troublé par un corps de femme, mais... On a des centaines de millions de preuves que le paradis existe. Et puis il y a ceux qui croient que le monde serait apparu à cause d'une explosion ridicule. Mais dans ce cas-là, Dieu ne serait pas là et il n'y aurait pas de coucher ou de lever de soleil. Imagine que tous les croyants puissent se rassembler quelque part sur terre ! Il se passerait certainement quelque chose, et le monde serait un peu mieux. J'ai envie de construire une mosquée. J'ai fait un rêve affreux cette nuit. La terre brûlait. La terre bouillait et une mosquée en est sortie. C'était comme si le jour du Jugement dernier se rapprochait. Tu crois ? On doit apprendre aux enfants à croire en Dieu dès qu'ils sont petits. Les communistes ont fait sauter les mosquées. Les Russes buvaient de la vodka dans les mosquées. Boudanov a sélectionné les plus belles filles pour les violer et puis il a dit que c'était des tireurs embusqués qu'il avait emprisonnés. Je l'aurais fusillé. Par Allah, je l'aurais fusillé. Au paradis, je me baignerai dans le misc. Ou est-ce musc ? Tu sais, le parfum. Ou bien est-ce masque ? Là-bas, on a tout ce dont on a envie. Je mangerai autant de pommes que je voudrai. Ici, en Tchétchénie, on devrait réinstituer la charia comme dans l'ancien temps, quand on coupait les mains. Beria voulait poser des rails jusque dans la mer Caspienne et envoyer les wagons remplis de Tchétchènes au fond de l'eau. Mais Staline n'a pas voulu, il connaissait des Tchétchènes. J'aimerais tellement aller en forêt pour voir le coucher de soleil sur les montagnes, mais il y a des mines. J'aurais bien voulu faire partie des forces de l'OTAN, pour être formé comme eux, apprendre à utiliser les armes, à me battre, afin de pouvoir lutter contre les Russes. Bush rêve de prendre le Caucase, tout le monde rêve de prendre le Caucase. Parce que nous avons du pétrole. Pendant la guerre, quand nous avons rendu les Russes qui avaient été faits prisonniers, ils ont été tués par les leurs. Ils ont été brûlés vivants. On les a mis dans des bus, on a verrouillé les portes et mis le feu. Par Allah, c'est vrai. Tu savais que Tolstoï était devenu musulman en camp de concentration ? J'ai un livre où c'est écrit que plein de gens connus se sont convertis à l'islam. »

Adam disparaît et revient avec le livre. Je lui demande s'il peut trouver le passage concernant Tolstoï.

« Je n'ai pas le temps », dit Adam. Il se lève brusquement et sort.

Au moment où je ramasse le livre, Hadizat entre dans la pièce. En regardant par la fenêtre, je vois Adam assis dans l'escalier, la tête entre les mains, puis il se lève et joue à la bagarre avec un des petits. Il ne semble pas particulièrement pressé. Je raconte l'incident à Hadizat et lui demande si j'ai dit quelque chose qu'il ne fallait pas.

« Ma chère, tu as demandé à Adam de lire ? »

Hadizat rit toute seule.

« Nous n'avons jamais réussi à lui apprendre. »

# S'endormir dans une pièce froide, se réveiller dans une pièce froide

Lavrenti Beria était le bourreau le plus craint de Joseph Staline. En 1938, après une carrière sanglante dans le Caucase, il fut promu bourreau en chef à Moscou. Ses ordres conduisirent des millions de personnes à la mort ou au croupissement dans des camps de prisonniers, toujours plus nombreux et dispersés aux quatre coins de l'Empire soviétique, où les gens étaient « réduits en poussière de camp ». En février 1944, il fit une nouvelle suggestion à Staline : déporter tout le peuple tchétchène.

Il y avait selon lui des cas de trahison parmi les peuples des montagnes et il les soupçonnait d'être susceptibles de se battre du côté des Allemands pendant la guerre.

Le 20 février 1944, Beria vint à Grozny. Cent mille soldats du NKVD, l'ancêtre du KGB, se trouvaient alors déjà sur place. L'action fut lancée trois jours plus tard, sous le contrôle de Beria en personne.

La déportation est un des plus grands traumatismes des Tchétchènes. Un tiers de la population est morte lors du trajet vers la Sibérie, le Kazakhstan ou au cours des premiers mois d'exil. Ils ne purent retourner chez eux qu'en 1957, à la suite de l'assouplissement du régime par

Nikita Khrouchtchev. Durant toute l'époque soviétique, la déportation fut taboue. Absente des livres d'histoire, personnne n'en parlait et encore aujourd'hui, beaucoup de Russes savent à peine qu'elle a eu lieu. Dans les familles tchétchènes, les histoires sont vivaces et ne sont qu'un récit de plus sur l'oppression de l'empire. Il fallut attendre la dissolution de l'Union soviétique pour que les Tchétchènes puissent commémorer ce jour – le 23 février.

Le jour n'est pas encore levé en ce matin de décembre et je suis dans la cuisine de Malika où je bois un thé au citron. Elle se met à me parler de son père pour lequel elle se fait du souci. Il a exactement le même âge que le mien, il est né l'été 1936, mais lui, le début de sa vie porte l'estampille de Staline et la fin celle de Poutine. « C'est un homme brisé, aujourd'hui, dit Malika. Il pleure beaucoup. Maman a été tuée par un missile il y a quelques années, puis un de mes deux frères a disparu, et ensuite le deuxième. Il dit que c'est comme si son cœur s'arrêtait à chaque fois qu'il entend une voiture se garer devant chez nous. Il ne ferme jamais la porte à clé, au cas où mon frère reviendrait. Une trentaine d'hommes masqués sont venus pour l'embarquer. Papa cherche toujours. »

Malika soupire. « Quant à son enfance, comme celle de tous les Tchétchènes de son âge, elle a tourné autour de la perte – celle de sa patrie, sa famille, sa langue, tant de choses qu'il aimait. Si tu veux, après, quand les enfants auront mangé, nous pouvons prendre le bus et aller voir papa. »

Abdoullah vient à notre rencontre sur le pas de la porte de sa maison de Belgotoï, un village en périphérie de Grozny. Il est mince, chétif et j'ai une bonne tête de plus que lui.

L'entrée donne directement dans la cuisine, où la moitié du sol est couverte d'un énorme tas de noix. Abdoullah les a cueillies dans les forêts alentour. Elles devront lui faire tout l'hiver. Il y a un fourneau qui crépite, et des bûches contre le mur attendent d'être jetées dans les flammes. La maison a deux pièces. Dans la seconde, il y a un lit avec une couverture en laine et un canapé, et là aussi un petit poêle à bois.

Le papa de Malika m'invite à prendre place à la table de la cuisine. Lui-même s'assied sur un tabouret, dos au poêle. L'homme de soixante-dix ans regarde par la fenêtre.

« Je suis né ici, dit-il, du moins, à vingt mètres de là peut-être. Quand j'étais petit, notre maison était un peu plus loin. Elle n'existe plus. Mais depuis que je suis rentré de déportation et du service militaire en 1960, j'ai vécu dans cette maison. Mes racines sont ici. »

L'homme frêle se rappelle l'hiver de ses sept ans et demi, il était en CP.

« Les soldats russes s'étaient installés dans notre village au début de l'hiver. Nous ne pouvions pas leur parler, presque personne ici ne parlait leur langue à l'époque. Ils creusaient des tranchées. On nous a dit qu'ils devaient nous protéger contre les Allemands. Tout le long de cette rue, il y avait des tranchées.

Abdoullah écarte les rideaux de dentelle pâle. « Ces maisons n'étaient pas là à l'époque, il n'y avait que la nôtre. »

Ses yeux glissent le long de la route.

« Une nuit nous avons entendu un coup. Puis les soldats ont fait irruption dans les pièces, les fusils pointés sur nous. C'était les mêmes que ceux qui avaient habité autour de nous pendant plusieurs mois. "*Davaï, davaï !* ont-ils crié, Allez ! Allez !". Ils nous ont donné quelques minutes pour nous habiller et faire nos sacs. Il y avait des soldats dans toutes les cours, on ne pouvait pas fuir, ceux qui ont essayé ont été abattus. »

La voix d'Abdoullah tremble. « Ils sont arrivés alors qu'il faisait encore nuit, vers 4 ou 5 heures. Le temps avait été sec et doux pendant presque tout le mois de février, mais cette nuit-là il était tombé vingt-cinq centimètres de neige. Un soldat a dit à maman d'empaqueter un peu de nourriture. Elle a sorti cinq volailles et un peu de farine de maïs. Puis il lui a dit d'emporter toutes nos affaires de valeur, et quand elle est allée chercher les bijoux et l'argent qu'elle avait cachés dans la remise, il lui a tout pris. Les voisins n'avaient rien pu emmener. Ils sont arrivés en chaussons dans la neige. Les soldats ne leur avaient même pas laissé le temps de s'habiller correctement. Nous ne comprenions rien. Nous n'avons lu l'ordre des autorités soviétiques que dans le village voisin : déportation. On nous a comptés, entassés dans des Studebaker et conduits à Grozny. Je me souviens des énormes camions, ils avaient dû être prêtés par le gouvernement américain, livrés à Staline via l'Iran, pour être utilisés dans la lutte contre les Allemands. »

Malika entre. Elle apporte le thé sur un plateau avec un gâteau roulé découpé en tranches dodues. Elle pose de fines tasses de porcelaine devant nous, sourit et sort. Le père continue son récit là où il l'a interrompu.

« Nous avons été entassés dans des wagons à charbon. Il faisait froid. Nous n'avions aucune idée de notre destination. Quelqu'un a dit qu'on allait nous envoyer directement dans la mer, qu'on allait nous noyer. D'autres parlaient des travaux forcés ou de camps de prisonniers. Assis dans le noir, nous avons senti le train bouger. Papa avait caché un couteau avec lequel il a percé un petit trou dans la paroi. Tout était blanc dehors. L'hiver rigoureux s'étendait à perte de vue. On apercevait de temps en temps des petites maisons, mais elles se sont raréfiées au fur et à mesure que nous avancions dans les steppes, vers l'est. Notre famille s'est installée dans un coin, nous avons utilisé les sacs de farine comme matelas et nous sommes couchés dessus. Il y avait un poêle dans le wagon où les femmes préparaient des gâteaux de farine de maïs qu'elles cuisaient dans la graisse de queue de mouton, mais comme nous manquions d'eau, nous ne mangions souvent que de la farine sèche. Nous crachions dessus et avalions. Crachions et avalions. Dès le premier jour, les gens ont commencé à mourir. Les soldats jetaient les cadavres en route, directement dans la neige. Les gens essayaient de cacher les corps pour les enterrer quand le train s'arrêtait. Les hommes se précipitaient dehors, ils devaient creuser et gratter la glace à la main ; s'ils en avaient le temps, ils récitaient une courte prière. Aux arrêts, les gens sortaient pour se chercher, beaucoup avaient été séparés en chemin. Au fil du voyage, on apprenait de plus en plus souvent qu'untel et untel étaient morts », dit Abdoullah calmement.

La déportation de masse de nations entières fut une nouvelle étape de la grande terreur stalinienne qui, jusqu'à la Seconde Guerre mondiale, ne ciblait « les ennemis du peuple » qu'en fonction de leur appartenance sociale ou politique. À partir de 1943, l'ethnie devint un autre critère. Un million d'Allemands de la république de la Volga, accusés de collaborer avec les nazis, furent les premiers déportés en Sibérie et en Asie centrale. Ils furent suivis des Karatchaïs, un peuple nomade qui vivait au pied de l'Elbrouz, la plus haute montagne du Caucase. Puis les Kalmouks, des bouddhistes habitant autour de la mer Caspienne, furent envoyés à l'est. En février 1944, les Tchétchènes et les Ingouches furent à leur tour exilés ; il s'agissait de l'opération de la plus grande ampleur depuis la déportation des Allemands de la Volga.

Une semaine après le début de l'épuration, Staline reçut un télégramme de son fidèle bourreau : « 478 479 personnes, dont 91 250 Ingouches et 387 229 Tchétchènes, ont été déportées et embarquées en train. 180 trains pleins, parmi eux 159 ont été envoyés vers un nouveau domicile. Départ aujourd'hui des convois transportant les représentants de la loi et les autorités religieuses de Tchétchénie-Ingouchie utilisés pour mener l'opération à bien. » Des Russes, des Avars et des Ossètes s'installèrent dans les maisons vides.

Après l'expulsion des Tchétchènes, Beria écrivit un nouveau télégramme où il qualifia les Balkars, un autre peuple caucasien, de bandits. Ils avaient, selon lui, attaqué l'armée Rouge. « Si vous êtes d'accord, je peux, avant de rentrer à Moscou, prendre les mesures nécessaires et trouver un nouveau lieu de résidence aux Balkars. J'attends vos ordres. » Il les reçut. Ce fut ensuite le tour des Tatars de Crimée. Selon le NKVD, un quart des déportés périt en route ou dans les premiers mois de l'exil.

« Je me souviens de deux enfants qui s'étaient un peu éloignés. Les portes se sont refermées alors qu'ils n'étaient qu'à quelques pas de nous et le train a démarré. Ils couraient le long des wagons. Les gens criaient, mais le train ne s'est pas arrêté. Ils étaient plus jeunes que moi, ils avaient peut-être cinq ans. En plein désert de glace. À des kilomètres de toute vie humaine. Des steppes fouettées par la neige à perte de vue. Je me demande combien de temps ils ont survécu, s'ils sont morts de froid ou s'ils ont été mangés par les loups. Imaginez le père et la mère restés dans le wagon, avec leurs petits seuls dans la taïga déserte. Leurs visages, leurs visages quand ils couraient. Ils sont restés gravés ici. »

Abdoullah montre son front du doigt. Le thé devant lui est froid maintenant. Aucun de nous n'a touché au gâteau roulé apporté par Malika.

C'était bientôt le mois d'avril. Ils étaient partis depuis trois semaines et le train roulait toujours. Il y avait de plus en plus de morts – de faim, de froid, de maladies qui se propageaient dans les wagons bondés. Au départ du convoi, les commandants du NKVD avaient annoncé fièrement à Moscou qu'ils avaient eu besoin de moins de wagons que prévu, tellement il y avait d'enfants.

« Au bout de longues semaines, nous avons aperçu des routes, puis des maisons, et le train s'est arrêté. Il faisait plutôt chaud. Nous n'avions pas été jetés dans la mer. Nous étions au Kazakhstan. Nous sommes tous descendus avec ce qu'il restait dans les sacs et nous avons été appelés famille par famille. Puis nous avons fait la queue pour le sauna. Il n'était même pas chaud, il était brûlant. On nous a coupé les cheveux et épouillés. Nous étions restés quarante jours dans les wagons. Le soir, on nous a attribué le coin d'une pièce au sous-sol du kolkhoze de Tchili. Oh ! nous avions tellement faim. On nous a donné une tasse de soupe. Papa a été embauché comme conducteur de tracteur. Nous étions tous pauvres, gelés et affamés, mais les gens s'entraidaient. Pas comme maintenant. Aujourd'hui, on ne s'occupe plus les uns des autres. » Abdoullah regarde dans le vide. « Mais c'est une autre histoire », soupire-t-il.

« Tous mes frères et sœurs sont morts durant le printemps. Mizan, Marouz et Blekiz. L'un après l'autre. Du typhus. »

Le vieil homme a détourné le tabouret de la table. Il regarde par terre, vers le poêle.

« La dernière chose que mon petit frère a murmuré, on l'entendait à peine : "Je meurs, je meurs. Maman, ne me laisse pas mourir !" »

Le papa de Malika pleure en silence. Il serre les lèvres, avant d'inspirer profondément.

« Puis il est mort. »

De nouveau, il me regarde.

« Moi aussi j'ai eu le typhus. J'étais couché sur un lit de paille, par terre. Mamam me nourrissait du maïs qu'elle trouvait et qu'elle transformait en soupe. Je me souviens de ses pleurs et de ce qu'elle criait : "Que ta mère meure à ta place !" Un matin je me suis levé. Je n'avais que la peau sur les os, m'a dit maman après. J'avais l'air d'un roseau. Il n'y avait rien à manger. Rien. Maman faisait de la farine de paille. Elle l'écrasait, l'émiettait et la mélangeait à de l'eau. Avec, elle confectionnait des crêpes ou des gâteaux. Ils étaient délicieux, je me souviens. J'avais toujours horriblement mal au ventre après, mais mieux valait ça que mourir de faim. Il y avait aussi une sorte de roseau qui s'appelait *tatich*, sa consommation gonflait nos ventres comme des ballons et rendait notre peau diaphane. De temps en temps, maman utilisait la paille de riz, elle en faisait une poudre qu'elle cuisait. Et puis un jour papa est tombé malade, et il est mort. Une fois, vers la fin de l'automne, on nous a donné une pastèque. Je n'ai jamais rien mangé d'aussi bon de ma vie. »

Abdoullah s'interrompt.

« Quelle vie ! Qu'est-ce qu'ils nous ont fait vivre ? Papa est mort. Mes sœurs sont mortes. Mon petit frère est mort. Je marchais sans chaussures. J'avais des chiffons autour des pieds. Je n'avais presque pas le droit de sortir, tellement maman craignait que je tombe malade et meure. De temps en temps seulement, elle et moi nous allions ramasser des pommes de terre dans les champs, après qu'elles avaient été récoltées. Peut-être en resterait-il quelques-unes si nous avions de la chance. Nous partions avant tous les autres qui allaient aussi les chercher. Les patates étaient gelées et nous les cuisions sur la braise. C'était tellement bon. Un jour je suis tombé sur le poêle, tellement j'étais faible et fatigué, mes vêtements ont brûlé, mes cheveux aussi. Nous n'avions aucune crème à me mettre, mais on m'a donné un morceau de pain et j'ai oublié la douleur. Nous les enfants, nous nous retrouvions dans les décharges. Peut-être dénicherions-nous quelque chose ? Nous courions. Les chiens aussi. Les choses que nous découvrions partaient droit dans notre bouche. Cela valait aussi bien pour nous que pour les chiens. Nous récupérions les grains dans le crottin de cheval. Je les ramenais à la maison, maman les lavait et faisait de la soupe. Nous ramassions des racines, les faisions cuire. Avec on confectionnait des sortes de gâteaux, c'était bon, mais ça aussi, ça nous ballonnait, c'était horrible, c'était comme si on avait le ventre plein d'eau et que si on le perçait, il ne resterait plus que le squelette. Nous étions sans arrêt malades. Des Kazakhs vivaient déjà là avant notre arrivée, ils fabriquaient un fromage à base de lait, qui était blanc et onctueux. Ils le mettaient à vieillir dans les caves. Nous le volions. Il était tellement bon. Mais les Kazakhs ne nous grondaient pas, ils ne nous couraient jamais après, ils avaient pitié de nous. Les premières années, je marchais toujours pieds nus. Toute mon enfance au Kazakhstan, je l'ai passée pieds nus. Souvent avec les autres enfants, nous allions nous asseoir près de la voie de chemin de fer dans l'espoir que quelque chose tombe des wagons. Quand le train s'arrêtait, nous rampions dessous. Un jour, nous avons récupéré plein de betteraves rouges. Nous en avons d'abord mangé autant que possible sur place et le reste nous l'avons ramené à la maison, maman n'a jamais demandé où nous les avions trouvées. »

Abdoullah se lève péniblement du tabouret et revient avec des cahiers de brouillon jaunis. Ce sont les journaux de son cousin, Bachlam, qui avait neuf ans quand il a été déporté avec sa famille. Bachlam est mort maintenant, mais Abdoullah a conservé les cahiers que le garçon a écrit durant son exil au Kazakhstan. Le papier et les crayons gris étant absolument introuvables les premières années, il n'a commencé à noter ses souvenirs que bien plus tard. Les cahiers ne sont pas datés, mais l'écriture et le ton indiquent que leur auteur est un adolescent. Bachlam n'a pas atterri au même endroit au Kazakhstan, mais la misère y était la même.

Sa famille vivait dans les montagnes, au-dessus de Chatoï, et le trajet pour descendre jusqu'à Grozny leur prit plusieurs jours. « *S'endormir dans une pièce froide. Se réveiller dans une pièce froide. Dans une maison étrangère. Nous manquions de sommeil. Nous étions sales. Il n'y avait rien. Nous nous sommes levés. Nous ne savions pas ce que les gens nous voulaient. Que veulent-ils ?* » Ainsi commence le premier cahier. En cours de route, la famille avait passé la nuit dans une maison abandonnée. Ses habitants avaient déjà été déportés. Les villageois avaient d'abord dû commencer le voyage à pied, puis ils avaient été transportés dans des carrioles tirées par des chevaux. « *À Chatoï, nous avons entendu un vacarme terrible, des voitures étranges se sont approchées de nous, c'était un vrai miracle, elles se déplaçaient sans cheval ! Elles avançaient toutes seules. J'en suis tombé amoureux pour le restant de mes jours. Les soldats ont ouvert les portes arrière et nous ont fait monter à l'intérieur. Ce que les gens avaient dans les mains leur a été enlevé et jeté. Nous étions assis de chaque côté et deux soldats armés de carabines étaient installés au milieu. Les voitures roulaient très vite, on aurait cru que le chauffeur était né dans les montagnes, nous descendions à toute vitesse vers l'Argoun.* »

Abdoullah caresse les cahiers de la main. Plus tard, à l'orphelinat, je les recopierai avec l'aide de Louiza, la femme de Zaour. L'écriture étant souvent difficile à déchiffrer, le soir, une fois les enfants couchés, nous allumerons le poêle et Louiza me les lira à voix haute :

« *Tous les hommes ont dû se séparer de leur kindjal qu'ils portent toujours, c'est un poignard national qui fait partie de la tenue. Être dépossédé de son kindjal est pour eux une offense, ils se sont sentis comme déshabillés par les soldats, ils avaient l'impression d'être des gamins. Les Russes ont écrasé les poignards et les épées sous leurs bottes. Les hommes outragés ont regardé, sans rien pouvoir faire, les dents serrées à en avoir la tête douloureuse. "Il vaut mieux nous tuer que de détruire nos armes sous nos yeux", a dit notre voisin après.*

» *Les gens ont été poussés à l'intérieur, comme des bêtes dans un marché aux bestiaux. L'air résonnait de bruits – des soldats, des voitures, des cris, des exclamations, des aboiements, des pleurs d'enfants et des prières récitées à voix basse. Les hommes les plus âgés demandaient miséricorde à Allah pour son peuple musulman, les femmes chantaient de vieilles chansons sur leurs ancêtres, les tombes que nous abandonnions, les montagnes, la patrie. Dans tout ce vacarme, des ordres étaient aboyés.* »

Bachlam, ses petits frères et sa mère ont perdu de vue le père et le grand frère quand ils ont été entassés dans les trains.

« *Aux arrêts les gens allaient demander dans les autres wagons, untel est-il là, ou untel ? Les gens se cherchaient, se retrouvaient, ou pleuraient un enfant disparu. Certains étaient assis, d'autres allongés, il y avait des malades, mais il fallait les cacher pour qu'ils ne soient pas jetés dehors. La vie dans les wagons était dégradante, des hommes et des femmes, écrasés les uns contre les autres. Nous vivions cela comme une offense. Les hommes et les femmes ne doivent pas être serrés les uns contre les autres. Je ne comprends toujours pas comment les adultes ont pu tenir. Comment maman a-t-elle pu supporter tout ça ? Et papa ? Ils savaient que s'ils mangeaient quelque chose, ils devraient aller aux toilettes, et ce n'était pas possible. Il fallait le faire là où on était assis ou allongé. Des filles sont mortes, la vessie éclatée, parce qu'elles se retenaient. Quand les trains s'arrêtaient, on pouvait sortir faire ses besoins, mais celui qui s'éloignait à plus de cinq mètres des rails était abattu, et beaucoup de femmes avaient trop honte de s'asseoir à côté des hommes. J'avais envie de manger, de boire, de faire pipi, mais j'ai dû attendre, encore et encore. Au bout de cinq jours, dans une gare, on nous a donné à tous une tasse de soupe. Je me souviens qu'un œil flottait dans la mienne. C'était de la vraie graisse et je m'en suis régalé.*

» *Il y avait un soldat près de la porte. Il était assis sur une caisse et nous surveillait, il tenait une carabine entre ses jambes. Un soir, il a pleuré, le spectacle que nous offrions devait être épouvantable. À quoi pensait-il, ce soldat ? Difficile à deviner, peut-être se souvenait-il de sa sœur ou son frère, de sa mère et son père, qui vivaient ailleurs. Qui sait ce qui se passait dans sa tête ? Nous ne pouvions pas lui parler, car c'était un garde et parce que nous ne connaissions pas sa langue ; nous n'étions pas dans le même camp, c'était un soldat de l'armée soviétique, nous étions des ennemis du peuple. Mais nous avions compris qu'il n'était pas là de son plein gré, qu'il en avait reçu l'ordre, que pour lui aussi c'était terrible. La seule différence entre nous et lui, c'était qu'il avait une vintoka – un fusil. On étouffait, lui comme nous. Nous étions dans le noir, nous ne voyions rien et n'entendions rien. Quand ils apportaient nos rations, ils ouvraient la porte pour la refermer aussitôt. Un homme qui avait fait la guerre savait parler russe et il leur a demandé de la garder ouverte quand nous roulions. Mais ils ne l'ont pas fait.*

*» Maman et les autres femmes réussissaient à confectionner quelques petites crêpes. D'où elles sortaient l'eau, je ne sais pas. Les galettes étaient fines, petites et pas assez cuites, car le poêle chauffait peu et maman devait céder la place aux autres femmes qui devaient elles aussi préparer à manger à leurs enfants. Maman a regardé le soldat qui nous contemplait avec pitié, elle a pris un morceau de crêpe et le lui a donné. Il a souri, changé sa vintoka de main et a tendu la main droite pour prendre le morceau. Spasibo, mamacha, a-t-il dit avant de mettre le gâteau dans sa bouche et de mâcher lentement.*

*» Un jour nous avons été à court de bois pour chauffer. Il fallait que les hommes courent le long des rails pour trouver des brindilles, puis se dépêchent de revenir. C'était un concours à qui courrait le plus vite. Je les regardais du wagon, en espérant que mon frère Dilo gagnerait. Un jour il est remonté dans le train juste avant que les portes ne soient refermées. Un soldat l'a frappé, mais il a gardé le bois. Nous manquions d'eau aussi. Chaque gorgée valait de l'or, c'est pourquoi les garçons les plus âgés devaient courir chercher de l'eau, ils devaient prendre le risque, peut-être est-ce grâce à mon frère que personne dans notre famille n'est tombé malade. Nous ne savions pas où se trouvaient papa et mon autre frère, mais j'étais sûr que papa n'irait pas chercher de l'eau. Viole la loi et survis – ne la viole pas et meurs. Papa a choisi la deuxième solution. À un arrêt, nous avons appris qu'il était mort. Il avait été mis dans un autre wagon puis jeté quelque part le long de la voie.*

*» Soudain le train s'est arrêté. Nous avons pu quitter ce maudit wagon. Nous avons pu boire autant que nous le souhaitions, nous dégourdir les jambes, enterrer les morts. On est venu nous chercher en traîneaux, les Kazakhs étaient différents de nous, ils avaient les yeux plissés et des visages larges. Ils n'étaient pas accueillants, mais ils nous ont quand même pris dans leurs traîneaux, et nous avons poursuivi notre route. Par la suite, nous avons appris qu'on leur avait dit que nous étions des cannibales. C'était un autre peuple, un autre paysage ; nous avions des montagnes, ils avaient des plaines.*

*» On nous a logés dans une sorte de grotte en terre, sans fenêtre, avec une petite porte et un tuyau par lequel la fumée était évacuée. Nous avions toujours faim : depuis le jour où nous avions quitté notre maison je n'avais pas été une seule fois rassasié. Puis l'hiver est revenu, personne n'avait de vêtements chauds ou de chaussures, nous étions presque nus. Nous restions dans la cabane d'où nous surveillions le chemin dehors, car c'est par là que Dilo, notre grand frère, arrivait. Nous scrutions l'horizon. Dilo arrive-t-il ? Nous l'attendions car il rapportait le pain. Nous le reconnaissions de loin et nous étions toujours curieux de voir ce qu'il ramenait, c'était notre principale préoccupation. Pendant l'hiver, nous nous sommes habillés à tour de rôle, nous sortions les uns après les autres. Tout ce que notre frère gagnait servait à acheter le pain. Toutes nos discussions tournaient autour de la nourriture, de ce qui était comestible. Nous parlions de la sensation d'être repu, de l'heure à laquelle notre frère rentrerait du travail et de ce qu'il nous rapporterait. Quand ramènerait-il du pain ? Cela dura tout l'hiver. Un hiver long et glacial. Je ne peux comparer à rien d'autre chaque journée survécue. C'était un enfer, il faisait un froid de canard, puis la faim nous a rendus malades. Nous avons commencé à enfler, les gens s'effondraient sous nos yeux. Mes frères et sœurs étaient allongés à côté de moi, tout gonflés. Les moins malades aidaient les plus faibles, faisaient bouillir de l'eau, y met-*

*taient du sel et vivaient en espérant que ce calvaire prendrait un jour fin. Maman disait que tôt ou tard nous rentrerions à la maison, qu'il ne pouvait pas en être autrement. Que les gens ne peuvent pas vivre sans pays, tout comme un oiseau ne peut pas vivre sans ailes. C'est grâce à cette conviction que nous avons survécu. Un être humain doit rêver d'un avenir heureux. Nous attendions le printemps. Le printemps 1945. Je n'ai jamais autant attendu un printemps. Le temps s'est suffisamment adouci pour que nous puissions sortir au soleil et nous nous sommes extraits de nos trous. Presque tous les anciens de notre village étaient morts, il ne restait plus personne de plus de cinquante-cinq ans.*

*» Un jour, après la mort de mon oncle, je suis allé avec maman voir tante Alpata. Maman n'était pas en bonne santé mais malgré tout elle a parcouru à pied les dix kilomètres entre le kolkhoze et la maison où vivait notre tante. Nous avons trouvé notre famille à la cave, elle vivait en sous-sol, dans un trou couvert d'un toit de terre. En descendant l'escalier, nous avons senti une odeur de pourri, et j'ai eu l'impression de descendre dans une tombe, une tombe pleine de corps. Alpata était couchée sur le dos, à même le sol, et nous fixait d'un regard vide. Elle a demandé à maman de regarder si ses deux fils vivaient toujours. Ils étaient couchés un peu plus loin. Ils étaient encore en vie mais tous malades. Alignés par terre, ils attendaient de mourir. Le beau-frère d'Alpata était là aussi. Il a dit : "Mourir n'est pas terrible, mais pourrir vivant si." Alpata nous a demandé de la tourner sur le côté. Son dos grouillait de vers. C'était de là que venait la terrible odeur. Ils rongeaient le corps de tante Alpata. La vue de tous ces vers rampant sur elle était insupportable. Maman a lavé tout le monde, du moins ce qu'elle a eu la force de faire. L'horrible odeur et le souvenir des vers m'ont suivi longtemps. Tante Alpata et ses fils sont morts peu après. »*

Après cette première année à mourir de faim, les conditions s'améliorèrent, même si, comme dans toute l'Union soviétique, les années 1940 furent difficiles. Bachlam et Abdoullah grandirent chacun à un bout du Kazakhstan et apprirent le russe. Bachlam fit une école d'ingénieur ; Abdoullah, lui, fut admis dans l'armée, après la mort de Staline en 1953. « J'étais fier et heureux d'être accepté comme citoyen russe. Mais je n'ai pu intégrer que le bataillon du génie, sans armes donc. Nous étions encore un peuple humilié et offensé », soupire-t-il amèrement.

À la suite du XXe congrès du parti en 1956, quand Nikita Khrouchtchev décida d'en finir avec le stalinisme et le culte de la personnalité du dirigeant, des millions de personnes furent libérées des goulags ou réhabilitées à titre posthume. Les Tchétchènes eurent eux aussi droit à la réhabilitation. L'estampille d'ennemi du peuple fut supprimée, et un an plus tard ils furent officiellement autorisés à retourner dans leur patrie.

L'accusation portant sur leur prétendue collaboration avec les Allemands n'était guère justifiée. Bien au contraire, plusieurs milliers de Tchétchènes avaient combattu dans l'armée russe.

L'un d'entre eux était Varkhan Musaev. Il avait seize ans quand Hitler a attaqué l'Union soviétique, le 22 juin 1941. Un an après, il était appelé.

Son front marqué de taches de vieillesse a un creux profond, couvert d'une peau cireuse. Il vient de l'éclat qui a fendu son casque lors de la prise de Berlin en avril 1945. Et il boite depuis qu'une balle lui a déchiré le mollet. II a été blessé cinq fois au cours de la guerre.

J'ai remarqué Varkhan pendant la parade militaire de Grozny le 9 mai. La victoire est célébrée dans toute la Russie ce jour-là. De Moscou, où Poutine regarde les soldats et les chars qui défilent sur la place Rouge, jusqu'au moindre village qui fête ses vétérans. À Grozny, cette année-là, en 2007, on commémorait le troisième anniversaire de l'attentat du stade Dynamo contre Akhmad Kadyrov. Soutenu d'un côté par sa bru et de l'autre par son petit-fils, Varkhan s'était dirigé péniblement, mais bien droit sur ses jambes, vers la réception au cours de laquelle une voiture devait être remise de la part de Ramzan Kadyrov à tous les vétérans tchétchènes, cent cinq au total. Varkhan a donné directement les clés à sa bru. « Vous pourrez l'utiliser », a-t-il dit.

Nous avons commencé à bavarder et quelques jours plus tard il m'a invitée chez lui. Nous sommes maintenant assis dans son jardin, sous la treille, dans son village d'Atchkoï-Martan.

J'ai remarqué que Varkhan louchait, mais je mets un certain temps à comprendre qu'il est presque aveugle ; je ne le réalise pas avant que lui-même ne me le dise. J'ai bien vu qu'il tâtonnait pour trouver sa tasse de thé sur la table, mais ses gestes sont si élégants, si légers et posés que je n'ai pas tiqué. Et en plus il soutient mon regard en parlant, bien que je ne sois pour lui qu'une ombre.

Au début de l'année 1942, les Allemands sont au bord du fleuve Terek. Ils ont conquis Vladikavkaz dans la république voisine d'Ossétie du Nord et ont déjà pénétré certaines parties de la Tchétchénie, mais ils sont repoussés avant de prendre Grozny qui, avec ses gisements de pétrole importants, était le principal objectif.

« Je me suis engagé de mon plein gré, raconte-t-il. Du moins, j'ai signé un papier comme quoi c'était le cas, mais qui part de son plein gré à la guerre ? Il valait cependant mieux y aller avant qu'ils ne viennent nous chercher. »

Varkhan parle clairement et calmement, d'une voix forte et assurée, comme un homme qui est habitué à être écouté.

« Ici en Tchétchénie, il n'y avait pas un seul Allemand, pourtant on a dit de nous que nous étions des ennemis du peuple, constate-t-il. Mais ça je ne le savais pas, car j'étais à Varsovie quand les miens ont été déportés. Nous avons libéré le camp de Suvalki à l'extérieur de la capitale polonaise. Plusieurs milliers de prisonniers soviétiques y étaient détenus depuis le début de la guerre. Ils pouvaient à peine tenir sur leurs jambes. "Y a-t-il quelqu'un du Caucase ?" ai-je crié. Deux squelettes se sont dirigés vers moi. Deux Tchétchènes. Ils ont embrassé mes pieds et pleuré. Des prisonniers mouraient toutes les nuits, ont-ils raconté. Toutes les nuits, ils creusaient de nouveaux trous. Bientôt ça aurait été leur tour. Puis ils plantaient des choux et des légumes là où ils avaient enterré les morts, pour nourrir les vivants. Vous imaginez ?

Quand nous avons pris Varsovie, le deuxième front biélorusse a été ouvert ; il y avait maintenant dix fronts soviétiques. J'ai commencé dans la cavalerie, à cheval, puis j'ai été transféré dans un régiment de chars sur ce front biélorusse, où commandait un certain Rokossovski. Je me souviens, sa mère était russe et son père polonais ; un grand type imposant. Quand nous avons pris Varsovie, Staline a envoyé Rokossovski sur le troisième front biélorusse et l'a remplacé par le maréchal Joukov. C'était politique, Berlin devait être pris par un Russe », précise Varkhan. « Mais à la guerre, les Tchétchènes étaient manifestement aussi bons que n'importe quel communiste convaincu. Pour combattre, nous nous valions tous. »

Quand Staline avait besoin d'eux, les ennemis du peuple devenaient des camarades acceptables. Le dictateur dut rappeler des camps de prisonniers des dizaines de milliers d'officiers victimes de l'épuration : il avait désespérément besoin de militaires professionnels. Il se mettait en colère quand il demandait quelqu'un et découvrait qu'il était déjà exécuté. L'un d'entre eux, « *de retour d'une longue et dangereuse mission* », était justement ce Konstantin Rokossovski. La rencontre entre les deux hommes est décrite dans le livre de Simon Sebag Montefiore : *Staline – La cour du tsar rouge* :

*« Staline demanda à l'un d'entre eux, Konstantin Rokossovski, peut-être parce qu'il n'avait plus d'ongles : « On t'a torturé en prison ?*

— *Oui, camarade Staline.*

— *Il y a trop de bénis-oui-oui dans ce pays, soupira le chef du Parti.* »

Ce furent les remarquables qualités de généraux comme Rokossovski et Joukov qui menèrent l'armée Rouge à Berlin, ainsi que le nombre considérable de jeunes paysans soviétiques. L'un d'entre eux était Varkhan, qui traversait alors la Prusse-Orientale.

« Je n'y connaissais rien. J'étais un enfant. Mais je pouvais exécuter les ordres, et puis j'étais bon cavalier. Nous traversions la forêt et les Allemands ont tiré, mon cheval a reçu une balle dans le pied et s'est écroulé. J'ai couru. Je l'ai abandonné, gisant sur le sol. »

Varkhan se prend la tête dans les mains et renverse son verre, qui se casse sur les dalles.

« Se rappeller tout ça est tellement pénible, murmure-t-il. Je voyais les soldats tomber à côté de moi, chanceler et s'effondrer. Les balles fusaient autour de nous. Dans les pays Baltes, les tirs venaient des bâtiments. Nous-mêmes, nous abattions tout ce qui bougeait, car là-bas beaucoup étaient passés du côté des Allemands. Plus tard, quand nous avons traversé le Danube, j'ai nagé derrière mon cheval, en le tenant par la queue. Ces bêtes nagent très très bien. Les avions allemands volaient très bas au-dessus de nous. Nous vivions dans les tranchées, de pain sec, nous avons passé des jours et des jours sans rien avaler, nous avons mangé de l'herbe, nos chevaux – c'était comme ça à l'époque –, mais nous n'avons pas renoncé et avons continué à avancer. J'ai été blessé cinq fois. À la jambe. Au dos. À la tête. Nous avons encerclé les Allemands. Des échanges de tirs. Si on ne les abattait pas les premiers, c'était eux qui vous tuaient, avec des balles, des couteaux, des baïonnettes... Nous roulions en Harley Davidson dans Berlin. Oh, les gens étaient si minces. Les femmes allemandes était menues, si menues. Et elles avaient tellement peur de nous... mais elles étaient si jolies, ces Allemandes... »

Il est plongé dans ses pensées.

Je romps le silence :

« Qu'est-ce qu'on ressent en prenant Berlin ?

— En avançant vers le Reichstag, je pensais surtout à sauver ma peau. Je me disais : Hitler est brisé, maintenant je vais pouvoir rentrer à la maison. Je n'avais que vingt ans quand Berlin est tombé, je voulais revenir chez moi vivant. Mais nous avons été envoyés ailleurs, libérer Prague. Nous avons fait halte près de l'Elbe où nous nous sommes reposés sur la rive. Le fleuve n'était pas si large, il faisait peut-être quarante ou cinquante mètres. De l'autre côté, il y avait des soldats américains. Nous nous sommes baignés sur notre rive, eux sur la leur. Notre commandant, il s'appelait Movladi, a donné l'ordre à son aide de camp de seller son cheval, qu'il a enfourché simplement vêtu d'un caleçon, et il a traversé la rivière ! "Hourra !" ont crié les Américains. C'était la fin de la guerre. »

Varkhan devient absent. Il est reparti loin, très loin en arrière.

« J'étais jeune, tout était comme dans un rêve, *raz raz* – terminé –, et nous avons continué.

— Et alors ?

— Attendez un peu ! »

Varkhan est immobile. Au bout d'un moment, il répète à voix basse : « Se rappeler est tellement douloureux. »

Des gens et des maisons brûlés. Des civils empalés. Des déserteurs, d'anciens camarades, exécutés sur place.

« La guerre n'apporte jamais rien de bon, soupire-t-il. Les fascistes avaient déjà exterminé les juifs. Pour les Tchétchènes, je n'en savais encore rien. Dans l'armée nous étions tous égaux. Nous partions pour mourir, défendre la patrie. Là, il n'y avait aucun ennemi du peuple. Je savais lire et écrire, beaucoup des Russes étaient des *kolkhozniki* – les ouvriers des kolkhozes – analphabètes ; tant de lettres sont passées entre mes mains.

La guerre finie, les soldats allaient pouvoir rentrer chez eux, j'étais fou de joie. Je n'avais reçu aucune lettre ni aucunes nouvelles de ma famille, et je ne pensais qu'à les revoir. J'ai été appelé auprès du commandant.

— Je veux aller à Grozny, ai-je dit.

— C'est interdit, a-t-il répondu.

— Mais mes parents...

— Il n'y a personne là-bas.

Je ne comprenais rien.

— J'étais à Berlin, j'ai pris part à la guerre, cinq fois j'ai été blessé, je suis décoré, et vous me dites que je n'ai pas le droit de rentrer chez moi en permission ! me suis-je exclamé.

— Il n'y a plus de chez vous là-bas. Tout votre peuple a été déporté en Asie Centrale, m'a annoncé l'homme. »

Les poings de Varkhan se serrent. Ses lèvres tremblent, sa colère face à cette injustice est toujours vivace.

« La guerre était terminée, mon peuple était devenu un peuple ennemi, on n'avait plus besoin de moi, j'avais rempli mon devoir. On m'a mis dans un train pour le Kazakhstan. Mon père était mort, comme beaucoup d'autres. Voilà. J'ai pleuré. Penser que j'étais un ennemi du peuple était dur. Ça, ils ne me l'ont pas dit quand je me battais à Varsovie ou avant que la guerre soit terminée, évidemment. Ils craignaient que je passe du côté des Allemands. Et moi qui avais combattu pour le pouvoir soviétique et cru en lui ! »

Une médaille avec le profil de Staline, que sa belle-fille est allée chercher, est posée sur la table. Sous la figure du dirigeant on peut lire « *Nache delo pravoye* » – « Notre cause est juste ».

« Que pensez-vous de Staline ?

— Staline était à Moscou, j'étais à la guerre. »

La belle-fille a aussi ramené le diplôme que tous les vétérans russes ont reçu par la poste à l'occasion du 9 mai. Quelques phrases imprimées y sont paraphées d'une signature tarabiscotée. « Vous avez encerclé les positions ennemies, sauvé l'humanité de la terrible menace nazie. Sur les fronts de la Grande Guerre patriotique, le destin du monde fut scellé. En souvenir de l'exploit que vous avez accompli, héroïque, l'arme à la main, prêt à vous sacrifer pour notre pays. De tout mon cœur, je vous souhaite santé, chance et bonheur. Le président de Russie, Vladimir Poutine. »

« Que pensez-vous du dirigeant actuel ? »

Varkhan réfléchit, avant de prononcer difficilement le dernier mot de l'après-midi.

« Tout est détruit », dit-il. Son regard fixe crânement le vide. « Moi-même, je serai bientôt mort. Je n'avais pas besoin de cette guerre, et je n'avais pas besoin de la précédente. »

# Entre La Mecque et le Kremlin

L'air froid est gris dans le brouillard de février. Chamil est recroquevillé sur le volant. De la buée s'échappe de sa bouche. Il est bel homme, pâle, les joues légèrement rouges, avec une sacrée crinière. Il porte un blouson de cuir noir et un pull en laine blanc à col roulé. Sa chapka touche presque le plafond de la voiture. Ses parents ont été brûlés vivants dans leur lit six ans auparavant, en janvier 2000. La veille, des soldats avaient contrôlé les passeports de toute la rue. Chamil, lui, n'était pas là. Le soir, sa mère a soudainement pris peur et elle a envoyé sa fille dormir chez la voisine russe. Dans la nuit, les soldats sont revenus, ils ont versé de l'essence sur six maisons et y ont mis le feu. Les corps calcinés des parents ont été retrouvés par sa sœur.

Chamil travaille pour Memorial, une organisation pour la défense des droits de l'homme créée en 1986 par les victimes de la répression russe. Elle est une des rares structures à avoir un bureau en Tchétchénie.

Nous sommes en février 2006 et j'ai demandé à Chamil de m'accompagner dans mon périple tchétchène. Je souhaite rencontrer entre autres les familles de personnes soupçonnées de terrorisme qu'on envoie aussi loin que possible – en Sibérie, dans le lointain Orient, au nord du cercle polaire –, comme une sinistre réminiscence des prisonniers déportés au goulag. Un employé de la Croix-Rouge, qui aide financièrement les mères afin qu'elles puissent rendre visite à leurs fils exilés au loin, m'a donné une liste de noms et d'adresses. Nous en avons choisi une.

Je frissonne dans la voiture où les portières laissent passer l'air, mes orteils sont gelés. Nous partons pour un district qui a été un des sièges de la résistance. Nous traversons le centre de Grozny pour récupérer la route principale. Quelques maisons ont été ravagées par les bombes. Les murs encore debout ont été éventrés par des obus, des balles, des missiles. Du linge pend aux fenêtres cassées des immeubles. On a cloué des bâches en plastique devant les embrasures, par endroits c'est un châle ou une toile de jute. Les trous sont comblés avec des sacs de sable ou fermés par des planches. Certains appartements ont encore un toit, et la même pièce est souvent partagée par quatre, cinq ou six personnes. Partout dans Grozny les gens transportent des seaux : ils vont chercher l'eau aux puits et aux robinets et jettent celle qui est sale par les fenêtres. Les démineurs s'activent au bord des routes. Il arrive encore que la résistance entre dans Grozny et fasse exploser des véhicules. Les chars passent en grondant sur les trous, les voitures en piteux état tentent de les contourner. Les bosses de glace ondulent comme des serpents gelés dans les rues qui dévalent vers le centre et que la voiture descend en glissant lentement et en cahotant doucement sur les congères gelées.

Nous arrivons dans la perspective Pobeda – la perspective de la Victoire. Deux kilomètres d'asphalte droits et lisses, bordés de ce qui ressemble à des petits arbres de Noël. Les vestiges des vieux érables qui ont un jour décoré la rue ont été enlevés. Il ne restait que des troncs noirs après les combats.

La rue devait être le cadeau de la nouvelle année aux habitants de Grozny, pour souhaiter la bienvenue à 2006. Poutine a effectivement insisté auprès de Ramzan Kadyrov pour que Grozny soit reconstruite à temps pour la cérémonie.

« Elle le sera », a dit Kadyrov. Le prétendu « fonds Kadyrov » était censé financer la réfection de l'avenue. Ayant manqué de temps pour les bâtiments, on a résolu le problème en couvrant les maisons d'échafaudages et en mettant des fenêtres sur toutes les façades. Il suffit de jeter un coup d'œil derrière les planches pour découvrir des murs pleins de trous où de nouvelles fenêtres vous sourient, encore enveloppées d'adhésif rouge et blanc, alors que les bâtiments n'ont pas de toit. Ce sont des décors, les décors de Kadyrov. En son temps, le prince Potemkine construisit des façades de jolies maisons villageoises là où la tsarine Catherine la Grande devait passer, Kadyrov, lui, a fait de même pour Poutine et son équipe télé. Une mascarade tout aussi inutile, tout aussi coûteuse.

Certains édifices sont néanmoins flambant neufs, tels le ministère des Finances blanc et gris, le ministère des Travaux publics rose ; une institution d'État a été dotée de chambranles couleur pêche. Une église orthodoxe toute neuve se dresse fièrement, les murs bleu ciel et le dôme doré brillant. Une mosquée de brique rose et son minaret dominent des terrains bombardés.

Dire que Grozny serait reconstruite avec le soutien du fonds Kadyrov a été une idée géniale de la part du pouvoir, car quand les gens reçoivent une avenue, ou plutôt un décor d'avenue, il s'agit de toute façon d'un cadeau. Et quand on vous offre un cadeau, il faut remercier. Un cadeau, on ne peut pas s'en plaindre. On ne dit pas qu'il aurait pu être mieux, qu'on ne désirait pas un décor mais de vrais bâtiments, des écoles, des jardins d'enfants ; ou que l'on aurait souhaité retrouver une bibliothèque, un cinéma, une salle de concert, des centres de PMI ou des abribus.

Une banderole est accrochée à un bâtiment bombardé mais réparé par des échafaudages. « Notre avenir se trouve dans la science et la culture », indique-t-elle. La bibliothèque et le laboratoire de physique peuvent toujours attendre...

Trois beaux héros de la révolution en granit trônent au bout de l'avenue. Au centre, un homme fort aux cheveux ondulés et à lunettes, le Russe ; à sa gauche, un homme tout aussi costaud mais un peu plus petit coiffé d'une chapka en peau de mouton, l'Ingouche ; à sa droite, un beau Tchétchène. La statue représente la fraternité des peuples – *Bratstvo narodov* – et ce qui s'est un jour appelé la République soviétique de Tchétchéno-Ingouchie. Les gens ne parlent communément que des *Tri Duraka* – les trois idiots.

En sortant de Grozny, nous passons devant un panneau : « *Sortez de l'ombre – le temps de payer vos impôts est venu !* » Chamil maugrée. « Qu'ils remboursent d'abord ce qu'ils ont pris et je paierai peut-être des impôts. »

À l'emplacement de l'ancien palais présidentiel se dresse désormais un Akhmad Kadyrov baigné de lumière. La place est entourée de centaines de globes en verre montés sur de jolis poteaux. Une nouvelle raison de grommeler pour Chamil.

J'ai passé la journée de la veille à écouter les histoires des gens au bureau d'accueil de Memorial.

Un homme entre, il regarde autour de lui dans la pièce. Il est roux, maigre, petit et intensément présent dans tout ce qu'il fait. Même assis, son corps reste tendu. Il se penche en avant, il semble prêt à bondir à tout moment, à tendre le bras pour donner un coup, se protéger ou se défendre. En même temps, il semble extrêmement fatigué, oui, presque exténué. L'homme s'appelle Salman et a vingt-huit ans. Il est professeur dans une école primaire en périphérie de Grozny, où il enseigne « les règles élémentaires de sécurité » – une matière élaborée pour les zones de guerre. Il apprend aux enfants les premiers secours, à faire les bandages, à repérer les mines, les réflexes à avoir lors d'une attaque, d'une fuite de gaz, d'une explosion.

Par une matinée gelée, une semaine plus tôt, alors qu'ils prenaient le petit déjeuner, plusieurs hommes en tenue de camouflage sont venus les chercher lui et son frère Salaoudine, son cadet de huit ans qui est menuisier. Leur mère leur a couru après, s'est cramponnée aux vestes d'uniforme et a crié : « Lâchez mes fils ! » Elle s'est accrochée à la voiture et s'est laissé traîner pendant plusieurs centaines de mètres sur la route verglacée, avant de devoir renoncer.

On leur a mis des capuches sur la tête et la voiture a quitté la ville. Au bout d'une heure environ selon les estimations de Salman, la voiture s'est arrêtée et on les a poussés dehors. Ils ont suivi leurs ravisseurs à l'aveuglette, c'était gravillonné par terre, une serrure a été ouverte et on leur a ordonné de baisser la tête. Le sol était irrégulier et l'odeur âcre. On leur a retiré les capuches : iIs se trouvaient dans un couloir sombre. On les a conduits chacun dans un box, où les murs ne montaient pas tout à fait jusqu'au plafond. Salman a pensé qu'il s'agissait peut-être d'une sorte d'étable. Il a été le premier emmené dans la salle d'interrogatoire, une espèce de gymnase, avec une table de billard, des espaliers, des poids et des altères.

« Tu apprends aux enfants à poser des mines, a dit le procureur, un grand type aux biceps gonflés.

— Non, je leur apprends *à faire attention* aux mines, a répondu Salman.

— Tu leur apprends à devenir des petits traîtres, a poursuivi le procureur.

— Non, je... »

Le premier coup. Et le suivant. Et un autre, encore un autre, sur la tête, les bras, les jambes, le ventre, le dos, le bas-ventre. Salman était menotté, on l'a poussé et il est tombé de sa chaise.

« Tu connais qui dans les wahhabites ? » a crié le procureur. Entre-temps, plusieurs autres hommes l'avaient rejoint. Ils l'ont frappé et lui ont donné des coups de pied à tour de rôle. Puis ils ont sorti un appareil et lui ont électrocuté les oreilles, puis les organes génitaux et le rectum. Dans la soirée, il a été renvoyé dans son box.

Le lendemain, ça a continué. « Tu apprends aux enfants à devenir des terroristes ! Tu recrutes des jeunes pour tes actions ! » Le procureur a exigé qu'il signe un aveu. Salman a refusé.

On l'a balancé dans son box, en sang et en piteux état. La serrure s'est refermée sur un bruit sec, et là, le deuxième cauchemar a commencé : les cris de son frère. « C'était des cris qui venaient des tripes », raconte Salman dans le bureau spartiate de Memorial où un collaborateur note tout ce qu'il dit.

« Quand on reçoit des coups de pieds pareils et qu'on vous frappe jusqu'à ce que vous perdiez conscience, vous ne pouvez rien faire d'autre que hurler, vous tordre », explique-t-il. À travers le mur, il a entendu l'accusation portée contre son frère : il aurait planifié de faire exploser la nouvelle statue d'Akhmad Kadyrov.

Au bout de quatre jours de torture, Salman a été sorti de son box et poussé dans une voiture. Il a demandé où était son frère.

« Envoyé à la base militaire de Khankala », lui a-t-on répondu. Puis on l'a reconduit à Grozny et déposé au rond-point de Minoukta. Il s'est écoulé une semaine depuis la libération de Salman quand il se présente au bureau de Memorial. Son frère, il ne l'a pas revu depuis qu'on les a séparés et mis chacun dans un box. Chaque matin, on retrouve des gens morts dehors.

Salman peut décrire l'intérieur du lieu en détail, mais il n'a aucune idée de l'endroit où il se situe.

« Tous les gardiens étaient tchétchènes, il n'y avait aucun Russe. Ils avaient une barbe, comme Ramzan Kadyrov, et ils étaient grossiers, ils parlaient tous le même dialecte, ils appartenaient manifestement au même clan. Je les reconnaîtrais si je les voyais. Et je me souviens des noms, ils s'appelaient Jihad, Besrad, Magomed, Ramzan et Beshan », dit-il en rectifiant la position de sa chapka sur la table. Il a gardé son blouson de cuir. Ses doigts puissants tremblent pendant qu'il raconte et quand il les passe dans ses cheveux.

« Si je prends le risque de vous parler, c'est parce que je dois retrouver mon petit frère. »

Et puis il s'effondre et cache sa tête dans ses grosses mains.

« Faire exploser la statue ! » maugrée Chamil quand nous reparlons de l'histoire de la veille. La route est verglacée et Chamil roule vite. Ses yeux sont rivés sur l'asphalte qui disparaît sous les roues. Au fur et à mesure, il y a moins de maisons et plus de bétail. Puis nous entrons dans un village. Chamil arrête la voiture près d'un portail vert qui doit correspondre à l'adresse que nous a donnée la Croix-Rouge, la porte d'une famille choisie au hasard dans la liste de ceux qui ont un fils dans une prison russe. N'ayant aucun numéro de téléphone, nous n'avons pas pu appeler et nous ne savons pas si les gens sont là. « Bien sûr qu'ils seront chez eux », avait dit Chamil. « Où, ailleurs, pourraient-ils être ? »

Une femme d'une soixantaine d'années entrouvre la porte. J'ai reçu comme consigne d'attendre dans la voiture. Elle toise Chamil d'un air sceptique et se tient légèrement en retrait du portail entrebâillé. Je la vois à peine. Chamil et elle discutent brièvement de part et d'autre du seuil, avant qu'il revienne me chercher. « Dépêche-toi de rentrer, m'avait-il dit au préalable. Ne dis rien, ne regarde pas autour de toi. »

La femme me salue d'un bref signe de tête. Elle est pauvrement vêtue d'une jupe et d'un gilet de laine élimé. Comme beaucoup de vieilles villageoises du Caucase, il lui manque plusieurs dents. L'enfance au Kazakhstan a laissé des traces. Elle nous invite à la suivre. Elle a le dos voûté et des hanches larges, elle marche avec précaution, comme si chaque pas était douloureux. Elle porte des bottes en caoutchouc aux pieds. Nous suivons un sentier qui conduit à une maison. Comme souvent dans les villages tchétchènes, un mur de plusieurs mètres de haut protège la cour.

La femme enlève ses bottes boueuses et les pose dans l'escalier. Je fais pareil avec mes bottines. Elle sort des chaussons et pointe le doigt en direction de la cuisine. Les lames de plancher grincent.

Il y a une table nappée d'une toile cirée jaunie et trois chaises près de la fenêtre aux longs rideaux de tulle tissés de fleurs. Le voilage est troué par endroits. Un canapé avachi enveloppé d'une couverture verte trône près de la cuisinière. La femme verse de l'eau dans une bouilloire et nous invite à nous asseoir. Quand nous avons expliqué qui nous sommes, elle va chercher un album photos.

Sur la photo, Tamara, c'est son nom, est entourée de quatre garçons et fixe l'objectif d'un air grave. Le cliché a été pris dix ans plus tôt. « Je venais juste de perdre mon mari », raconte Tamara. Les couleurs ont passé et la photo a jauni. Ils sont assis tous les cinq, serrés les uns contre les autres, penchés en avant ou en arrière pour tenir tous sur le canapé. La tête de la mère est à peine visible entre les épaules carrées de ses fils. Les garçons sont forts et bien bâtis, le plus jeune a une douzaine d'années et l'aîné quelque dix ans de plus.

« Oh, quels enfants merveilleux, murmure Tamara.

— Beaux, très beaux », dis-je.

Sur une autre photo, les garçons posent autour d'un ballon de foot. Ils ont le visage ouvert, heureux, luisant de sueur. La mère feuillette l'album, où les fils sont photographiés ensemble ou séparément, devant une maison neuve, en tenue de karaté, près d'une porte. Pour finir, nous revenons au cliché sur le sofa, le seul où ils figurent tous.

Le canapé à quelques mètres de nous est vide. Je reconnais les pieds et le mur derrière.

« Ils allaient à la mosquée, faisaient du karaté. Ils m'aidaient pour tout, j'avais des fils merveilleux. Maintenant, plus aucun d'entre eux n'habite ici... »

Son regard me quitte et se tourne vers Chamil, elle dit quelque chose en tchétchène. « Cela fait longtemps que je n'ai pas parlé russe à quelqu'un, s'excuse-t-elle en cherchant ses mots. Tous les Russes sont partis. »

Ayant appris à lire et à écrire dans le système scolaire soviétique, elle le parle aussi bien que quiconque, il faut seulement qu'elle le dérouille un peu. Elle raconte.

« Mon fils aîné, Ali, un grand costaud, est devenu *emir* du village », explique-t-elle. L'emir était un dirigeant local de la résistance contre les Russes. « En 1996, ils ont décidé de le prendre. Ils ont débarqué avec plusieurs véhicules et lui ont ordonné de sortir. Il a refusé. Il savait qu'il ne reviendrait pas vivant s'ils l'attrapaient. On ne revoyait jamais les gens comme lui ; ils commenceraient par le torturer, puis le tueraient. Je l'encourageais : "Ne te rends pas, ne te rends pas." Ce matin-là, nous étions les seuls à la maison. Les Russes se sont mis à tirer quand Ali a refusé d'obéir. Mon fils a riposté. Il s'est caché près du poêle. Je l'aidais, je courais chercher les munitions, je mettais des meubles pour le protéger. Il a été touché. Il est mort dans mes bras. "Allah !", a-t-il crié. Puis il s'est effondré. »

Les larmes coulent sur les joues de Tamara. « Mon garçon, mon petit garçon. Il était si fier. Je suis restée avec lui tout le temps, que pouvais-je faire d'autre ? Puis il ont mis le feu à la maison, je l'ai sorti en le tirant sur un tapis, nous étions entourés par les flammes, mais il est arrivé dehors indemne, pas un cheveu de sa tête n'a été touché, pas un poil de sa barbe, son visage brillait, son front était baigné d'une lumière d'ange, la sainteté est descendue sur lui, Allah l'avait pris auprès de lui et lui avait donné une vraie mort de moudjahidin », dit-elle, le regard brûlant.

Le cadet, Mosvar, a voulu venger son frère et s'est engagé dans la résistance après sa mort. En 2000, il a été fait prisonnier à Komsomolskoïe, une ville assiégée par les Russes. Depuis, personne ne l'a revu.

Les soldats russes inspectaient régulièrement la maison de Tamara. Où étaient ses fils ? Cachait-elle des soldats ? Aidait-elle la guérilla ? Vers la fin de l'année, six moix après la disparition de Movsar à Komsomolskoïe, ils sont venus chercher son troisième fils. Le soleil n'était pas encore levé quand ils ont tiré Iznaour du lit et l'ont embarqué dans un camion. Tamara a demandé partout où il était, mais personne ne lui a jamais répondu.

Il ne lui restait plus qu'un fils, Charpoudine, âgé de quinze ans. Un an après la disparition d'Iznaour, Tamara a aperçu une file de chars au bout de la rue. Elle a crié à Charpoudine : « Cache-toi ! Les Russes arrivent ! »

Paniqué, le garçon a couru dehors. Il voulait aller chez le voisin, pour se glisser dans les champs derrière la maison, mais une balle l'a fauché juste devant la porte. Il est mort sur le coup.

Chaque fois que sa mère sort, elle doit enjamber la tache qui ce matin-là s'est teintée du sang de son petit dernier.

L'unique fille de la maison, Fatima, nous a rejoints. Elle se tient dans l'encadrement de la porte et écoute le récit de Tamara. Fatima a perdu son mari et vit chez sa mère avec ses deux fils de sept et huit ans.

Son foulard laisse apparaître ses cheveux. « C'est important, explique-t-elle, si je ne veux pas être prise pour une wahhabite. »

C'est la pire chose que l'on puisse être en Tchétchénie aujourd'hui. C'est de ça que cette famille est accusée, de contact avec « les wahhabites et des éléments terroristes ». Voilà le stigmate qui attend quiconque s'opposant à Ramzan Kadyrov et ses hommes. « Imaginez quand... », commence la grand-mère, puis elle s'arrête. Elle met ses mains devant sa bouche, avant de poursuivre.

« Imaginez quand les garçons seront assez vieux pour... »

Tamara me regarde, épouvantée.

« ... venger mes fils. »

La nuit, les deux femmes sont souvent réveillées par les cris d'un des deux garçons, toujours le même cauchemar : « Les Russes arrivent ! Les Russes arrivent ! » Quand seront-ils enlevés ? L'estampille d'ennemi se transmet de génération en génération.

Tamara avait organisé une cérémonie à la mémoire de ses quatre fils. Quatre jeunes garçons robustes. La vie était dénuée de sens. Puis un jour, en 2002, on lui a appris que Iznaour, le troisième enfant auquel elle avait donné naissance, celui qu'on avait embarqué au petit matin, se trouvait sous *stroguiï rejym* – haute surveillance – dans une prison d'Arkhangelsk, accusé d'avoir organisé des actes terroristes et condamné pour cela.

« Il vivait ! J'étais persuadée qu'il était mort. »

La mère esquisse un sourire tremblant entre les larmes. « Mais maintenant, j'ai tellement peur pour lui. Que peuvent-ils bien lui faire subir en prison ? »

Une enveloppe au cachet de la poste d'Arkhangelsk est rangée dans un tiroir de la table de la cuisine. Des tulipes roses aux feuilles vertes sont apposées à côté de l'adresse, un tampon de plus pour signaler que c'est approuvé par la censure. Malgré tout, la mère n'a pas osé conserver la lettre et l'a brûlée. Elle n'a gardé que l'enveloppe, l'enveloppe portant l'écriture de son fils, le seul courrier qu'elle a reçu de lui depuis sa disparition six ans auparavant.

« Il a droit à deux morceaux de pain par jour et à un morceau de sucre tous les trois jours, raconte la mère. Beaucoup de prisonniers ont la turbeculose. Il est le seul fils qui me reste. Je crains tellement de le perdre, lui aussi. »

Elle pose sur mon bras une main molle, usée par le travail.

« Ce n'est pas la seule tragédie dans notre famille, ajoute-t-elle. La semaine dernière... »

Elle me saisit la main et je comprends que je dois la suivre. Nous enfilons nos chaussures sur le pas de la porte et Tamara m'entraîne de l'autre côté de la cour, dans une autre maison. Dans l'entrée déjà, on perçoit que quelque chose ne va pas. Les voix basses. Les sanglots. L'odeur de la peur.

Des femmes vêtues de noir sont installées en cercle, sur des tabourets et des coussins. Quand je pénètre dans la pièce, elles me regardent d'un air effrayé. Une jeune fille est assise parmi elles, sur un canapé. Mes yeux se focalisent sur elle. Dans une chaussette noire bordée de rose, son pied est pris d'un tremblement. Il est tellement infime et tellement rapide qu'on le sent plus qu'on ne le voit. Ses orteils ne quittent pas le sol et le pied se tend en silence sur le tapis épais. C'est son talon qui remue. La chaussette est passée sur un gros collant noir, sur lequel tombe une jupe lourde de la même couleur. Au-dessus, elle porte un pull couvert d'un châle, noirs eux aussi. La bande rose enserre légèrement le pied incontrôlable, et fait l'effet d'une erreur flagrante. Tous les vêtements sont noirs, sauf elle.

Un garçonnet se cramponne à son genou. Il le frappe des poings. La fille, les mains jointes sur ses cuisses, ne réagit pas. Ses doigts s'agrippent comme des griffes tandis qu'une de ses mains écrase l'autre. Ses yeux sont sombres, très lointains, comme s'ils voyaient à travers plusieurs voiles. Le pied continue à mitrailler le sol, et peut-être presse-t-elle ainsi les mains pour éviter qu'elles ne suivent le rythme du talon. L'enfant se met à pleurer, mais le visage de la fille est figé, ses yeux écarquillés, elle est à des lieues de tout ce qui passe autour d'elle.

« Maman ! » hurle le garçon.

Elle le prend dans ses bras, mais la chaleur ne revient pas dans ses yeux, où la peur semble bloquée.

Un tapis persan protège les pieds d'un sol glacial. Les murs sont recouverts d'un papier peint pâle. Au-dessus du canapé où la jeune fille est assise, on a collé une affiche de La Mecque au coucher du soleil. Une vieille photo encadrée aux reflets verdâtres, où deux garçons en uniforme militaire russe posent l'air sérieux, est presque accrochée au niveau du plafond. Sur le mur opposé, une horloge représentant la place Rouge est suspendue à un clou.

Les fenêtres sont fêlées et nous percevons les mugissements d'une vache qui court dans le jardin où des arbres fruitiers ploient sous le poids de la neige mouillée. Dans la cour intérieure, les poules se pavanent sous une lessive gelée.

Les femmes sont à court de mots, entre les soupirs et les bruits de l'extérieur, on entend le tic-tac de l'horloge ; à chaque nouvelle seconde, il s'est écoulé plus de temps depuis sa disparition. L'aiguille marque lentement le temps qui passe sur la place Rouge. Quand elle est à la verticale, elle coupe la basilique de Basile-le-Bienheureux aux couleurs éclatantes, puis elle continue vers les murs rouge foncé du Kremlin, traverse le mausolée de Lénine, balaie les murs couverts d'urnes, la tombe de Staline, celle de Kalinine, de Brejnev, et trente secondes après elle se trouve au Musée historique, puis parcourt le grand magasin qui borde tout l'autre côté de la place pavée, avant de poursuivre son tic-tac et de retrouver les bulbes dorés.

Les femmes attendent un des jeunes garçons sur la photo accrochée à un clou entre La Mecque et le Kremlin.

Il s'est écoulé une semaine depuis que Hassan a quitté Grozny en voiture, au début du mois de février 2006. Il avait à faire à Nazran en Ingouchie, à une heure de route. Il avait quitté Salina et les deux enfants en tout début de matinée en leur disant qu'il serait de retour dans l'après-midi. Quand la nuit est tombée, il n'était toujours pas rentré, ni le lendemain, quand le jour s'est levé. La voiture a été retrouvée au bord de la route près de la ville d'Atchkoï Martan quelques jours plus tard, noire et calcinée, sans trace ni de lui ni de la belle-sœur qui l'accompagnait.

La police ne sait rien. L'armée ne sait rien. Les autorités ne savent rien. Personne n'a rien vu, rien entendu ou personne ne dit rien. C'est la mère de Hassan qui me raconte l'histoire. Celle de son fils qui n'a jamais pris part à la guerre, qui n'a jamais eu d'ennemis, qui était en trop mauvaise santé pour se battre, qui n'avait aucun compte à régler avec qui que ce soit. Souvent malade, plutôt faible. Qui aurait voulu lui faire du mal ?

« Il ne s'est marié qu'à quarante ans, explique sa mère. Nous n'aurions jamais cru qu'il aurait une famile. Mais nous avons trouvé Salina, qui était gentille, conciliante et consciencieuse », continue-t-elle en montrant du doigt la jeune fille aux chaussettes noires bordées de rose.

D'une voix rauque, à peine audible, comme si elle ne l'avait jamais utilisée et devait la chauffer, Salina murmure qu'elle espère que son mari va revenir, et qu'elle prie Dieu pour qu'il ne lui soit rien arrivé. « Je n'arrive pas à penser à autre chose », chuchote-t-elle.

Salina avait quatre ans quand les Russes ont largué les premières bombes sur Grozny. Sa famille est partie vivre chez sa grand-mère qui habitait hors de la ville, pour se mettre à l'abri des combats et des balles. Au bout de quelques jours, les parents ont fait un saut à l'appartement, emmenant les deux grands frères de Salina. Ils ont été tués sur le coup par un missile qui a explosé sur leur voiture au milieu de la route. Salina n'a aucun souvenir de ses parents. Ni de ses frères. Elle se souvient néanmoins qu'ils ont disparu, dit-elle lentement. Sa scolarité fut laborieuse, elle sait à peine lire. Quand Salina avait douze ans, sa grand-mère est tombée malade et n'a plus réussi à s'occuper d'elle et à la nourrir. La vieille femme a jugé préférable qu'elle fonde sa propre famille. Qui s'occuperait d'elle, sinon, à sa mort ? À treize ans, Salina a été retirée de l'école par sa grand-mère et mariée à Hassan. À quatorze ans, elle a eu son premier fils, et le deuxième à quinze ans. Deux mois avant ses seize ans, son mari a disparu. Elle a appelé la famille de Hassan qui l'a ramenée à la maison, au village. Elle y est prostrée depuis une semaine, elle n'a pas la force de manger, à peine celle de boire et ses seins n'ont plus de lait.

Le petit garçon s'est hissé sur le canapé et essaie de lui arracher le châle noir serré autour de son cou. Elle ne le remarque pas, elle tient dans ses bras le deuxième enfant. Les parents. Les frères. Le lait. La vie de Salina a tourné autour de la perte.

Les femmes sortent un tapis et s'apprêtent à prier. Il est 14 heures. Le tapis est orienté vers La Mecque. L'aiguille est pointée vers le Kremlin.

Salina reste assise, avec l'enfant qui pleure sur ses genoux, pendant que les autres, par terre, se prosternent. Elles ont les bras croisés sur la poitrine. Leurs lèvres bougent sans bruit. Elles lèvent la tête, la baissent, la tournent d'un côté, puis de l'autre, et recommencent.

Chaque disparition laisse les mères, les sœurs, les épouses et les enfants encore un peu plus impuissants. Pourquoi dans cette famille les hommes doivent-ils être éradiqués ? Ou pourquoi en Tchétchénie des milliers d'autres familles sont-elles privées de leurs hommes ?

La prière terminée, une des femmes reste agenouillée par terre, elle agite lentement la tête, comme en transe. Salina fixe toujours le vide d'un regard mort. Tamara se lève brusquement. Nous reprenons le petit sentier qui brunit sous nos pas dans la neige qui fond. Le soleil qui a enfin vaincu le brouillard brille dans quelques taches de neige durcie, blanches et intactes contre le mur. Mais il ne peut pas réchauffer le froid en nous. Le malaise à la pensée du sang coagulé, des voitures brûlées, des fils enterrés.

« Hassan n'est que le dernier de la série, dit Tamara, une fois rentrée chez elle. Dans notre famille tous les hommes disparaissent, les uns après les autres. Supprimés, disparus, emprisonnés. Les uns après les autres. »

Tamara tremble sous l'effort et la colère.

Chamil commence à être nerveux. « Il faut y aller, les gens nous ont vus, nous et la voiture », murmure-t-il. Il ne serait pas étonné que la maison soit surveillée et il vaudrait mieux que nous partions.

« Puis-je revenir une autre fois, peut-être demain, ou plus tard dans la semaine ? demandé-je.

— Quand vous voulez, répond Tamara.

— Pouvez-vous me promettre de ne dire à personne que vous m'avez vue ? murmuré-je.

— Vous êtes folle ? Je suis moi-même morte de peur ! »

Elle a les mains croisées contre sa poitrine. « J'ai encore un fils à protéger, vous savez. »

« Tu es folle », dit Chamil dans la voiture. « Pourquoi as-tu dit que tu reviendrais ? Tu ne les connais pas ! Tu es vraiment naïve ; la nuit il y a des opérations de nettoyage, c'est alors qu'ils viennent, les kadirovski, qu'ils nettoient, balaient, ramassent la poussière. Et les islamistes aussi aimeraient bien avoir ta tête sur un plateau, filmée à l'intention de toutes les chaînes de télévision. Si tu dois revenir, il faut faire comme aujourd'hui, par hasard, sans rendez-vous, tu passes et ne restes qu'un petit après-midi. Un après-midi, c'est tout. »

Nous roulons en silence. Je sais que Chamil a raison.

Sa voiture est glaciale. Mes pieds sont de vrais glaçons. À nouveau, le brouillard épais et triste est tombé au pied des montagnes, un vent souffle sur les plaines. Je me demande s'il sera possible de faire chauffer de l'eau en rentrant. Si nous avons assez d'eau, déjà. Cette pensée me vient parce que je n'arrive pas à concevoir que l'on puisse donner naissance à quatre fils, les allaiter, les nourrir, les éduquer, les voir grandir, jouer, aller à l'école, devenir de jeunes hommes, et puis les perdre, en enterrer deux, chercher vainement le troisième et savoir que le quatrième peut croupir jusqu'à la fin de ses jours sous le cercle polaire dans un camp de prisonniers infesté de maladies.

« Il y a quelque chose avec cette famille, constate Chamil après s'être tu un long moment. Il y a quelque chose qui n'est pas réglé, qui doit encore être vengé, dit-il, presque à lui-même. Tu ne devrais pas y retourner.

— S'il te plaît, tu ne pourrais pas m'y reconduire une autre fois ? Peut-être trouveront-elles Hassan. Et qu'Iznaour sera bientôt relâché...

— Inch'Allah », répond Chamil.

# L’ennemi parmi nous

Zaïra appelle sa sœur à Tchetchen-Aoul.

Après avoir parlé de la scolarité des enfants, des maux de ventre de la sœur et des bocaux de poivrons de l’automne, elle demande : « Dis, ta voisine, celle dont la fille m’appelait toujours Zassia, elle habite encore dans ta rue ? »

C’est le silence au bout du fil, la sœur toussote et répond que oui, aux dernières nouvelles, elle est toujours là.

« Tu la vois des fois ?

— Non.

— Je voudrais bien lui parler. »

Le silence au bout du fil est encore plus long et plus profond. La discussion est terminée. Zaïra regrette, elle n’aurait pas dû lui demander par téléphone.

Ce sont les familles que personne ne fréquente. Elles ne se fréquentent pas non plus entre elles. Leurs meilleurs amis ne leur disent plus bonjour. Les enfants sont rejetés. Ce sont des mourants auxquels personne ne dit adieu. On ne doit faire preuve à leur égard d’aucun sentiment, d’aucune compassion.

Avoir des contacts avec ces familles peut conduire quelqu’un dans les ténèbres. Ils sont une catastrophe ambulante. Pour certains la catastrophe est explosive.

Le conflit en Tchétchénie est entré dans une phase où les rues ont des yeux, où tout le monde surveille tout le monde et où celui qui ne dénonce personne cache quelque chose.

La résistance n'est restée active que dans les régions les plus inaccessibles, presque inhabitables. Dans la plaine, elle a été matée. Les gens ont baissé la tête, courbé la nuque, se sont détournés. Ils n'ouvrent plus la bouche.

La main de fer de la république a inculqué aux gens que les traîtres étaient une menace. Ils sont parmi nous. On doit les forcer à dire la vérité, les punir, de génération en génération. Quiconque fréquente ces personnes est aussi un ennemi. Quiconque pleure à leur enterrement est aussi mis au ban de la société.

C'est ce qu'on appelle la *tchétchénisation du conflit*. Les bourreaux et les victimes sont eux-mêmes tchétchènes. Mais c'est le Kremlin qui décide qui va détenir le pouvoir. Ses hommes de main opèrent dans l'ombre. Et au grand jour.

Le village est baigné d'un brouillard épais. Plus on s'éloigne de la grande ville, plus il se densifie, et quand nous arrivons à Tchetchen-Aoul, c'est à peine si on voit encore ses propres mains. « Allah est avec nous », me dit Zaïra. Seul un chien nous a vues nous glisser derrière la porte.

Tchetchen-Aoul signifie « le village tchétchène ». Il a donné son nom à la république, et non le contraire. C'est ici que les Russes se sont pour la première fois heurtés au peuple des montagnes.

La sœur tourne nerveusement en rond. Elle est allée chez la voisine bannie pour lui demander si elle pouvait me rencontrer. Elle avait emporté un pichet, comme si elle allait chez elle pour lui emprunter du lait. Autrefois, elles avaient toujours fait des allers et retours entre les maisons avec des seaux. Mais la sœur ignorait que les deux vaches de la voisine étaient mortes récemment, fauchées par un camion, elle a donc dû revenir avec un pichet vide. Elle a néanmoins réussi à transmettre le message à la voisine médusée qui n'a reçu aucune visite depuis quatre ans.

La sœur continue à tourner en rond tout en racontant.

Leur famille était autrefois une des plus riches du village. Ils étaient généreux et pleins de vie, il y avait toujours du monde qui passait chez eux pour prendre un thé, un repas, bavarder, emprunter ou offrir quelque chose. Ils avaient du bétail et des moutons, et le père de famille était bien payé. Ils venaient juste de construire une belle maison à un étage quand les Russes ont envahi la Tchétchénie en 1994. Ils avaient alors six enfants.

Dès le premier jour, le fils aîné s'est engagé dans la résistance, et quand il est revenu de la première guerre, il a été fêté comme un héros. À la suite des accords de paix signés avec Eltsine, il est devenu un homme important au village. Quand les soldats de Poutine ont de nouveau envahi le pays à l'automne 1999, il est reparti à la guerre. Un an plus tard, il a été tué au combat à Batchaï-Iourt. Tout le village l'a accompagné jusqu'à sa tombe et l'a pleuré.

La sœur interrompt son mouvement circulaire et disparaît. Elle revient peu après avec quelques photographies. On peut y voir deux filles, la sienne qui est mariée, et celle du voisin, Mariam. Elle les regarde avec des yeux confus.

« J'aurais dû les jeter, mais je n'ai pas réussi. »

Les filles d'une quinzaine d'années, l'air rieur, font les malignes devant l'appareil. Elles sont jolies, elles ont le regard qui pétille.

On frappe doucement à la petite porte de derrière. La sœur sursaute. Elle retourne les photos, et va ouvrir.

C'est la voisine. La sœur l'avait suppliée d'être prudente et de faire en sorte que personne ne la voie. Car *ceux qui fréquentent les bannis sont eux aussi mis au ban de la société...*

Le visage de la femme est tanné par le soleil, elle a des pommettes hautes et saillantes, dominées par une paire d'yeux gris acier. Elle respire vite après le détour par la forêt qu'elle a fait pour que personne ne la remarque. Avant que quiconque ait pu dire un mot, elle se met à pleurer. Cela fait des années qu'elle n'a pas rendu visite à ses voisins.

La sœur nous regarde, l'air gêné.

La voisine observe les photos éparpillées sur la table, mais n'y touche pas. Les larmes coulent en silence. Encore une mère, encore une souffrance. Ses yeux sur moi expriment l'incertitude. Qu'est-ce que je veux au juste, me demandent-ils. Je dis que j'aimerais entendre son histoire.

Elle interroge la sœur de Zaïra du regard : sait-elle... ?

Puis elle contemple la photo que j'ai retournée, mais la laisse sur la table. La fille porte une jupe turquoise qui lui arrive aux genoux et un chemisier à manches courtes blanc à carreaux roses. Elle a un teint de pêche et les mêmes joues rouges que sa mère, mais plus rondes. Ses yeux sont profonds et grands avec des sourcils à la Elizabeth Taylor. La rieuse est une beauté classique.

« C'est ma fille, Mariam », dit-elle.

La sœur m'a déja raconté que Mariam était celle qui avait le plus mal supporté la mort du frère. Elle est devenue taciturne. Les vêtements roses et turquoise ont été mis au rebut, elle n'est plus sortie de la maison que couverte de la tête aux pieds, en longue jupe noire, manteau, coiffée d'un fichu épais. Les mèches dorées et blanchies, auparavant disciplinées dans une natte souple, ont disparu sous un foulard bien serré. Là où la frange bouclait autrefois, il n'est plus resté l'ombre d'un cheveu. Le voile était porté bas sur le front. Le teint de pêche et les pommettes rouges étaient dissimulés sous le voile, qui a aussi fini par cacher les sourcils de Cléopâtre.

« Nous n'aurions jamais cru... »

La femme peine à s'exprimer.

« Nous l'avions toujours laissée faire ce qu'elle voulait. Elle ne nous avait jamais causé de soucis. Elle était merveilleuse et si gentille, si forte et sage. De tous nos enfants, elle était la plus serviable. Elle n'était pas très bonne à l'école, mais pour préparer à manger, coudre, aider aux bêtes, elle était la meilleure. Une parfaite maîtresse de maison. Quand nous lui donnions de l'argent pour qu'elle s'achète quelque chose de nouveau, elle préférait ramener un cadeau à ses neveux. Elle pensait toujours aux autres avant de penser à elle », se souvient sa mère.

« Puis elle a changé. Elle a cessé de sortir, a commencé à lire le Coran et à prier cinq fois par jour. Les rares moments où elle quittait la maison, c'était toujours accompagnée d'un de ses frères. Chez nous, elle passait son temps penchée sur le Coran. Nous espérions qu'elle finirait par s'extirper du deuil de son frère aîné, que la fille gaie reviendrait. »

Un jour Mariam est rentrée à la maison et a annoncé qu'elle désirait se marier, qu'elle avait déjà promis sa main. « Il vient me chercher demain », a-t-elle dit.

Qui était-ce ? Que faisait-il ?

« Il est seul, a répondu Mariam, toute sa famille a été tuée. Il n'a que moi. Il a besoin de moi. Et il ne demande aucune dot. Il me prend comme je suis. »

Dans la nuit, la mère s'est brusquement réveillée et dressée dans son lit. « Mon sang s'est glacé », raconte-t-elle. Affolée, elle a couru auprès de Mariam. « Ne le fais pas !

— Pourquoi, maman ?

— C'est pas bien ! C'est pas bien ! »

La mère a pleuré et l'a suppliée. « Ne te précipite pas. Présente-le-nous. Faisons sa connaissance.

— Il a besoin de moi.

— Mon cœur s'y refuse », a sangloté la mère.

Le lendemain, comme le veut la coutume tchétchène, des membres de la famille du fiancé de Mariam sont venus la chercher. Le mariage fut tenu dans le plus grand secret, sans que personne de sa famille ne soit présent, ce qui fait aussi partie des traditions. Seule la famille du marié fait la fête, celle de la mariée, elle, reste à la maison et pleure la fille perdue. La femme ne peut être accompagnée que par une seule personne de sa famille, autre que la mère. Il s'agit souvent d'une cousine ou d'une amie. En se mariant, elle devient la propriété de son mari et elle ne peut plus aller chez ses parents sans l'autorisation de celui-ci.

« Si seulement j'avais su... »

La mère recommence à pleurer, ses doigts triturent son châle.

C'était pendant les terribles années de la deuxième guerre tchétchène. Les villages épargnés lors du premier conflit furent ravagés. Les autorités frappaient sans état d'âme sur tout ce qui, selon elles, appartenait aux indépendantistes, ou pire encore, aux islamistes. Les gens disparaissaient, ils étaient retrouvés dans des fossés ou torturés à mort en prison, la spirale de la violence semblait sans fin. La violence engendrait la vengeance, qui engendrait une nouvelle violence et une nouvelle vengeance.

Six mois après le mariage de leur fille, les parents ont appris que son mari était dans la résistance. Ils ont pris peur. Dès que les rumeurs commençaient à circuler, il ne s'écoulait pas beaucoup de temps avant qu'on vienne chercher les gens. Les familles de ceux qui combattaient contre le régime institué par Moscou pouvaient, elles aussi, être victimes de persécution et disparaître dans les opérations de nettoyage. Quand les parents de Mariam ont appris qu'il était en plus wahhabite, ils se sont affolés pour de bon.

Enfin, au printemps suivant, six mois plus tard, Mariam est venue leur rendre visite. Les parents ont été épouvantés. Fini le sourire, finies les bonnes petites joues roses, leur fille n'avait plus que la peau sur les os. Ils l'ont suppliée de rompre son mariage. Mais non, Mariam ne voulait pas quitter son mari et elle a demandé à ses parents de se tourner vers Allah plutôt, d'ouvrir leur cœur à la parole de Dieu, comme elle l'avait elle-même fait.

Les parents sont allés se coucher, tourmentés et plus soucieux que jamais. Mariam est partie très tôt le lendemain matin, avant qu'ils soient réveillés.

La mère interrompt son récit. La vieille porte de la cuisine grince dans le vent et des branches tapent contre la fenêtre. Une tempête se prépare. Le ciel est gris et lourd.

« Je me souviens d'une des dernières choses qu'elle a dites avant d'aller se coucher, poursuit la mère. Maintenant le chemin est tout droit. Maintenant le chemin est tout droit », a-t-elle répété, les yeux perdus dans le vide. Ces mots m'avaient donné la chair de poule, ils m'avaient glacé le sang.

L'été est passé sans qu'ils revoient Mariam. Jusqu'à ce que, par un sombre soir d'octobre 2002, des images floues tournées dans un théâtre de Moscou soient montrées à la télévision. Quarante hommes et femmes masqués avaient bondi sur la scène et tiré à balles en plein milieu du deuxième acte de la comédie musicale *Nord Ost*.

« Vous êtes des otages... nous sommes venus de Tchétchénie. Ceci n'est pas une blague. Nous sommes en guerre », avait crié leur chef, Movsar Baraev.

Plusieurs des preneurs d'otages étaient en famille, des sœurs et des tantes, des oncles et des cousins, des maris et des femmes. Ils avaient en commun d'avoir perdu pendant la guerre les personnes qui leur étaient le plus chères. Certains étaient des adolescents, deux filles n'avaient que seize ans. Les femmes étaient habillées en noir, la taille ceinturée d'explosifs. Les médias russes les ont appelées *les veuves noires*.

Pendant presque trois jours, les comédiens et le public ont été retenus prisonniers dans le bâtiment. Le but des terroristes était d'attirer l'attention sur les atteintes aux droits de l'homme en Tchétchénie. Le cerveau derrière cette action était le Loup – Chamil Bassaev. Il y avait en tout huit cents personnes dans le théâtre. À l'aube du troisième jour, les forces spéciales russes ont lancé une attaque au gaz pour maîtriser les terroristes. Tout le commando tchétchène a été tué ainsi que deux cents otages qui ont été soit asphyxiés par les gaz soit abattus dans un échange de tirs entre les preneurs d'otages et les unités antiterroristes russes.

La télévision russe a filmé les personnes qu'on évacuait du théâtre et celles tuées à l'intérieur. Baraev a été montré mort allongé par terre dans une mare de sang.

Plusieurs des *veuves noires* gisaient dans les fauteuils rouges du théâtre Doubrovka, la bouche ouverte et une balle dans le front. Elles portaient autour de la taille ce qui ressemblait à des explosifs. L'une d'entre elles était Mariam, la fille de dix-huit ans. Son mari se trouvait également parmi les preneurs d'otages tués.

« *Maintenant le chemin est tout droit.* »

Quelques heures après avoir vu la mort de leur fille à la télé, la maison des parents de Mariam a été encerclée par un commando de soldats masqués, les forces de l'ordre, les unités antiterroristes et des hommes des services de renseignements. Toute la rue était bloquée. La maison a été retournée, tous les papiers enlevés, toutes les photos, toutes les lettres emportées. Qui connaissaient-ils ? Que savaient-ils ? Qui avait aidé Mariam ? L'avaient-ils aidée ?

Le fils cadet, lui aussi dans la résistance, était absent à ce moment-là. Ils l'ont retrouvé dans une maison dans les montagnes. Il a refusé de se rendre et a utilisé ses dernières balles contre les forces spéciales russes. Il a été tué dans l'échange de tirs. C'était ce frère qui avait présenté Mariam au mari qu'elle avait accompagné dans la mort, c'était lui qui avait été le témoin de Mariam à son mariage.

Quelques mois plus tard, la police est venue chercher à son domicile le troisième frère de Mariam, qui avait fui dans la ville russe de Samara. Traîné au petit matin jusqu'à la gare, personne depuis n'a eu de nouvelles de lui, ni du camarade dont il partageait la chambre.

Deux ans plus tard, il ne restait plus aux parents que deux enfants, une fille de dix-neuf ans, Azet, et le benjamin, Isa, handicapé de naissance, inapte au travail et en partie paralysé.

À Tchetchen-Aoul, la famille menait une existence misérable. Tout le monde leur avait tourné le dos. Le père a perdu son travail et s'est mis à boire. Il est devenu violent et a accusé sa femme d'avoir poussé les enfants à la révolte. Il pensait qu'ils tenaient ça d'elle, car sa famille comptait de nombreux combattants célèbres pendant la première guerre. Autrefois si aisés, ils avaient désormais à peine de quoi vivre, depuis que le père était au chômage. Il a décidé que leur fille Azet, qui habitait chez ses parents avec un fils de trois ans depuis le décès de son mari lui aussi mort au combat, devait partir en Géorgie. Il y avait là-bas des produits pas chers qu'elle pourrait vendre au marché de Grozny. Dans la capitale, personne ne la connaissait.

Par un jour de décembre froid et humide, quand la famille eut mis suffisamment d'argent de côté, Azet est partie avec son fils et la veuve du cadet. Au passage de la frontière du Daguestan, elles ont été arrêtées en montrant leurs passeports. Elles ont été accusées d'appartenir à un réseau terroriste qui prévoyait de faire exploser des bâtiments au Daguestan. Au bout de deux jours, la belle-sœur a été relâchée, mais Azet et son fils de trois ans ont été gardés. La belle-sœur est retournée chez les parents d'Azet, qui se sont rendus quotidiennement à Grozny pour demander aux autorités de quoi leur fille était accusée. Où étaient-ils retenus ? Où était le petit-fils ? Ils n'ont obtenu aucune réponse, si ce n'est le message suivant :

« Il vous reste un fils, si vous revenez encore une fois ici, il en subira les conséquences. »

Quelques soirs avant le nouvel an 2004, un petit garçon qui bafouillait en tchétchène a été retrouvé dans l'entrée d'un immeuble au Daguestan. Un avis de recherche a été diffusé à la télé. L'enfant fixait la caméra d'un regard vide et craintif. Son front était marqué d'une brûlure à vif. C'était le fils d'Azet.

Le grand-père s'est rué sur le téléphone. Il est parti sur-le-champ au Daguestan chercher le garçon, qui attendait dans les locaux de la chaîne de télé quand le grand-père est arrivé. Le petit est venu vers lui en trébuchant. En partant, le grand-père a entendu les journalistes dire : « C'est le fils d'une terroriste. Sa mère allait se faire exploser pour Bassaev. »

L'enfant était transformé. Les deux semaines de captivité l'avaient rendu craintif et sauvage. Il se dérobait quand les gens lui parlaient. Il se contentait de les regarder avec des yeux effrayés.

La grand-mère se tait.

Elle montre de la main l'endroit où se trouvait la grosse cicatrice rouge de son petit-fils de trois ans. Que lui avaient-ils fait ? Avaient-ils osé torturer un enfant de cet âge ? Avaient-ils maltraité la mère sous les yeux de son fils ? Pour la faire parler ? Où était-elle ? Vivait-elle encore ? La petite Azet, la paisible et silencieuse Azet.

Aujourd'hui, deux ans plus tard, Azet n'est toujours pas revenue et ils n'ont aucunes nouvelles d'elle. Leur petit-fils n'habite plus chez eux, les parents du défunt mari d'Azet sont venus le chercher, jugeant qu'il serait plus en sécurité chez eux. Sa grand-mère ne lui a pas parlé depuis plus de six mois. Elle n'a pas les moyens de payer une communication interurbaine.

Il ne leur reste qu'Isa, le benjamin alité. Et l'espoir qu'Azet revienne.

« Cette guerre, cette guerre ! Autrefois j'avais six enfants superbes... aujourd'hui il ne m'en reste plus qu'un. »

Les joues humides luisent sous la lampe à gaz. Elle excuse ses larmes.

« Je n'avais pas parlé de mes enfants à quelqu'un depuis si lontemps, confie-t-elle. Je n'avais pas parlé depuis si longtemps à quelqu'un, tout court. »

La nuit commence à tomber sur cet après-midi de grisaille, le vent mugit au coin des rues. « Il faut y aller », dit le regard de notre hôtesse. Les maisons ont des yeux. Les rues ont des oreilles. Elle a elle-même suffisamment éprouvé ses nerfs. La voisine se lève, resserre son foulard et s'emmitoufle dans sa veste de laine avant de regagner à pas de loup le petit bois, cachée par le brouillard. À bonne distance, derrière les arbres serrés, elle suit l'étroit sentier et passe derrière l'enfilade de maisons. En sortant du bois, elle traverse la route et regagne ses pénates. Si des gens se promènent dehors dans le brouillard de l'après-midi, ils ne pourront pas savoir d'où elle vient.

Le lendemain, la sœur a rencontré un des voisins.

« Qu'est-ce que tu es allée faire chez eux hier ? lui a-t-on demandé.

— Nous n'avions plus de lait et mon petit-fils pleurait, a-t-elle répondu.

— Mais leurs vaches ont été tuées il y a quelques semaines. Tu ne le savais pas ?

— Non. Comment l'aurais-je su ? »

Le voisin a fait un signe de la tête puis a continué son chemin. La sœur s'est dépêchée de rentrer chez elle. *Celui qui fréquente ces familles est lui aussi mis au ban de la société...*

# Bienvenue en Ramzanie

Des cloisons étanches séparent les deux mondes de Grozny : celui de ceux qui sont avec et celui de ceux qui ne le sont pas, de ceux qui jubilent et de ceux qui geignent. Après avoir voyagé clandestinement et rencontré les personnes humiliées et brisées, j'aimerais rencontrer celles qui en profitent. Pour cela, même si je n'ai que quelques rues à traverser pour rejoindre l'autre sphère, je dois faire un grand détour, par Moscou.

J'y apprends que le ministère des Affaires étrangères affrète un avion et organise un voyage destiné aux journalistes étrangers à l'occasion de la cérémonie d'investiture de Ramzan Kadyrov. Je m'inscris et obtiens une place pour un aller-retour Moscou-Grozny dans la journée.

Nous sommes le 5 avril 2007 et nous nous retrouvons au petit matin dans le hall de départ désert. Andy de l'*Economist*, Guy du *Wall Street Journal*, Andrew de l'*Independant* et Adrian du *Daily Telegraph*, tous soigneusement pointés sur la liste de l'employé du ministère des Affaires étrangères russe, boivent un café d'aéroport à une table en formica. Un jeune homme du service de l'information du bureau de représentation tchétchène à Moscou m'arrête au moment où je m'en vais commander un café.

« Vous êtes excitée ?

— Très.

— Vous êtes déjà allée en Tchétchénie ?

— Non, jamais », dis-je en secouant la tête.

Là, en jeans et tête nue, j'ai peu en commun avec la femme voûtée qui prend d'habitude l'avion de ce même terminal pour une des républiques voisines de la Tchétchénie. Je m'assieds à la table. Après tout ce temps passé seule, voyager de nouveau avec une bande de journalistes me fait bizarre. Ces grands reporters semblent tellement blasés, ils sont si distants, neutres, si bien informés et, surtout, si sûrs d'eux. Même à 5 heures du matin.

Le soleil se lève en cours de route alors que nous nous dirigeons vers le sud. Les sommets aiguisés des montagnes caucasiennes sont arrondis par les amas de neige, telles des couettes moelleuses qui font rêver dans les sièges durs de l'avion. Puis une voix de femme râpeuse nous annonce qu'il fait huit degrés et que le temps à Grozny est couvert, mais que d'éventuelles éclaircies sont attendues en journée.

D'en haut, nous apercevons déjà les portraits qui bordent le terminal de chaque côté. L'aéroport brille, il a été réouvert pour les trente ans de Ramzan, six mois plus tôt, après une fermeture de dix ans. Le jour de l'inauguration, Ramzan, alors Premier ministre, a dit en riant aux caméras de télévision : « Je crois que personne au monde ne s'est encore jamais vu offrir un aéroport pour ses trente ans ! »

Puis il a dansé la *Lezguinka* et jeté de l'argent autour de lui.

Nous déboulons du ventre de l'avion et nous retrouvons sur la piste plate. Les trous dans l'asphalte ont disparu, tout a été récemment repeint, astiqué et nettoyé. Des hommes en costume, alignés au garde-à-vous, attendent quelqu'un. Nous sommes conduits à l'intérieur du terminal et nous passons devant la salle VIP où sont dressées des tables débordant de délices caucasiens.

Le hall d'arrivée rutile. Le sol est carrelé de plaques carrées en imitation nacre, les escaliers sont gris ardoise, eux aussi ils brillent, tandis que les rampes et les comptoirs sont en métal argenté. La route qui mène au centre-ville part devant l'escalier de la sortie principale. Un sentiment de retrouvailles me chatouille le ventre. Il y a douze ans, j'étais là, ne sachant quoi faire. « Il y a des snipers partout », « Retourne à Moscou », « C'est l'enfer ici ». À l'époque, le nom de la ville, qui signifie *le menaçant* ou *le cruel*, cadrait tout à fait avec ce qu'elle vivait.

Aujourd'hui, un bus nous attend. On nous y entasse, les Britanniques, les Allemands, les Français, les Russes, une femme de la radio suédoise et moi. De nouveaux arbres aux bourgeons vert clair ont été plantés le long de la route de l'aéroport, qui ressemble presque à une allée ; elle est encore clairsemée et de petite taille, mais si la paix dure, elle sera belle et bien fournie.

Le déploiement militaire est important, on nous fait signe de partir. La ville est quasiment déserte, bien qu'elle soit normalement en pleine activité à cette heure-là. J'apprendrai plus tard qu'on a interdit aux gens d'utiliser leur voiture en ce grand jour, pour ne pas entraver les déplacements des invités importants. Sur tout le trajet, des soldats aux armes chargées sont en faction, certains tournés vers l'asphalte, d'autres vers les plaines et les collines alentour. Et quels bâtiments le long de la route ! Les immeubles sont couverts de plaques vertes et rouges au motif du drapeau tchétchène.

Nous passons Grozny et partons vers Goudermes, où Ramzan a sa datcha et sa salle de réception. Tous les cent mètres, pendant le trajet d'une heure, il y a un soldat. Les portes du bus sont ouvertes près d'une foule en effervescence et, sous la houlette du représentant du bureau tchétchène à Moscou, nous passons plusieurs contrôles de sécurité. L'endroit grouille de soldats aux uniformes divers, noir pour les kadirovski, vert pour le ministère de l'Intérieur, bleu pour les forces de l'ordre, bleu foncé pour la police de la route et kaki pour les troupes fédérales. S'ajoutent à eux le service de garde civile et les hommes en costume avec oreillette qui fourmillent autour de nous. Les gens qui se rendent à la cérémonie doivent être fouillés au corps, leurs sacs ouverts et leurs chaussures passées au détecteur de métaux ; la queue est interminable. La femme de la radio suédoise et moi sommes dirigées vers la file réservées aux femmes. Elle est courte et nous avons rapidement terminé. Au lieu d'attendre le bus, nous partons à pied à la datcha de Ramzan. La route serpente et à intervalles réguliers nous saluons ses forces de sécurité vêtues de noir, qui veillent, l'arme chargée. Elles ne nous rendent pas notre salut. Soudain, nous avons un homme qui marche derrière nous.

« Que faites-vous ici ? Pourquoi n'avez-vous pas attendu le bus ? Pourquoi voulez-vous y aller à pied toutes seules ? »

La route sinueuse descend, il reste moins d'un kilomètre jusqu'au complexe que nous apercevons en contrebas dans la plaine.

Je réponds : « Nous aimons marcher. Nous sommes des femmes qui ne tenons pas en place. »

Il émet un rire un peu forcé. Nous passons devant un chantier et je demande ce que c'est.

« Ce sera un hippodrome, dit l'homme de nulle part.

— Je croyais que Ramzan avait interdit les jeux et les paris.

— Ils courront seulement, s'empresse de répondre l'homme, il ne sera pas question d'argent. »

Nous marchons vers une arche, l'emblème de la nouvelle république : elle est composée d'une tour traditionnelle et d'une tour de forage. Elles sont entourées de rangs de blés au-dessus desquels s'élève une grande montagne. Les deux tours, dans une sorte d'art naïf soviético-musulman, sont dominées par un croissant de lune. Pour entrer, nous passons encore un autre contrôle de sécurité, puis l'homme s'en va, il disparaît dans la foule aussi soudainement qu'il est apparu.

À l'intérieur, il y a trois chemins. L'un passe devant un parterre bordé de pensées mal en point, dont la tête pend, comme si elles venaient juste d'être transvasées de pots desséchés et essayaient de s'en remettre. À l'intérieur du parterre, des soucis orange forment une étoile, au centre de celle-ci quelques roses sourient. Je jette un œil dans un pavillon octogonal à grandes baies vitrées. C'est une salle d'exposition, une collection de peinture. Les toiles représentent Kadyrov I et II, peints grossièrement dans un style larmoyant et sentimental. Poutine aussi est honoré d'un portrait, et même lui a droit à des joues colorées.

Si j'avais pris le chemin de droite, je serais arrivée à la cage où quatre grands lions grondent paresseusement derrière les barreaux de fer, tandis que la panthère et le tigre se faufilent le long des murs. Ramzan a l'habitude de raconter qu'il crache à la figure des animaux avant de les câliner, pour montrer qui est le chef.

Je choisis plutôt le chemin qui mène au cœur du complexe, où se trouvent deux bâtiments – les appartements privés du président et la salle de réception. Je suis conduite vers la deuxième. Je ne peux pas me tromper, en fait : dès que je m'arrête un peu trop longtemps, des jeunes gens surgissent et m'indiquent poliment la direction à suivre. Dans la salle de réception, qui ressemble à un grand chapiteau, les murs blancs sont décorés de rubans turquoise en polyester. Le toit est en matériau brillant et transparent. Les chaises sont couvertes d'une étoffe qui ressemble à de la soie et garnies de coussins violets. Les gens ont commencé à prendre place. Sur la scène, deux femmes se débattent avec un aspirateur. Des fibres rouges collantes déparent la moquette bleue et l'appareil aspire mal ; au bout d'un moment une femme en talons hauts monte en trottinant sur le plateau, armée d'un balai. Une autre, elle aussi en tenue de fête et talons aiguilles, se promène avec un chiffon grisâtre qu'elle passe sur la moindre tache ou le moindre grain de poussière qu'elle aperçoit.

Les éventuelles éclaircies attendues en journée sont bien là. La tente est un vrai sauna. Le sol sur lequel la femme donne un dernier coup de balai miroite et refléchit tellement la lumière que les gens gardent leurs lunettes de soleil à l'intérieur. La luminosité empêche pratiquement de voir les jolies prises de vue de montagnes qu'un projecteur au plafond passe sur le mur du fond.

Plusieurs anciens portent le costume traditionnel et le *papakha* – une toque haute en peau de mouton –, les jeunes sont en costume et les femmes pomponnées de la tête aux pieds. Dans le Caucase une femme doit scintiller et, comme l'année précédente, pour les jeunes comme pour les plus âgées, c'est le motif léopard qui est à la mode ce printemps.

Deux tours en imitation brique, décorées de fragments de miroir, se dressent de chaque côté de la scène. Deux drapeaux, le russe et le tchétchène, constituent la toile de fond. Les premiers rangs sont occupés par les présidents des autres républiques du Caucase du Nord – le Daguestan, l'Ingouchie, l'Ossétie du Nord, la Kabardino-Balkarie et la Karatchaïevo-Tcherkessie. L'ex-président de Tchétchénie, Alou Alkhanov, le seul depuis le début des guerres à ne pas avoir quitté son poste suite à une mort violente, brille par son absence.

La tente est bientôt pleine à craquer, je profite de la confusion générale pour quitter discrètement les places destinées aux journalistes, sur le côté et tout au fond de la salle, et me glisser au cinquième rang, derrière les présidents, mais devant les membres du Parlement.

Je veux voir Ramzan Kadyrov dans les yeux. Il s'avère que je me suis assise parmi les ministres, quelques juges et un des amis notoires de Ramzan, connu pour ses relations tentaculaires dans le monde souterrain de la capitale russe. Du coin de l'œil, je vois un garde s'avancer vers moi et je veille à engager la conversation avec un des juges. Une fanfare de trompettes se fait entendre, le bourdonnement se tait religieusement, et le garde tourne les talons. Des pas lourds descendent l'allée centrale. Un homme portant une bannière marquée de l'emblème de Ramzan – les deux tours – grimpe d'un pas rapide sur la scène. Il fait trois pas, se dirige vers les deux drapeaux et là, il bute avec la pointe de la bannière dans le projecteur, il trébuche, tombe, les images sautent et le projecteur au plafond laisse entendre un bruit de casse. L'homme se redresse, contourne l'appareil et se poste, impassible, entre les drapeaux. Une nouvelle fanfare, et qui arrive en courant ? Ramzan ! Comme un joueur de foot qui entre sur le terrain, il traverse une haie de jeunes gens en jolis costumes folkloriques ; il court à petites foulées, les bras pliés devant la poitrine, comme un boxeur. Il monte les marches de l'escalier deux à deux et il est accueilli sur scène par la femme au balai, sans balai maintenant, qui lui remet une brassée de roses orange. Un homme se précipite vers la chaire et prend la parole.

« Un télégramme du président de Russie Vladimir Poutine est arrivé ! »

Quand il dit Poutine, les enceintes se mettent à grésiller. L'homme, qui se révèle être le président du Parlement, essaie d'allumer le micro et se lance dans la lecture du télégramme. Les crépitements sont toujours là. Il tape sur le micro. Les parasites continuent pendant qu'il lit le message. *L'ordre et la stabilité... Poursuivre le travail... Renforcer la république... S'attacher à améliorer la sécurité...* Les baffles hurlent. Le garçon à la table de mixage à côté de moi appuie fébrilement sur des boutons, pousse des manettes, tourne des chevilles, et on n'entend bientôt plus que le cri de protestation des enceintes, mais on ne peut tout même pas s'arrêter en pleine lecture d'un télégramme de Poutine ? Le président du Parlement hausse de plus en plus la voix. À la fin, il hurle. Nous, les hauts placés des premiers rangs, nous l'entendons, de même que Ramzan, et c'est le plus important. *La volonté du peuple de Russie... Nouvelle énergie... Les meilleurs souhaits...*

Une fois la lecture du télégramme terminée, les enceintes crépitent encore un peu, toussotent légèrement, puis se taisent.

Ramzan s'est tortillé sur sa chaise pendant toute la lecture, comme si son costume était trop petit, ou lui trop grand. On a l'impression qu'on l'a forcé à s'asseoir ici, contre son gré, et qu'en signe de protestation il fait craquer ses doigts, étire ses épaules, tapote des doigts sur l'accoudoir. L'homme élégant assis au même rang que moi a relevé ses lunettes de soleil sur son front. Je l'ai déjà vu sur des photos avec Ramzan : un homme d'affaires accusé d'être le commanditaire du meurtre du directeur d'un hôtel de luxe à Moscou d'origine américaine. Il a un visage régulier, des yeux sombres et un nez aquilin, et pendant que les télégrammes, ou ce qu'ils appellent des faxogrammes, sont lus, les uns après les autres, il me lance un coup d'œil espiègle. Via les ministres et les juges de toute la rangée, il me fait parvenir un papier où il a griffonné son numéro de téléphone. Les intermédiaires échangent des regards éloquents ; Ramzan lui, n'a toujours pas trouvé de position confortable, il tient désormais son visage dans ses mains, l'air découragé : cette cérémonie ne va-t-elle jamais finir ? Il pose les coudes sur la table devant lui. Les flashs crépitent, du moins ceux des journalistes étrangers qui apprécient d'avoir ce genre de photos dans leurs archives, pour illustrer leurs articles quand les problèmes s'accumulent. La presse locale, elle, préfère les clichés du président quand il se tient enfin droit, quand il se lève pour prêter serment. La main sur la Constitution russe, il jure de respecter tout ce qu'elle contient. L'orchestre en uniforme de gala joue une nouvelle fanfare, et c'est terminé. L'homme en chemise rose et costume de soie blanche s'avance vers moi d'un pas nonchalant.

« Je m'appelle Omar, dit-il. Vous voulez rencontrer Ramzan ? »

Je me retourne furtivement vers le représentant du bureau tchétchène à Moscou, bien occupé à surveiller le reste des correspondants étrangers. Je hoche la tête. Le type, qui selon les accusations américaines est un meurtrier, a remis ses lunettes de soleil à monture dorée. Il me prend par la main et m'entraîne vers la maison au milieu des pensées. Du coin de l'œil, je vois que mes collègues de l'avion attendent dehors. J'espère qu'ils ne me remarquent pas, marchant main dans la main avec le millionnaire à la chemise rose, mais je ne me dégage pas de l'étreinte.

Juste derrière le copain du président, je suis conduite dans le saint des saints, le monde de Ramzan. Un homme de la sécurité tend le bras vers moi, mais quand il aperçoit la main de mon nouvel ami, il s'écarte.

L'entrée est dominée par une énorme cheminée. Comme tant de nouveaux bâtiments construits à la va-vite, la bâtisse dégage une impression de toc, un peu atténuée néanmoins par la présence de peintures de paysages et d'antiquités tchétchènes. Postés devant la cheminée, la mère de Ramzan, ses sœurs et un oncle accueillent les gens. J'ai le sentiment que la pression de la main de l'homme en costume de soie est de plus en plus forte. Il m'entraîne dans la maison ; nous remontons un couloir et tout au bout, nous passons une porte vers laquelle les invités semblent se diriger. Les meubles sont blanc et doré et les voilages gardent la journée ensoleillée à l'extérieur. C'est frais et aéré après la fournaise du hall de cérémonie.

Un général russe est assis à une table regorgeant de plats. J'ai déjà vu son visage à la télé et dans les journaux. Il verse de la vodka dans les verres. L'alcool n'est manifestement pas interdit ici et le général parle déjà à tort et à travers – comme si tout cela n'était qu'une comédie du théâtre absurde russe. Il braille ses histoires à droite et à gauche, tandis qu'une certaine répugnance pointe dans les sourires polis des dirigeants tchétchènes distingués et décorés. Mais que fait ce barbare chez nous ? disent ces visages. Même dans le gouvernement de marionnettes, les liens avec les Russes sont entretenus plus par nécessité que par plaisir.

Un rugissement se fait entendre. C'est l'oncle qui étreint Ramzan dans le hall. Ils entrent tous les deux dans la pièce. La mère et les sœurs restent dehors, et je réalise que je suis la seule femme dans la salle de réception. Ramzan reçoit les félicitations et les cadeaux, mais l'homme ne serait-il pas un peu crispé ?

Le jeune président semble absent alors qu'on le congratule. Il répond par monosyllabes ou une tape de la main.

Le matin même, il avait pleuré sur la tombe de son père à Tsentoroï, m'expliquera l'oncle plus tard. Ramzan l'avait appelé pour lui demander de venir lire une prière avec lui. « La journée a été émotionnellement très chargée pour lui », dira-t-il.

Je sens qu'on tire sur ma main : l'individu en costume de soie qui n'a pas arrêté de dire bonjour à droite et à gauche s'en va. Il présente l'invitée norvégienne au nouveau président. « N'est-elle pas jolie ? » plaisante-t-il. « Très », répond Ramzan en détournant les yeux. Je me demande ce que je dois dire, si je peux féliciter un bourreau. Je me contente de paroles vides et regarde dans une paire d'yeux apeurés. Je me fais des idées ? L'homme robuste, l'ancien garde du corps, le soldat, l'homme qui dispose de sa propre prison, de son armée, de son club de boxe et de son fan club, ne semble avoir qu'une envie : être loin d'ici, de cette salle de réception, de ces maîtres de cérémonie. Il veut faire du cheval, de la boxe dans son club, jouer avec ses lions, tirer à la cible. « Je vous rencontrerais volontiers à une autre occasion », dis-je. Il acquiesce. J'ajoute : « Pour une interview. »

« Celle-là veut tout autre chose de toi ! » plaisante grassement le gros général toujours assis à sa table. J'ai chaud aux joues.

« Ah ! Ah ! Ah ! » éclate-t-il de rire, ses joues ballottent.

« Plus tard, répond Ramzan, plus tard. »

Il est étreint par de nouveaux invités de marque, il jouit d'un pouvoir immense sur son peuple, et pourtant il ne peut pas jeter dehors ce général grossier. Car le regard dans le vague du Russe dit autre chose : « Tu n'es qu'un pion dans notre jeu du Caucase. Tu resteras tant que nous aurons besoin de toi. Exactement comme ton père. »

« Partons », dit le millionnaire et nous quittons les dorures. « Qu'allons-nous bien pouvoir faire... », dit-il dans le couloir en me prenant le bras. « Allons... » commence-t-il au moment où nous sortons dans la lumière vive, mais il est interrompu par le représentant du bureau tchétchène qui arrive en courant, les yeux écarquillés ; il est tellement sur les dents qu'il ne voit pas l'homme de l'étincelant monde souterrain. Il est sur le point de me chapitrer pour ne pas avoir suivi ses instructions, mais à ce moment-là il aperçoit l'homme riche, il se reprend et salue humblement, avant de me cracher : « On ne disparaît pas comme ça ! Nous vous avons cherchée ! Le bus s'en va ! L'avion aussi ! »

Je suis conduite dans le vieux bus bruyant. Sur le chemin de l'aéroport, nous nous arrêtons dans le parc à la mémoire du père de Ramzan. « Ici, vous êtes tout à fait libres de parler à qui vous voulez, dit le représentant. Vous avez dix minutes ! »

J'ai l'impression que dans le parc une personne sur deux est un gardien, faire des interviews semble dénué de sens. J'emboîte plutôt le pas à une équipe de la télévision russe pour écouter les réponses des gens.

« Ramzan est notre héros !

— Regardez comme il a reconstruit notre ville.

— Nous remercions Ramzan !

— Nous rendons hommage à Ramzan !

— Il nous a rendu Grozny.

— Tout ce qui nous entoure, nous le lui devons ! »

Les réponses pleuvent et réveillent le souvenir des interviews dans les rues de Bagdad sous Saddam Hussein. Les mêmes phrases. Les mêmes expressions de joie exagérée sur le visage des gens. Même les envoyés spéciaux de la chaîne nationale se lassent.

« N'y a-t-il pas d'autres choses qu'il devrait faire ? Ou quelque chose peut-être que vous vous voudriez lui demander ?

— Ramzan le sait mieux que nous. Ce qu'il juge indispensable de faire, c'est ce qu'il faut faire. Il agit pour notre bien. »

L'envoyé du bureau de représentation vient vers nous et écoute en douce les interviews des gens de la télé.

« Regardez comme vous pouvez parler librement aux gens, dit-il avec enthousiasme. Désormais vous pouvez vous promener sans danger ici, aller où vous voulez, ajoute-t-il. Vous aviez sûrement peur avant de venir en Tchétchénie, sourit-il, compréhensif. Mais toutes les menaces ont été annhilées et regardez : les gens s'expriment librement, franchement. Plus personne n'a peur. »

Allez ouste ! on nous rembarque dans le bus, et il faut se dépêcher car l'avion va partir. Nous filons vers l'aéroport où nous attendons jusqu'à la tombée de la nuit. Le soleil disparaît et les grandes baies du terminal nous étreignent de leurs courants d'air froids, puis on nous entasse dans la cabine étroite. Nous volons dans le noir, les sommets du Caucase sont invisibles sous nos pieds.

Le lendemain, les journaux russes parlent de la grande cérémonie d'investiture du nouveau président tchétchène, d'une fête avec du champagne et du caviar, de la carpe et de l'esturgeon, de l'agneau et de la vodka, où le président lui-même n'a pas bu une goutte d'alcool.

Une des premières œuvres du président qui ne boit pas est de fermer tous les orphelinats publics. Selon Ramzan, ils sont contraires aux traditions tchétchènes : « Nos coutumes nous interdisent formellement d'abandonner un enfant. Un tel geste a toujours été considéré comme une honte pour toute la famille. »

Bienvenue en Ramzanie !

# New Grozny & The Green Zone

Un mois plus tard je suis de retour à Grozny, dans la *zone verte*. Avec tous les papiers en règle. Cette fois-ci, tout s'est fait au grand jour : des copies des accréditations et de ma carte de presse ont été envoyées avec une liste de ce que je souhaitais faire : interviewer Ramzan Kadyrov. Début mai, j'ai appris que le président m'attendait.

Avant même d'entrer dans le hall d'arrivée, je suis appelée aux haut-parleurs. Ramzan en costume et Sultan en tee-shirt rouge m'attendent au guichet d'information. Pas le président Ramzan, mais un homonyme du Comité pour la jeunesse censé veiller sur moi pendant le séjour ; Sultan est le chauffeur. Il est trapu, avec un visage ouvert et souriant et des boucles grises touffues. Le membre du Comité pour la jeunesse est très jeune, très pâle et son front luisant de boutons rouge vif. Il veut m'emmener sur-le-champ voir tout ce qui a été reconstruit. Grozny, au cours de cette dernière année, a complètement changé d'aspect. Les rues sont asphaltées, les trottoirs bouchés. On est entouré de bruits sourds et de coups, de grues qui grincent. Sur la route de l'aéroport, on ne voit pas la moindre maison détruite par la guerre. Plusieurs façades sont recouvertes de panneaux colorés. Des balcons jaunes. Des carrés violets. Des parties vert clair. Et partout, les mêmes affiches de Ramzan et son père.

« *This is new Grozny* », m'explique mon guide fièrement. Il a dans la vingtaine et passe la plupart du trajet le nez sur son portable à envoyer des SMS. Dès le début, nous nous irritons mutuellement.

« *And this is The Green Zone* », dit-il quand nous nous arrêtons devant le barrage du complexe gouvernemental.

Les documents sont vérifiés par des soldats russes. Si on vous laisse passer, vous arrivez à une autre porte, elle aussi gardée par des Russes, et pour finir, vous êtes contrôlé avant d'entrer dans le lieu de votre choix : le bâtiment du gouvernement, l'administration présidentielle, la centrale de surveillance, la base militaire, le bureau électoral ou la mosquée, où le président prie chaque vendredi.

Le mur d'enceinte de la zone verte fait dix mètres de haut et il est gardé par dix miradors. À l'intérieur, le long de la muraille, les chars sont alignés, de façon à pouvoir former une ceinture de sécurité en cas de nécessité. Quelques années auparavant, un kamikaze a foncé droit dans un des bâtiments administratifs avec un camion chargé d'explosifs ; plus de cent personnes ont été tuées. L'endroit est une ancienne usine dont les ruines constituent la partie extérieure de la zone. Derrière les barrages, plusieurs bâtiments sont de construction récente. Le plus grand est celui du gouvernement, il est blanchi à la chaux, avec de larges escaliers. La place juste devant est revêtue de dalles pourpres et grises. Les jardins sont nouveaux et la pelouse n'étant pas encore plantée, les herbes folles ont pu y proliférer à loisir. Tous les arbres, comme dans le reste du centre-ville, sont des pousses malingres mises en terre l'année précédente.

« Ramzan est ici », murmure d'un air entendu le chauffeur au tee-shirt rouge, tandis que notre propre Ramzan est occupé au poste de garde avec mes papiers.

« Vous voyez les voitures gris métallisé devant le bâtiment ? C'est l'escorte de Ramzan », indique-t-il. Les voitures sont des Lada, la marque la plus courante en Russie.

« Récemment il a commandé trois mille Lada 110 », me confie Sultan. « Souvent, il conduit lui-même. Il aime bien et comme ça personne ne sait dans laquelle il se trouve. Vous savez, il doit rester sur ses gardes en permanence, il est toujours en danger. »

Chaque voiture est occupée par deux hommes aux muscles saillants sous le maillot : les kadirovski. Ils sont carrés d'épaules et costauds. Si certains portent un costume et d'autres une casquette sur la tête et un tee-shirt noir marqué *Service de sécurité du Président* dans le dos, tous ont le même visage large et la même petite barbe bien taillée. Sont-ils choisis pour leur ressemblance avec le président, afin de semer le doute auprès d'un éventuel terroriste : lequel est Ramzan ? Celui-ci ? Ou celui-là ?

On m'attribue la chambre 3 à l'Astoria, un bâtiment gris à côté de la mosquée avec des fenêtres pare-balles. Là encore, ce sont des soldats russes qui sont assis à l'entrée : seule l'armée fédérale est en faction dans la zone verte. On ne fait pas confiance aux force locales ici, je suis donc entourée de soldats de Lipetsk, Arkhangelsk, Kalouga ; des paysans pour la plupart, dont quelques filles. Eux au moins, on est sûr qu'ils ne seront tentés de participer à aucun coup d'État contre le gouvernement.

Une délégation de cinq hommes me suit dans le couloir – Adlan, le conseiller du Premier ministre, Mamed, le représentant de la Tchétchénie au Conseil de l'Europe, le directeur de l'hôtel, le chef technique et le Russe de garde.

« Super », dis-je quand le chef technique ouvre en grand la porte de la chambre. « Très agréable. »

Ça sent le moisi. Dans le coin où se trouve le lit, des gouttes tombent du plafond, peut-être est-ce une canalisation à l'étage supérieur. Les plaques au-dessus de nos têtes sont sur le point de tomber et du plâtre grisâtre jonche le sol.

« Vous voulez certainement vous reposer », dit Mamed, presque suppliant.

Je pense : non. Je dis : « Oui.

— Dans ce cas, nous viendrons vous chercher dans quelques heures », conclut-il.

La chambre me rappelle étrangement des expériences passées dans les hôtels soviétiques. Quand je pose un pull sur l'étagère de l'armoire, celle-ci bascule en arrière et tombe sur celle du dessous. Je tente de la fixer, mais il manque deux crochets, je range donc mes vêtements de façon à répartir également le poids. Toutes les portes de placard sont de travers et dans le réfrigérateur il fait aussi chaud que dans un sac plastique au soleil. Heureusement les bouteilles d'eau que j'ai emportées n'ont pas besoin de se boire fraîches. Dans la salle de bains, la plupart des carreaux du carrelage ont disparu, les parois de la cabine de douche sont bancales et quand, par inadvertance, je me cogne le genou dans les toilettes, elles se décalent d'une dizaine de centimètres. Je m'empresse de les replacer. Je m'allonge sur le lit, il est mouillé. Je le bouge et mets la couverture à sécher sur les montants. Quel âge peut bien avoir le bâtiment ?

Deux ans, m'apprendra-t-on plus tard. Je me souviens de la seule voix critique entendue un mois auparavant, lors la journée marathon où Ramzan Kadyrov fut investi président. Alors que je m'extasiais sur la rapidité de la reconstruction de la ville, une journaliste tchétchène avait chuchoté : « Ils construisent vite et mal. Ils construisent des coquilles. Plusieurs plaques collées sont déjà en train de tomber. Il faudra bientôt tout recommencer. »

Deux heures plus tard, le beau Mamed frappe à ma porte pour m'emmener visiter Grozny. Malheureusement, il doit partir à Strasbourg le lendemain. J'ai été un peu surprise de le trouver ici. La dernière fois que je l'ai rencontré, c'était à une conférence organisée par le centre Olof-Palme à Stockholm sur la situation des droits de l'homme en Tchétchénie. Des militants des différentes organisations de défense des droits de l'homme avaient été conviés, aussi bien des Russes que des Tchétchènes, plusieurs d'entre eux étant personnellement menacés par Kadyrov. Anna Politkovskaïa avait activement participé, pleine d'énergie, recadrant les conversations quand elles devenaient trop fumeuses. Lors du dernier dîner, nous étions convenues de nous revoir à Moscou où je devais me rendre quelques semaines plus tard. « À la maison, nous devons nous rencontrer à la maison. Moscou pour moi se résume désormais à mon propre appartement, à celui de mes parents, de mes enfants et de mes amis. Le reste est vulgaire, grotesque », avait-elle dit. J'ai pris le vol pour Moscou trois semaines plus tard. Pour assister à son enterrement.

Mais que faisait Mamed à Stockholm ? Était-il envoyé par Kadyrov ? Son bureau est à l'Astoria, mitoyen avec l'appartement du Premier ministre, le meilleur ami de Kadyrov.

Maintenant il veut me montrer la perspective de la Victoire, rebaptisée perspective Kadyrov. Nous pénétrons dans une rue récemment ouverte.

« Elle a été fermée pendant des années », m'explique Mamed. Nous jetons un coup d'œil au parc Kadyrov et à la mosquée en construction ; elle est censée être la plus grande d'Europe, en tout cas de Russie, en tout cas la plus grande du Caucase, elle a été dessinée par un architecte d'Istanbul. Tandis qu'il montre du doigt les nouveaux magasins, je l'interroge sur la conférence de Stockholm. « Je dois me tenir au courant », répond-il, tout en s'extasiant sur la régularité de l'asphalte. « Avant, je passais mon temps à réparer la voiture, elle ne supportait pas les trous et les nids-de-poule », dit-il. J'insiste : « Mais qu'avez-vous pensé de la conférence ?

— Ils exagèrent », répond-il brièvement en faisant le tour des « trois idiots » au bout de la nouvelle avenue. Selon lui, Amnesty exagère. Memorial exagère. Le comité de Helsinki exagère. Human Rights Watch exagère.

L'Union européenne exagère. L'ONU exagère. Et, surtout, les États-Unis exagèrent.

« Ils en vivent, dit-il.

— De quoi ?

— De leurs exagérations. En expliquant au monde entier l'importance de leur travail. Toutes les atteintes aux droits de l'homme qu'ils révèlent, c'est ça qui leur rapporte de l'argent, qui leur permet de trouver des soutiens et des sponsors. Je ne nie pas qu'il y a des enlèvements et que des gens disparaissent, mais il s'agit généralement des criminels habituels ou de règlements de comptes familiaux, des choses pour lesquelles le gouvernement ne peut malheureusement rien faire. »

Mamed m'emmène dans une pizzeria, la seule de Grozny, au milieu de la perspective Kadyrov. Les chaises en plastique jaune et les tables en terrasse ont vue sur le terre-plein central où les sapins peu fournis ont légèrement verdi depuis l'hiver et où les jeunes gens de Grozny flânent.

Le soleil est en train de se coucher et une lumière douce baigne le toit des maisons ; des gens sur les bancs mangent des graines de tournesol ou boivent du Pepsi. L'atmosphère est calme, légère, et cette soirée de mai fraîche et belle. Mamed veut manger à l'intérieur. « Il y a trop de poussière dehors. »

La pizzeria ne sert pas d'alcool, comme la plupart des restaurants et cafés de Grozny. Ramzan en a décidé ainsi. Il a également décidé d'interdire les discothèques, qui sont une pernicieuse invention de l'Occident. Il veut une société islamique pure, de travailleurs acharnés. Nous buvons du Fanta. « Dans certains restaurants, ils ont des petits boxes où on peut commander de l'alcool, explique Mamed. Ça ne pose aucun problème tant que personne ne le voit. »

La conversation entre nous est laborieuse. Je ne sais pas jusqu'à quel point Mamed rapporte ce dont nous parlons. J'ai compris qu'il était bien informé à mon sujet, et je m'étonne en fait d'avoir été invitée à venir. Son dernier mail, envoyé la veille de mon départ de Moscou, m'a surprise :

« Don't worry – we will try to organize your visit to Chechnya and meeting with Mr Kadyrov in a best way so that you can prepare your book in a best manner and give a present to Kongeriket Norge[3] in a form of new best-seller. »

Le soleil s'est couché et les chaises en plastique jaune ont disparu dans la nuit. Le volume de la musique augmente. La soirée commence à peine, et je suis reconduite chez moi.

3. « Le royaume de Norvège », en norvégien. (*N.d.T.*)

# Le château de la jeunesse

Une maison couleur pêche, aux colonnes et aux encadrements de fenêtres et de portes blancs, se dresse fièrement au bout de la perspective Kadyrov. Le corps du bâtiment de style colonial est imposant, avec saillies et balcons décorés. Légèrement en retrait, il domine une place avec des jets d'eau et deux canons de la guerre de Crimée, autrefois utilisés par Léon Tolstoï, dit-on. Au-dessus de l'entrée, sur toute la longueur, une banderole proclame en lettres vertes : *Ramzan, nous sommes toujours avec toi.* Une petite plaque près de la porte indique *Comité du gouvernement pour la jeunesse*. Celui-ci est plus communément appelé : le château de la jeunesse.

Des flots de jeunes gens bien habillés entrent et sortent de la somptueuse entrée. Les filles, jolies et maquillées comme des poupées, portent des jupes à mi-genou, ni plus longues ni plus courtes, et des chemisiers ajustés, mais sages. Sur des chaussures à très hauts talons, elles traversent la place d'un pas balancé, d'une impressionnante élégance, et avec une grâce digne d'une ballerine.

Des bandeaux gais remplacent le foulard triste que le président a demandé aux femmes tchétchènes de porter. Le 8 mars, qui est la journée de la femme, il a rassemblé toutes les étudiantes dans le plus grand amphi de l'université. « La femme est ce que nous avons de meilleur, c'est pourquoi elle doit être honorée et protégée », a-t-il dit, enjoignant aux professeurs de faire respecter l'ordre du foulard. Vers la fin de la séance, devant des caméras de télévision bourdonnantes, il a écarté la main et annoncé qu'il leur avait apporté un cadeau à toutes : un foulard pour chacune. Ses collaborateurs ont distribué les morceaux de tissu en précisant que Ramzan serait très déçu si elles ne les mettaient pas.

Les filles du château de la jeunesse ont trouvé une solution intermédiaire : le bandeau large leur donne un air respectable, tout en ne gâchant pas une tenue soigneusement étudiée. La plupart des filles qui entrent et sortent du bâtiment couleur pêche ont la vingtaine. Selon la tradition, si elles ne sont pas mariées, elles peuvent choisir de ne pas porter le foulard.

Les princes du château se tiennent droit, ont une démarche de cow-boy et le regard sans cesse aux aguets. Quelque chose chez les hommes tchétchènes fait qu'ils semblent toujours sur leurs gardes. Prêts à se défendre ou à attaquer, comme s'ils étaient habités d'une tension permanente. La nervosité transpire dans la ville. L'adrénaline est dans l'air. À en juger par la scène de la rue, il y a peu de rêveurs déconnectés de la réalité, peu de gens qui flânent sans but en philosophant, bien moins de Raskolnikov que de Rambo.

Les garçons portent plutôt des jeans, noirs ou bleu délavé, à taille haute et serrés à la ceinture. Leurs tee-shirts moulent des pectoraux musclés. Ils marchent le torse bombé et les fesses en arrière, avec les bras ballants, loin du corps, comme si les muscles du dos, trop endoloris par la musculation, les empêchaient de les laisser tomber. Beaucoup ont adopté le look du chef : des cheveux courts et une barbe bien taillée. D'autres ont les cheveux un peu plus longs, avec une frange dans les yeux, mais il ne faut surtout pas qu'ils soient longs dans le cou, car c'est le signe de convictions religieuses fondamentalistes.

Le garde et vigile que l'on m'a assigné viennent de ce milieu. Durant ce voyage officiel, mes pas sont suivis de très près. Mon Ramzan est de taille moyenne, moyennement costaud, moyennement beau ; il a un visage carré, des cheveux bruns et des yeux marron.

Juste après le premier contrôle de sécurité à l'entrée, nous tombons sur plusieurs autres gardes qui tripatouillent leur arme, la regardent, la nettoient, la chatouillent, la câlinent, lui donnent une petite tape. Pendant qu'ils étudient les visages, vérifient les documents et examinent les sacs, on entend sans arrêt le clic des pistolets qui sont chargés, posés sur la table, rechargés, avant de retrouver enfin leur place dans l'étui, au chaud contre la hanche du propriétaire.

Nous traversons un grand hall de marbre et montons un escalier impressionnant. À chaque étage, de part et d'autre des marches, il y a un long couloir. De beaux jeunes gens entrent et sortent des bureaux d'un pas pressé. Ramzan me fait visiter en lisant les plaques sur les portes – service de l'information, service analytique, service de l'organisation, service de l'innovation, service des contacts avec la société, service des contacts avec la presse, service des relations étrangères, service des médias, service de l'éducation patriotique, la station de radio.

« Impressionnant, dis-je.

— Oui, n'est-ce pas.

— Je voudrais tous les interviewer.

— Tous ???

— Tous les services, oui. »

Le premier arrêt est au service de l'organisation. Deux jeunes filles lèvent les yeux vers moi et m'informent que leur chef n'est pas là, alors si je pouvais revenir plus tard...

« Je voudrais seulement savoir ce que vous faites.

— Nous ne sommes que des employées.

— Mais que faites-vous ? »

Elles se regardent, hésitent.

« Vous devez bien savoir quelle est la mission du service de l'organisation ? »

Mon vigile leur demande de répondre.

« Nous organisons des concerts, invitons des chanteurs, des groupes et tout ça. Et puis nous organisons des actions.

— Quel type d'actions ?

— Actuellement nous préparons la célébration du 9 mai et la victoire de la Grande Guerre patriotique. Le même jour, nous commémorerons le meurtre d'Akhmad Kadyrov. Le mois prochain, le 12 juin, c'est le jour de la Constitution en Russie. Nous organisons un grand concert. Le 14 juillet, nous célébrerons les cent premiers jours de Ramzan au poste de président. Cet été, il y aura aussi beaucoup de concerts, le 1er septembre nous fêterons la rentrée des classes, le 5 octobre, ce sera le trente-et-unième anniversaire de Ramzan, et cetera. Mais nous sommes un peu occupées tout de suite... »

Nous frappons à la porte suivante. Celle qui indique « service de l'information ».

« Nous informons sur les différentes actions et les concerts organisés en soutien au président, explique un garçon. Nous distribuons des tracts, collons des affiches, envoyons les invitations. En ce moment, nous informons sur la manifestation du 9 mai. Elle aura lieu au stade Dynamo et Ramzan sera présent. Ce sera fantastique. Par ailleurs, nous nous rendons à droite et à gauche pour parler de Ramzan et du travail de l'administration du président.

— Faites-vous autre chose ?

— Le mois prochain c'est la fête nationale russe et en juillet cela fera cent jours que Ramzan est président... »

Nous continuons et allons au service des médias où quatre jeunes hommes sont assis chacun devant leur ordinateur. Dans le château de la jeunesse, ils ont le wifi et Internet vingt-quatre heures sur vingt-quatre, m'annonce fièrement Ramzan. Comme dans les autres pièces, des affiches du président et des portraits de feu son père ornent les murs. Les garçons portent des tee-shirts avec Ramzan sur la poitrine.

« Nous informons les médias des manifestations, des concerts et des événements que nous organisons en soutien à notre président, et puis nous informons d'une manière générale sur l'action de Ramzan pour la jeunesse. Et puis nous sommes présents sur les événements, pendant les cérémonies, les concerts... Ramzan soutient à fond la jeunesse, vous savez. »

Nous continuons vers le service analytique. « Nous récoltons la matière et l'analysons, dit un jeune homme.

— Quel type de matière récoltez-vous ?

— Nous demandons aux gens différentes choses.

— Comme quoi ?

— Vous savez, je suis très occupé là. Vous pouvez revenir un autre jour ? »

Dans le service des relations étrangères, auquel appartient mon vigile, un groupe est en train de discuter et de planifier ses futures relations internationales.

« Actuellement, nous collaborons avec différentes régions de Russie, explique Ramzan.

— Mais la Russie n'est pas à proprement parler l'étranger ?

— Non, mais nous commençons par là.

— Avec qui collaborez-vous ?

— Avant tout avec les jeunesses patriotiques “Nachi”. Certains d'entre nous sont actuellement à Moscou pour les soutenir et manifester avec eux devant l'ambassade fasciste d'Estonie. Que les Estoniens aient retiré la statue du soldat russe à Talinn est une honte ! »

Au service de l'innovation, nous sommes accueillis par la ravissante Aïgoul.

« Vous travaillez sur quoi ici ?

— L'innovation.

— Oui, mais que faites-vous ?

— Nous repensons les choses, en trouvons de nouvelles.

— Comment ça ?

— Nous imaginons des actions qui n'ont jamais eu lieu auparavant.

— Comme quoi ?

— Nous invitons des groupes et des artistes qui ne sont encore jamais venus en Tchétchénie, par exemple.

— Vous organisez donc des concerts et des manifestations ?

— Oui.

— Vous faites donc exactement la même chose que tous les autres ?

— Je ne sais pas trop, je viens juste de commencer. Je suis là depuis trois semaines. Mais non, nous ne faisons pas la même chose que tous les autres. Nous imaginons de nouvelles choses. Nous organisons des *events*, des concerts que nous n'avons jamais eus ici auparavant. Là, nous allons distribuer un calendrier avec des citations d'Akhmad Kadyrov. Ça, personne ne l'a encore jamais fait. »

Quelques citations ornent le mur, comme par exemple : *Je vais courageusement de l'avant, parce que je sais que mon dos est protégé par Ramzan.*

La porte marquée « service patriotique » abrite Rouslan, assis derrière un bureau. Il est un peu plus âgé que ceux des autres services.

« Nous nous préparons au 9 mai, dit-il. Les jeunes et les vétérans se rassembleront pour commémorer Akhmad Kadyrov. C'est important, assure-t-il.

— Quelle est la principale mission du service patriotique ?

— Notre tâche principale, notre objectif avant tout, est d'accroître l'intérêt des jeunes vis-à-vis de l'armée et de les encourager à s'inscrire au service militaire. Pour l'instant, aucun Tchétchène ne sert hors de la république. L'histoire est encore trop récente, beaucoup ont quelque chose à venger, et puis vous savez avec le *dedovtchina* – le bizutage et les sévices infligés par les soldats plus anciens –, il y a malheureusement beaucoup d'abus. Dans la situation actuelle, ils restent tous ici, dans la garde, la police, les forces ferroviaires, le bataillon du génie. Nous nous battons pour que les garçons soient appelés à partir de seize ans. Ils devraient déjà recevoir une éducation militaire à l'école qui mêlerait l'enseignement théorique et pratique. Les cours de sport devraient se baser sur l'entraînement militaire. Nous avons des exercices où les enfants apprennent à démonter une arme, oui, même une arme automatique, car en connaître le fonctionnement est important. Puis nous organisons le concours de celui qui est le plus rapide à démonter et remonter son arme. Il y a aussi des courses d'obstacles, des concours de pompes, de force et de rapidité. L'armée forme les gens. Grâce à elle, ils adoptent un autre point de vue sur le monde.

— Quel autre genre de point de vue ?

— Leur regard change.

— De façon positive ?

— Oui, de façon positive, bien sûr.

— Comment ça ?

— Les gens ressortent du service plus intelligents et plus mûrs. Ils commencent à penser. Avant les guerres, les jeunes ne s'intéressaient à rien. Le système soviétique où tout le monde devait être pareil mais où, malgré tout, les Russes dirigeaient, les avait rendus passifs. Ils s'intéressent à tellement de choses maintenant. La religion est la seule voie qui permette d'éviter les crimes et les délits, de former les gens, de les faire progresser, les purifier. Nous avons pris un nouveau départ grâce à notre grand dirigeant Ramzan Akhmatovitch Kadyrov. Et vous savez, Ramzan avait les larmes aux yeux quand il a vu tout ce que nous faisions à la maison de la jeunesse. Il est content de nous, il nous soutient.

— C'est plutôt vous qui le soutenez, non ?

— Oui, bien sûr. *My odna komanda*. Nous sommes une équipe. »

Rouslan me regarde.

« Vous devez aussi écrire que nous publions plein de journaux et de brochures.

— Super, j'aimerais bien les lire.

— Euh, en ce moment même, ma secrétaire de l'information n'est pas au bureau et nous n'avons rien ici, mais je crois qu'elle a quelques exemplaires chez elle. »

Je le remercie pour la conversation.

« Nous ne devons jamais oublier qui nous sommes », déclare-t-il en me serrant la main pour me dire au revoir. « Aujourd'hui, nous avons besoin du patriotisme, des traditions, de l'histoire. Tant de choses ont disparu, brûlé. La bibliothèque a perdu presque tous ses livres, le musée presque toutes ses peintures, soupire Rouslan. Tant de morts. Tant d'innocence brisée. »

Nous entrons chez le grand chef du château de la jeunesse. D'une stature imposante, Baslan est coiffé comme un étudiant dans les films américains des années 1980 et habillé comme un jeune militant de droite en Occident. Il a les cheveux auburn, les yeux marron et une peau pâle constellée de taches de rousseur : des couleurs typiquement tchétchènes. Derrière lui est accroché le drapeau du « Nachi », qui signifie « Les nôtres » – un drapeau rouge barré d'une croix blanche. Baslan est le responsable de la section tchétchène du Nachi et de celle du parti pro-Poutine « Russie unie ».

« “Les nôtres” est un mouvement de jeunesse démocratique antifasciste. Nous sommes cent pour cent démocrates, commence Baslan. L'an passé, notre université d'été a réuni cinq mille commissaires, dont je fais partie. Avant, il y avait les camps des Jeunesses communistes, maintenant “Les nôtres” ont les leurs. On y donne des conférences sur l'économie, le patriotisme, la société, c'est très intéressant, c'est une sorte de stage de formation.

Celui qui détient l'information détient le monde. Et vous imaginez, Ramzan est venu lui aussi. Vous voyez la photo sur le mur, de moi avec Ramzan ? Elle a été prise là-bas. J'en suis très fier. »

Baslan a la même photo sur son téléphone portable. Par la suite, je remarquerai que les ministres de Ramzan, sa famille et des connaissances plus superficielles ont eux aussi Ramzan sur leur portable. Tout ceux qui ont un jour été photographiés avec le président semblent avoir ce type d'image en fond d'écran.

« Nous devons TOUT à Ramzan, assure Baslan, mais nous faisons, nous aussi, des choses. Nous distribuons des calendriers, nous collons des affiches. Le 8 mars nous avons offert des roses à toutes les femmes de Grozny, un cadeau de Ramzan. Vous voulez voir ? Nous avons fait une vidéo. »

Baslam appelle un de ses hommes à tout faire, qui nous trouve le bon passage. De jeunes hommes en vestes bleues de « Russie unie » distribuent des fleurs dans les rues. « Pour vous, de la part de Ramzan », disent-ils. Une femme s'écrie : « Jamais de ma vie personne ne m'a donné de roses, et maintenant Ramzan le fait. Ramzan ! Tu es un héros ! »

« Émouvant », dis-je.

Baslan tapote sur le bureau avec un stylo. « En ce moment, Je voudrais être devant l'ambassade d'Estonie à Moscou. Avec "Les nôtres". »

Quand le gouvernement estonien a voulu déplacer le monument aux morts de la Seconde Guerre mondiale – représenté par un soldat soviétique en bronze –, cela a soulevé l'opinion russe. À Talinn ils se sont attroupés autour du soldat en bronze et un homme a été tué dans l'émeute ; à Moscou les manifestants ont bloqué l'ambassade d'Estonie. En un temps record, ils ont imprimé et accroché des affiches « *L'Estonie est un État fasciste* » et ont aussi fabriqué des pulls, des tee-shirts, des blousons et des chapeaux avec le même slogan anti-Estoniens. Une tente arborant le même message a tout à coup été montée devant l'ambassade, les jeunes ont mis de la musique assourdissante jour et nuit, s'en sont pris aux visiteurs de l'ambassade et ont arraché le drapeau de la voiture de l'ambassade de Suède. Pendant tout ce temps, la police les a regardés faire.

« Que faites-vous d'autre pour la jeunesse ?

— Nous venons de lancer une pétition qui a réuni vingt mille signatures pour qu'une statue de Nikita Khrouchtchev soit érigée.

— Pourquoi ?

— C'est lui qui nous a laissés retourner dans notre patrie après que Staline et Beria nous en avaient chassés. Après son discours au XX^e congrès du parti en 1956, nous avons été réhabilités. Ramzan nous soutient. Il a promis qu'une rue de Grozny porterait son nom. »

Je suis frappée par la récurrence du passé soviétique. Est-ce le résultat d'un présent trop dangereux et trop confus ?

« Nous sommes des patriotes, c'est pourquoi nous nous intéressons à l'histoire. Nous soutenons la Russie, mais chez nous c'est ici. La Russie est devenue plus forte avec Poutine, et j'en suis heureux. Nous essayons d'aider le gouvernement, aussi bien le russe que le tchétchène, c'est notre devoir.

— Les atteintes aux droits de l'homme, Baslan, dont plusieurs commises par le service de sécurité du gouvernement, ça ne vous alarme pas ?

— Dans une guerre, les droits de l'homme sont toujours violés. Après une guerre aussi. Vous savez, si quelqu'un détruit votre maison et ne la reconstruit pas, les droits de l'homme sont déjà bafoués. Mais maintenant nous rebâtissons Grozny, vous avez vu ?

— Qu'en est-il des disparitions ?

— La police s'en occupe. Je pense que l'affaire va être réglée.

— Et la liberté de la presse qui n'est pas respectée ? »

Le regard de Baslan devient légèrement inquiet.

« Parfois les médias sont trop libres, comme quand ils ont écrit que notre président avait tué Anna Politkovskaïa. Il devrait être interdit de diffuser ce type d'accusations mensongères. Pour moi ce sont des dépêches de tsiganes, des ragots. »

Il insiste sur chaque mot prononcé.

« Quand les ragots ont été publiés, nous avons écrit une lettre ouverte aux médias pour dire que la jeunesse tchétchène ne pensait pas qu'elle avait été tuée par notre président. »

Des freins crissent. Par la fenêtre, nous voyons que la place est remplie d'hommes en noir avec des gilets pare-balles, des pistolets et des mitraillettes. Ce qui signifie que Ramzan arrive. Mon vigile m'écarte de la vitre.

J'objecte : « Mais je veux voir.

— Non, ne restez pas là, ce n'est pas permis. Sortez par ici !

— Mais c'est intéressant de le voir arriver.

— Ce n'est pas permis ! »

Mais comme j'avance à pas de souris, nous sommes encore là, debout sur le palier, quand Ramzan et ses hommes passent devant nous en coup de vent. Courant à petites foulées, comme toujours, ils montent les marches deux à deux et entrent chez le chef du château de la jeunesse – personnellement nommé par Ramzan, bien sûr. Une douzaine de gardes occupent tous les fauteuils de la salle d'attente et mon vigile m'ordonne de sortir.

« *Nelzia* », dit Ramzan durement. *Nelzia* est plus fort que *niet* – « non » ou « ne pas ». « *Nelzia smotret* ! » Il est interdit de regarder !

Je suis reconduite à l'Astoria en voiture.

Ramzan ne dit pas un mot. J'ai regardé son chef sans permission.

Le lendemain, je suis de retour au château de la jeunesse pour y rencontrer le président du fan club de Ramzan. Il a les pieds sur le bureau, mais les pose par terre quand j'entre ; il commence à tourner sur sa chaise à la place.

« En fait, on peut dire que toute la république est un grand fan club du président, car nous n'avons jamais rien vu de pareil ! Quelle personne fantastique, si simple... il est unique et d'un abord si facile. Vous savez, d'habitude les gens à ce niveau ne sont qu'à moitié présents. Je me souviendrai toute ma vie de la première fois où je l'ai rencontré. C'était si chaleureux, si spécial. Au début nous avions très peur, mais dès que Ramzan est entré, tout s'est fait facilement. Nous parlons encore de cette rencontre, c'est un souvenir que nous garderons jusqu'à la fin de nos jours.

— De quoi avez-vous discuté ?

— De projets.

— De quel genre de projets ?

— Il nous a demandé à tous d'être des gens normaux. C'est tout. Mais des projets... nous avons organisé une action. Nous avons distribué des tee-shirts aux couleurs tchétchènes à quinze mille personnes, puis nous les avons placées de façon à ce qu'elles forment notre drapeau ! Vous pouvez croire qu'il a été content quand il a vu ça ! »

Le président est lancé.

« Récemment, Ramzan a donné trois mille voitures à des gens. À des gens normaux, à ceux qui en avaient le plus besoin. Il est comme ça. Il aide le peuple. Les pauvres, mais pas seulement eux, ceux qui le méritent aussi. Le fan club a reçu trois voitures, nous pouvons aller partout avec, deux minibus Gazelle et une Lada 110. J'en ai reçu une, personnellement. Moi. Personnellement. Eh ! Eh ! Je n'avais jamais pensé que je gagnerais quoi que ce soit en faisant ça, et tout à coup j'ai une voiture ! Et un bureau ! Nous avons maintenant des ordinateurs, des imprimantes, des scanners, du matériel photo, vidéo, des lecteurs DVD. Mais le plus important, c'est qu'il nous a donné la république, une république où l'on construit des maisons et des routes. Et il nous a donné l'espoir. Je vous promets que dans un an, il n'y aura plus de chômage ici. "*Allah, donne-nous la force et le courage, et donne-nous aussi une tête pour nous en servir.*" C'est une citation d'Akhmad Kadyrov, la paix soit avec lui », poursuit le président.

« Nous sommes des têtes brûlées. Je crois que Pouchkine a dit que les Tchétchènes pouvaient faire soit l'amour soit la guerre. Il n'existe pas de troisième voie. Nous ne pouvons faire que l'amour ou la guerre. Nous avons plusieurs centaines de membres actifs. Des filles aussi, nous en voulions absolument, car quand elles ne sont pas là on ressemble à une bande, et les gens peuvent dire que nous sommes comme ci ou comme ça. Avoir des filles parmi nous prouve que nous sommes civilisés. Ramzan a dit qu'il ferait en sorte de ne pas perdre le pouvoir. Qu'il y ait des élections, et nous montrerons aux gens que quatre-vingt-dix-neuf virgule quatre-vingt-dix-neuf pour cent de la population soutient Ramzan, et que tout le monde vote. Les autres types de dirigeants nous ont coûté cher. Le premier a lancé une guerre, le second n'a pas réussi à l'arrêter et le troisième en a commencé une nouvelle. Ramzan devrait diriger à vie. Pareil avec Poutine, il est fort et doué. La guerre n'est bonne que pour ceux qui en profitent ou qui sont malades dans leur tête. Il n'y a rien de pire. Nous avons vu tellement de choses, nous avons vu des chiens manger des cadavres, ici à Grozny. Ce genre de spectacle, on ne l'oublie pas. Le monde entier est en plein essor et nous, nous restons avec nos souvenirs. Les coupables n'existent plus. Les Russes ne sont pas responsables. Et ce n'est pas le peuple qui s'est battu contre eux, mais les indépendantistes.

— Selon Akhmad Kadyrov, la Tchétchénie avait besoin d'un dictateur. Qu'en pensez-vous ?

— Tout ce qu'il disait était vrai, il a fait la seule chose à faire. Souvenez-vous qu'à cette époque, un Tchétchène sur cinq était wahhabite. Ils sont convertis maintenant, ils construisent des maisons, ont un travail normal, et les coupables ont été tués. Tout ça grâce à Ramzan. Il est l'ami de tout le monde.

— Il est beaucoup critiqué pour ses méthodes brutales, la torture, les exécutions...

— Ceux qui critiquent sont-ils seulement venus ici ? Comment pourrais-je, par exemple, parler de vous, dire à quelqu'un que vous êtes belle, si je ne vous ai pas vue ? Bien sûr, je peux aussi m'asseoir devant Internet et commencer à raconter ce que je veux. On peut critiquer la moindre lettre, dire qu'elle est ronde et pas carrée, qu'elle ne sent pas le parfum français. Laissons les critiques tranquilles ! Ai-je par exemple le droit de critiquer le président de Norvège, même si je ne connais rien de votre pays ? Il y a six mois seulement vous n'auriez pas pu vous déplacer ici sans un garde armé, car les wahhabites auraient pu vous enlever, maintenant vous êtes en parfaite sécurité, grâce à Ramzan. Et des projets ? Oui, des projets... Actuellement nous préparons une sortie en montagne : nous partirons à cheval, il y aura un pique-nique. Vous êtes la bienvenue. Vous savez monter à cheval ? Les montagnes sont sauvages. Il faut d'abord que le temps se réchauffe un peu, puis nous irons...

Nous sommes le 8 mai. Mon Ramzan m'a emmenée au stade Dynamo qui va réouvrir trois ans après l'explosion qui a tué Akhmad Kadyrov dans la tribune d'honneur. Les sièges sont vert et blanc, les piliers sont bleus ou couleur métal, la pelouse artificielle est toute neuve. Il y a ici un club de boxe et de football, des salles de judo et de tennis de table, des vestiaires, une salle VIP, et un soldat en faction tous les mètres.

« Un mois et demi ! » me murmure à l'oreille Marina, l'attachée de presse du ministre du Bâtiment. « Quarante-cinq jours ! En mars, vous n'auriez vu qu'un gros trou à cet endroit-là et maintenant, regardez ce stade flambant neuf. Impressionnant, non ? »

J'acquiesce.

« Huit cents maisons, quarante rues et trois ponts », continue à chuchoter Marina. Elle lève les yeux au ciel, comme pour m'inciter à prendre mon carnet et à écrire huit cents maisons, quarante rues et trois ponts. Ce que je fais d'ailleurs.

Marina est jolie, d'apparence soignée, comme toutes les femmes que j'ai rencontrées dans les sphères proches du pouvoir. « Souhaitez-vous interviewer le ministre du Bâtiment ? » me demande-t-elle. Mais elle est appelée par le vice-ministre du Bâtiment pour réajuster la nappe de brocart rouge à franges dorées qui recouvre la table destinée aux invités. Il s'avère en effet que le stade ne sera pas inauguré demain, comme prévu, mais dès aujourd'hui. « C'est toujours comme ça », dit mon Ramzan d'un air entendu. « Une chance que nous soyons ici, sinon nous aurions manqué ça. On ne sait jamais où le président sera. Tout à coup il fait son apparition, sans prévenir ! »

On m'a installée sur une chaise avec la consigne d'attendre pendant trois heures, et je reste assise à regarder les derniers préparatifs de l'inauguration.

Le vice-ministre du Bâtiment est aussi une femme. Elle et Marina trottinent sur leurs talons aiguilles qui s'enfoncent dans les touffes d'herbe. « Je croyais que nous ne venions que pour vérifier que tout était prêt aujourd'hui », me confie Marina au moment où elle passe devant moi en se dandinant. « La sécurité. Top secret », glousse-t-elle.

Deux autres femmes en talons aiguilles arrivent avec un seau. Elles lavent les pieds de la table sous le brocart. Les gardes traînent autour de nous, tous plus gros bras les uns que les autres avec leurs fusils, leurs pistolets et leurs talkies-walkies. Marina me demande si j'ai un Kleenex. Elle trempe le mouchoir en papier dans la bouteille d'eau et avec la vice-ministre du Bâtiment elles astiquent des verres fins, de façon à ce qu'aucune tache n'apparaisse dans la lumière crue du soleil.

Les hommes armés me ramènent quelques années en arrière, quand j'ai passé des semaines avec des insurgés. Ils allaient et venaient dans les villages, nettoyaient leurs fusils, mangeaient, se reposaient, regardaient la télé, mettaient au point une nouvelle tactique, s'agenouillaient pour la prière, avant de remonter dans leurs bases ou pour des attaques de nuit. Ce sont les mêmes hommes, les mêmes regards, la même détermination. À la guerre comme à la paix. Au combat comme dans une cérémonie. Seules leurs missions diffèrent. Non seulement ils se ressemblent, mais ce sont aussi les mêmes. Les hommes de la garde de Kadyrov sont pour la plupart d'anciens combattants qui ont accepté l'offre d'amnistie. La grâce fut accordée à une condition : celle d'intégrer directement les services de Kadyrov. Autrement ils étaient bannis.

Les femmes aussi sont les mêmes. Celles que l'on trouvait autrefois dans les cuisines des villages de montagne où elles préparaient à manger, faisaient le ménage et veillaient sur les combattants, nettoient maintenant les verres avant la fête du président.

Le ministre du Bâtiment en personne a enfin le temps de me parler. C'est un grand type aux jambes arquées et il s'assoit lourdement sur une des chaises avancées.

« Il y a un mois et demi, Ramzan nous a donné l'ordre de terminer le stade pour le 9 mai. Coûte que coûte. Nous avons travaillé jusqu'à 3 heures cette nuit. Ramzan est lui-même venu chaque semaine vérifier à tout moment, en journée, le soir. Même au milieu de la nuit, je devais être prêt. »

Le ministre est interrompu par un cri : « Ils arrivent ! Ils arrivent ! »

Près de l'entrée VIP, les gravillons giclent sous les pneus d'une trentaine de véhicules gris métallisé pilotés comme des voitures de rallye. Des petites filles en costume traditionnel et de jeunes hommes armés de longues épées forment une haie d'honneur. Les photographes et les ministres s'attroupent tout autour. Ramzan !

Le ministre du Bâtiment court les rejoindre aussi vite que ses jambes le lui permettent. Il veut être de la partie, lui aussi, avoir sa petite tape sur l'épaule.

Ils entrent sur le tapis d'herbe en courant à petites foulées, comme une équipe de joueurs de football dans l'arène. Il semblerait que Ramzan Kadyrov aime courir, et bien sûr tous les autres doivent l'imiter. La musique est gaie. Le président et ses hommes prennent place sur les sièges en plastique blanc. Les discours commencent. Ramzan se tord sur sa chaise, fait craquer ses doitgs, étend ses jambes. Il rit et parle pendant les discours. Il ne se calme que lorsque des petits garçons font une démonstration de karaté. Il applaudit et jubile quand ils s'envoient au tapis. Ils observent tous attentivement ses moindres gestes. Quand il rit, ils rient. Quand il se lève, ils se lèvent. Le stade est ouvert.

Maintenant, on joue au football. Le match oppose l'administration du président à celle du Parlement. Les hommes disparaissent dans les vestiaires tout neufs et ressortent en tenue. Ramzan Kadyrov porte un short et un tee-shirt blanc. Il est le capitaine de son équipe. Le président du Parlement est celui de l'équipe adverse, qui joue en rouge. L'arbitre siffle. Les hommes courent lourdement sur le nouveau terrain.

Puis Ramzan marque un but. Bien sûr que Ramzan marque un but.

Le lendemain je suis invitée à Tsentoroï, le fief du clan Kadyrov. On y entre comme dans une forteresse. Nous passons plusieurs arcs de triomphe beige et rouge gardés par des hommes en noir. À l'entrée du village, il faut présenter un laissez-passer ou être inscrit sur une liste. La voiture est fouillée de fond en comble par des individus lourdement armés. Le barrage passé, le bourg ressemble à n'importe quel autre bourg – les bêtes se promènent dans les rues, les enfants jouent, les anciens sont assis devant leur maison. Mais une chose le différencie des autres : les palais. Même les portes hautes ne parviennent pas à cacher les tours. Nous passons devant les grilles de la maison de Ramzan, où il a un champ de tir, un jardin zoologique, un manège pour ses chevaux, une arène pour ses combats de chiens. Ces grilles abritent aussi les prisons au sujet desquelles les gens ont témoigné. Celles où ils ont été torturés. Peu en sont ressortis vivants, dit-on, et plus rares encore sont ceux qui ont raconté leur histoire. La société tchétchène est tellement filtrée que toute la famille est menacée si une victime de la torture brise le silence. Ceux qui osent sont ceux qui n'ont plus rien à perdre.

Sultan nous conduit, moi et mon vigile, chez Magomed Kadyrov, l'oncle de Ramzan, où se tiendra la commémoration du père du président. C'est un jour de deuil et mon ange protecteur m'a donné comme consigne de me procurer un foulard noir.

Magomed, le plus jeune frère d'Akhmad Kadyrov, qui est vice-ministre de l'Agriculture, m'accueille à la porte. Je suis la seule étrangère, et la seule femme invitée du reste.

Mon Ramzan m'informe des règles à suivre dans la marée humaine. « Surtout, veillez à ne toucher aucun homme avec vos mains. Il serait sali et devrait se laver. Ne bousculez personne. Ne croisez aucun regard. Baissez les yeux ! »

Le projet est voué à l'échec : plusieurs centaines de personnes sont pressées les unes contre les autres dans la cour de l'oncle. Pour aller regarder les hommes danser le *zikr*, je glisse mes mains dans les manches de mon sage blouson marron, et j'avance ainsi, le corps protégé par mes bras, de façon à ce que, dans le pire des cas, les gens se cognent dans mes coudes. Je m'en sors bien, de toute façon la plupart s'écartent en me voyant.

Au milieu de la cour, une centaine d'hommes dans une dizaine de cercles courent les uns derrière les autres. C'est le *zikr,* la prière soufie qui se danse en rond. Un ancien déclame d'une voix forte et plaintive, tandis que les danseurs tapent dans leurs mains en cadence, à un rythme rapide. *La ilaha ill Allah, la ilaha ill Allah* ! Allah est le seul Dieu ! La prière s'accélère, la plainte s'intensifie, les hommes rougissent, transpirent, la sueur leur coule dans le dos, imprègne leur chemise. Les plus âgés dansent au centre, où les pas à faire sont plus petits. Dans les cercles extérieurs, les jeunes garçons doivent galoper pour rester à hauteur des anciens. Le but de cette prière est d'atteindre l'extase, et ainsi de se rapprocher de Dieu. Dans leur transe, les hommes rougissent, leurs yeux luisent, les tapements de pieds s'accentuent, puis ils explosent en hurlements sauvages. Et le rythme ralentit, ils tapent du pied l'un après l'autre, toujours en cadence mais en levant à peine les jambes. La danse se poursuit ainsi pendant des heures, sans interruption, seule son intensité varie.

Ramzan ne participe pas aux rituels de la prière. Il est assis dans un des salons de son oncle avec ses protégés. Des plats fumants de viande de mouton bouillie aux herbes se succèdent sur la table. Des bols de sauce à l'ail, des tranches de pain frais, des salades, des boulettes de viande, du poulet et des sodas sont déposés devant le président et ses hommes.

Les femmes remplissent les plats en cuisine et des petits garçons font le service. Je suis conduite dans la ruche où s'exécute une autre danse : on y coupe, épluche, mélange et verse. Les femmes semblent toutes travailler aussi dur, qu'elles soient de la famille du président ou pas. On m'explique qui est qui, mais je perds le fil dans les tantes, les cousines, les belles-sœurs, les femmes, les nièces et les sœurs. Toutes, d'une façon ou d'une autre, sont rattachées au clan Kadyrov. Plusieurs d'entre elles ont de la famille en Norvège.

Je demande : « Que font-ils là-bas ?

— Ce sont des réfugiés.

— Qu'ont-ils fui ? » tenté-je prudemment.

Je n'obtiens aucune réponse, une femme se contente de dire : « Ils ne peuvent pas revenir ici. »

Je me dis que c'est plutôt franc pour un propos tenu ici, dans la cuisine Kadyrov.

« Ils n'ont pas le droit, poursuit la femme.

— Qui le leur interdit ?

— Les autorités norvégiennes.

— C'est étrange, pourquoi les autorités norvégiennes leur interdiraient-elles de rentrer ?

— Ils ne pourront quitter le pays que dans quelques années. Ils ne sont même pas autorisés à venir nous rendre visite tant qu'ils n'auront pas acquis tous les droits là-bas. C'est la Norvège qui ne les laisse pas partir », m'assure la femme.

Quoi qu'il en soit, pour les femmes dans la cuisine, il est grand temps que ces gens rentrent chez eux. « Ils ne vont quand même pas attendre là-bas les bras croisés que nous reconstruisions la république pour eux », disent-elles avec mépris.

Le jour décline et mon hôte vient me chercher. Il veut que je rencontre le chef de famille, Khoj-Akhmed Kadyrov, le frère aîné du président défunt – celui qui a son émission télé consacrée à l'islam le vendredi soir.

On m'emmène de l'autre côté de la cour, dans le salon de l'oncle Kadyrov où il fait frais. Son visage est encore rouge après les cris et les prières. L'homme de l'écran de télévision est le grand responsable de ce jour commémoratif.

« Vous imaginez, autant de monde et aucun problème, aucune bagarre, dit-il. Pas de police, pas d'armée, dans ces conditions nous sommes plus proches les uns des autres. Il y a eu une forte affluence aujourd'hui, une forte affluence vers Dieu. Avez-vous remarqué ? Les gens présents étaient issus de toutes les couches sociales, il y avait des pauvres, des riches, et personne n'est rentré chez lui les mains vides. Avez-vous vu qu'ils étaient tous repartis avec des cadeaux ? C'était de la part de mon frère, la paix soit avec lui, de son fonds Kadyrov ; ils ont distribué énormément d'argent aujourd'hui. Nous avons tous prié ensemble, dans le même *zikr*. Avez-vous vu comme les gens m'écoutaient, il suffisait que je dise quelque chose – même sans haut-parleur – pour que le silence complet se fasse. Cela fait partie de nos traditions, on écoute le chef. »

Je lui demande de m'en dire davantage sur la forme tchétchène du soufisme, au centre de laquelle se trouvent le mystique et l'extase.

« Notre prière est le *zikr*. Elle se danse en rond. Elle nous a aidés durant des siècles. C'est Hadji Kounta qui l'a ramenée de ses voyages, il est allé à La Mecque et à Bagdad. Il est né vers 1830 et connaissait le Coran par cœur à dix ans. À cette époque nous étions en guerre contre les Russes. Les Tchétchènes ont combattu hardiment. Nous avons dû aller chercher notre force auprès de Dieu, et Hadji Kounta nous a initiés au *zikr*, avec le chant et la danse. Imam Chamil, qui nous dirigeait à ce moment-là, préférait la prière à voix basse. Le *zikr* nous permet de trouver Dieu. Le soufisme ne dépend pas de l'État et n'a pas besoin de mosquées. Tout est dans l'être humain, c'est pourquoi il a résisté à tout – à l'invasion du tsar, à l'oppression de Staline, à la déportation, aux guerres. C'est pour cette raison que la scène à la mémoire de mon frère dont nous avons été témoins aujourd'hui était si importante. Le soufisme, c'est la proximité entre les êtres, l'amour et le respect de l'autre et l'absence de violence.

— Mais rares sont les endroits au monde à pouvoir être qualifiés de plus violents que la Tchétchénie, non ?

— Ce sont les autres qui introduisent la violence. Nous ne faisons que nous défendre. D'abord contre les Russes et puis contre les wahhabites.

— Pourquoi le wahhabisme a-t-il si bien réussi à s'implanter si les Tchétchènes étaient aussi soudés autour du soufisme ?

— Parce que les jeunes croyaient bien faire, ils n'avaient aucune éducation. Nous avions un chômage important et les gens étaient facilement influençables, les wahhabites en ont profité. Nos jeunes rêvaient d'une belle vie et ils ont été achetés par les Arabes, qui les ont détruits. Nous avons cru que nous pouvions accepter l'aide de Dieu et celle de Satan sans devoir changer, mais nous nous sommes trompés. Des gens sont venus ici sous couvert de l'islam et se sont servis de nous. Ils avaient des dollars et des armes. Ils ont trouvé ici ce dont ils avaient besoin pour s'imposer en Russie, pour détruire ce pays. Ils étaient comme Staline, mais dans l'autre sens. Ceux qui les ont suivis ne savaient rien, ne possédaient rien, n'avaient pas de travail, pas d'argent, pas de maison, d'où cette grande perte de vies humaines. Heureusement tout cela appartient au passé désormais. Je veux inculquer aux jeunes générations des pensées bonnes et pures. J'ai ma propre émission de télé, je collabore avec des journaux, et tous mes propos sont publiés et diffusés. Quoi qu'il en soit, tout va s'arranger, car maintenant nous avons Ramzan ! Il est comme un fils pour moi, et il est sur la bonne voie. »

# Guerre et paix

C'était une étrange invitation que j'avais reçue. « Le président vous attend », avaient-ils dit. Le Premier ministre, Abdoulkhair Izrailov, qui habite juste en face de moi à l'Astoria, me répète chaque matin : « La rencontre peut avoir lieu à tout moment, aujourd'hui, demain, cet après-midi, ce soir. Nous vous préviendrons. »

J'ai donc eu largement le temps d'explorer la zone verte. Je me suis même fait une amie. Svetlana, de Severodvinsk dans la région d'Arkhangelsk, est un des soldats en faction à l'entrée de l'Astoria.

« Tu veux voir la plage ? » me demande-t-elle un jour après sa garde.

Nous remontons la route asphaltée qui mène à la base russe. « Elle est avec moi », dit Svetlana fièrement quand nous passons le barrage qui bloque l'accès au camp.

« La plage » se résume à trois lits en fer dans un hangar bombardé. Dans la journée, sous le soleil brûlant du Caucase, c'est l'endroit des filles. Leur garde terminée, elles y emmènent leur matelas. Des chars sont garés à côté des lits. À cet endroit, en bordure de la zone verte, les bâtiments et les clôtures de barbelés penchent comme des décors délabrés. La vigne vierge s'enroule autour de poteaux de béton fissurés. « À Severodvinsk les gens vont se demander où je suis allée quand ils me verront aussi bronzée », se réjouit la jeune fille blonde, de plus en plus rouge à chaque journée de son service dans le Caucase.

« Viens, je vais te montrer quelque chose », dit-elle en m'entraînant. Des buissons ont poussé derrière les ruines et la ferraille.

« Des mûres ! Goûte ! Elles sont bonnes, non ? Mais attention, tu vas avoir la bouche et les doigts tout violets ! »

Nous nous jetons sur ces mûres caucasiennes. « J'ai grossi de cinq kilos ici. Je ne vais bientôt plus entrer dans mon uniforme ! Mais à Severodvinsk, je les reperdrai avec le froid », rit-elle.

Le contrat de Svetlana lui permet de gagner le double des autres soldats. Poutine a accordé des avantages aux habitants du Nord – les primes qui avaient disparu sous Eltsine – et les soldats d'Arkhangelsk touchent quinze mille roubles par mois, soit environ 450 euros. La blonde qui n'a pas froid au yeux a une fille de dix ans et un petit ami capitaine de sous-marin. Elle va bientôt rentrer. Le trajet en train jusque chez elle dure quatre jours. « Oh, c'est vachement bien Severodvinsk. je t'emmènerai dans le sous-marin. Ça te plairait ? La ville est tellement animée. Elle était en train de mourir sous Eltsine. Personne ne touchait de salaire, tout était en train de rouiller. Nous avons été sauvés par les Iraniens, les Indiens et les Chinois. Ils viennent suivre une formation militaire chez nous, en échange ils nous achètent du matériel. Plusieurs immeubles ne sont presque habités que par des Indiens et des Iraniens. Ils sont super sympas. Ils ont relancé notre ville. Sans eux, Severodvinsk aurait disparu. Le soir, les écoles sont pleines de gens qui apprennent le russe ! »

Svetlana veut me montrer la baraque qu'elle partage avec quatre filles. Elle est tout juste assez grande pour deux lits à étage dans le sens de la longueur et un autre dans le sens de la largeur. Les murs sont tapissés de mannequins trouvés dans les magazines de mode. Une légère odeur de parfum flotte dans la chambre, et un filet contenant des affaires personnelles – des produits de beauté, un magazine, une lampe –, est suspendu au-dessus de chaque lit. Au bout de la baraque, des culottes en dentelle et des soutiens-gorge, un rouge et deux noirs, sont en train de sécher. De leur palier, une grande enjambée suffit à atteindre la baraque voisine, où vivent trois garçons de Lipetsk, tous hommes d'équipage de char. Ici, personne n'a pris le soin de tapisser, en revanche un énorme calendrier avec trois femmes nues est accroché à un mur.

Alexei entre avec une poêle qu'il a tenue sur un réchaud à l'extérieur. Il nous propose fièrement des gâteaux de pomme de terre fumants et dégoulinants d'une graisse dorée. « Mangez pendant ce que c'est chaud, j'en remets d'autres à cuire dehors ». La pâte qu'il a préparée est un mélange de patates écrasées, d'œufs et de farine. Le repas à la cantine, des macaronis fades et trop cuits accompagnés d'une pointe de beurre et d'une boîte de sardines, ne lui a pas suffi.

« Tu aurais dû venir en 2001, là il y avait de l'action, dit-il.

— Qu'est-ce qu'on s'ennuie maintenant, poursuit en baillant Igor, le conducteur de tank.

— C'est comment en ville ? demande Oleg. L'ambiance ? »

Les soldats russes ne peuvent pas se promener librement dans Grozny. Ils s'habilleraient volontiers en civil pour aller voir, disent-ils, mais c'est trop dangereux. La haine couve sous la surface, beaucoup de Tchétchènes ont encore tant de choses à venger. À vrai dire, si dans toute la ville des affiches montrent Poutine et Kadyrov en train de se serrer la main, le peuple lui n'a pas oublié les exactions subies. Des Russes sans arme dans la rue, non, il est encore trop tôt.

« Ce sont des sauvages, dit Igor, il n'y aura jamais la paix ici.

— Tu veux voir la vidéo où des Tchétchènes égorgent deux Russes ? » demande soudain Svetlana. Je refuse.

« Ils sont assis les mains attachées dans le dos, puis les Tchétchènes attrapent le premier par les cheveux et, svips ! lui tranchent la gorge et il y a plein de sang qui coule. Le deuxième crie : "*Ne nado ! Ne nado ! Khotchou jit !* Non ! Ne faites pas ça ! Je veux vivre !" Et ils le tuent, lui aussi. »

Svetlana me lance un regard éloquent. « Ils sont comme ça ici, nous sommes différents dans le Nord.

— Nous avons nous aussi, de notre côté, commis des crimes atroces, remarque Oleg. J'étais ici en 2000. Les Tchétchènes ont été massacrés. Entre nous et les insurgés, il y avait les civils. C'était terrible. » De tels propos sont rares dans la bouche d'un officier russe.

Je leur demande pourquoi ils ont choisi de venir ici.

« Ma femme est au chômage, nous avons trois filles, la plus jeune a deux ans et demi et nous n'avons pas de place en jardin d'enfants, répond Alexei. Avec ma solde ici, nous nous en sortons. L'année dernière mon épouse a fait deux cent quatre-vingts bocaux de tomates, cornichons, champignons et autres bonnes choses confites et nous avons eu des légumes sur la table tous les jours cet hiver et au printemps. Mais la terre sableuse de Lipetsk n'est pas très fertile, ça demande donc beaucoup de travail.

— Tu veux rencontrer notre commandant ? » demande soudain Svetlana.

Le commandant est assis dans une sorte de caravane sans roues, avec un bureau, une carte et un ordinateur.

« Écrivain ? »

J'acquiesce.

« C'est un travail difficile, dit-il en m'invitant à m'asseoir. J'ai du mal à lire Dostoïevski. Je préfère Ilf et Petrov, vous les connaissez ? *Les Douze Chaises*. Ils écrivaient ensemble. Des textes absurdes, satiriques. L'un décidait de la structure, l'autre écrivait les dialogues. Pas bête, hein ? Avez-vous besoin d'un coauteur ?

— Une fois j'ai joué dans *Le mariage* de Ilf et Petrov à l'université d'Oslo, j'avais une réplique, dis-je fièrement.

— Beaucoup pensent que Tolstoï a écrit *Guerre et Paix* avec sa femme, qu'il a composé la trame et toute la partie concernant la guerre et qu'elle a été l'auteur de tout ce qui traitait des femmes et de la vie quotidienne. Un critique littéraire pensait qu'il était impossible que Tolstoï ait pu tout écrire seul, que le texte changeait trop de style entre les scènes de guerre et celles du quotidien. Les accouchements, par exemple, comment un homme pouvait... ?

— Mais n'est-ce pas justement là le génie de Tolstoï, sa faculté à décrire aussi bien la vie intime d'une femme, comme dans *Anna Karenine* ? objecté-je.

— Quand il écrivait, il ne savait jamais ce qu'elle ferait dans les lignes suivantes, bien qu'il ait établi un cadre très précis ! Je crois qu'il est tombé amoureux de son personnage, qu'en pensez-vous ? »

Le commandant, les bras croisés, poursuit, sans me laisser le temps de répondre.

« De nos jours, Anna aurait pu divorcer et avoir Vronski ! Et elle n'aurait pas eu besoin de se jeter sous un train. On divorce tellement facilement maintenant. Plus personne ne se suicide par amour.

— Oh si ! Ils sont encore nombreux à sauter des immeubles ou devant le métro, estime Svetlana. Surtout les hommes, ils maîtrisent moins bien l'amour que les femmes.

— Oui, dans le domaine affectif les femmes sont peut-être bien le sexe fort, philosophe le commandant. Un café ? »

Il sort une boîte contenant des grains de café brisés. « Ce ne sera pas un expresso, mais un café de soldat. Ils appellent ça du gravier au Brésil, celui qu'ils trouvent au bord des routes. Voilà ce qu'ils nous envoient ici, à la guerre, les graines tombées des chargements des plantations de café. Ah ! Ah ! Espérons que c'est bon ! »

Ce commandant qui aime la littérature a peut-être choisi le mauvais gagne-pain, car il devient beaucoup plus laconique quand je l'interroge sur la situation en Tchétchénie. Il répond à mes questions par des « oui » et des « ah ». « Nous verrons ». « Impossible à dire ». « L'avenir le dira ».

« Chaque jour il y a des attaques contre les forces russes, me confie Svetlana. C'est en tout cas ce qu'on nous dit, même si on n'en parle pas dans les journaux. Il y a quelques jours, deux garçons de Komi ont été tués. »

Le commandant pose bruyamment sa tasse sur la table. La discussion est terminée.

« Revenez, vous serez la bienvenue », dit-il en me demandant ma signature. « Au cas où vous deviendriez célèbre, ah ! ah ! » Il rit tellement que son corps compact est agité de secousses.

Il est bientôt minuit, il faut que j'y aille. Il n'est pas impossible que j'interviewe le président le lendemain matin. Je crains de rencontrer le Premier ministre, qui habite juste en face de ma chambre. Peut-être n'apprécierait-il pas que je fraternise avec les Russes. Je m'endors dans le bourdonnement de la canalisation derrière les carreaux pare-balles, gardée par trois cordons de barrières, de murs et de béton.

Dans la nuit, je suis réveillée par un crac et un plaf ! Je bondis du lit, et à la lueur de la lune je vois le plâtre voler. Une des plaques du plafond est tombée dans la cuvette placée là pour récupérer l'eau qui coulait.

Nous sommes en juin. Le gouvernement a relâché sa surveillance et mon vigile en a marre de moi. Le jour de la fête nationale russe, le 12 juin, je suis complètement oubliée et je me promène seule en ville. C'est la première fois que le jour de la Constitution est fêté à Grozny.

Les drapeaux russes et tchétchènes ont envahi la place Akhmad-Kadyrov, où une scène gonflable estampillée « Comité du gouvernement pour la jeunesse » a été installée à côté de la statue.

Un de mes fidèles compagnons de déjeuner au complexe gouvernemental, Adlan, le secrétaire du Premier ministre, apparaît sur l'estrade en costume sombre et cravate bleu clair.

« Regardez autour de vous ! Regardez la mosquée qui se dresse derrière vous ! Regardez comme la ville se construit ! Tout cela grâce à Ramzan, notre dirigeant ! » crie-t-il.

Les gens applaudissent et agitent des petits drapeaux en papier.

« Nous défendrons l'unité de la Russie ! Nous sommes les défenseurs du sud du pays. Nous sommes unis ! Nous sommes forts ! crie Adlan. Nous devons nous rassembler autour de Ramzan Kadyrov et soutenir Poutine ! »

Puis il lit un poème. Je m'étonne quand il annonce qu'il est d'Omar Yartchiev, un poète que j'ai interviewé un an et demi auparavant. Il était à l'époque réfugié et vivait hors de Grozny. Il avait cloué du carton le long des murs pour se protéger du vent glacial et du froid. Dans la pièce, il avait une bibliothèque remplie de ses trésors : Dante, Pétrarque, Homère, Shakespeare, Pasternak, Iessenine, Pouchkine.

« Ah, Pouchkine ! » s'était-il crié et il avait commencé à déclamer : « *C'est sûrement un démon qui nous mène, et nous fait tourner à l'entour. Regardez : c'est lui qui me joue, qui souffle et me crache dessus, là-bas c'est lui qui pousse au ravin, le cheval affolé*... Blok, le dernier génie ! avait-il continué. Zvetaieva, la crème de la crème, et Madelstam, pauvre Ossip ! »

Sa bibliothèque était constituée de six larges étagères et les portes, qui à une époque avaient dû être vitrées, n'étaient désormais plus que des carrés vides. Il l'avait achetée à Alma Ata, alors qu'il était encore en exil au Kazakhstan. Son amour de la poésie était né grâce au documentaliste russe de son école au Kazakhstan. Ses parents n'avaient jamais possédé un livre. « L'époque soviétique était mieux que maintenant, avait-il dit. Ça n'a jamais été pire qu'aujourd'hui. Les gens ont peur. Ils sont terrifiés. »

Que s'était-il passé ? Était-ce son amour de la culture russe qui le poussait maintenant à écrire des poèmes pour l'élite au pouvoir ? « Il faut se résigner à accepter l'inévitable », avait-il dit cette fois-là. Était-ce le même fatalisme qui le poussait maintenant à écrire des poèmes pour Ramzan ?

*Au bout du tunnel, dans la nuit noire*
*Brilla soudain une flamme salvatrice*
*Par la volonté de Dieu... et celle de la Tchétchénie*
*Kadyrov – le jeune –*
*Devint le président de la République*
*Un temps il chercha son destin*
*Avec son père, l'arme à la main*
*Aujourd'hui, en pleine agitation*
*Il marche en tête – comme l'a voulu Allah*

*Le plus important pour lui sont les résultats, pas les [papiers*
*Il peut féliciter mais aussi réprimander*
*Le devoir de Ramzan : travailler pour notre bien*
*Notre devoir : l'y aider*

*Pour que nos vies soient belles et pacifiques*
*Asseyons-nous, amis, autour de la même table*
*Pour que la Russie soit forte*
*Pour que la Tchétchénie soit puissante*

Après l'hommage de Yartchiev, un représentant de la Jeune Garde prend la parole.

« Nous sommes ensemble ! crie-t-il. Nos opposants sont faibles, certains vivent sur une autre terre, d'autres dans le passé, les derniers en Occident. La Russie est une, et elle est unie. Elle est solide, et toute la jeunesse qui pense comme il faut estime que Poutine doit continuer ! Nous sommes la garde du président ! La Jeune Garde ! Nous saluons Poutine ! Poutine et Ramzan, nous sommes prêts à soutenir toutes vos idées ! »

*Final Countdown* retentit sur la place. Un Tchétchène fluet, une basse sur la poitrine, chante d'une voix d'abord mal assurée, puis encore plus vacillante « *We're leaving togeeeeeether... !* »

J'ai à côté de moi deux jolies filles en tee-shirt à l'effigie de Ramzan. Sur la poitrine elles ont marqué « *En avant, seulement !* » et dans le dos « *Patriot Club Ramzan* ».

Je leur demande : « Où avez-vous eu ces tee-shirts ?

— Ils les ont distribués à l'université. Tous les étudiants en ont eu. Et des petits drapeaux, disent-elles en agitant les drapeaux en papier qu'elles ont dans la main.

— Pourquoi êtes-vous ici ?

— Pourquoi ?

— Oui...

— Tout le monde doit être présent, celui qui ne vient pas est puni.

— Puni ?

— Celui qui n'est pas là a séché et son absence est notée. Nos profs se promènent avec des listes et cochent, explique l'une d'elles.

— Mais ceux qui ne sont pas venus aujourd'hui ne seront pas renvoyés », dit la deuxième devant mon expression étonnée. « Ils auront seulement un blâme, et s'ils enfreignent encore le règlement, ils perdront leur place. »

Puis mes questions semblent les mettre mal à l'aise : « Quoi qu'il en soit, nous sommes surtout venues pour le concert. Écoutons. »

Sur scène, les orateurs se succèdent, mais l'enthousiasme des spectateurs est refroidi par la quantité de poèmes et d'hommages. Les représentants de la cour du château de la jeunesse commencent à se plaindre du public qu'ils ont fait venir.

« Votre passivité me surprend ! » les interpelle un garçon sur la scène. Aucun effet. Il essaie autre chose.

« Qui est notre président ? »

Ici et là, on entend quelques réponses, mais qui manquent de puissance et d'enthousiasme. Ce n'est pas ce que les princes et princesses du château de la jeunesse attendent. Le garçon essaie encore une fois.

« Ramzan ! » crie le public, un peu mieux cette fois-ci.

Le garçon sur la scène préfère s'arrêter là et laisse une fille en tee-shirt Ramzan et foulard *Jeune Garde* présenter le lecteur du poème suivant. « Où sont vos drapeaux ? » les aiguillonne-t-elle.

Toutes ses tentatives sont accueillies avec tiédeur dans la foule.

« Regardez autour de vous ! Qui pouvons-nous remercier ? »

Mais les gens n'écoutent plus, la plupart discutent désormais en petits groupes.

« QUI EST NOTRE PRÉSIDENT ? »

C'est Baslan, du château de la jeunesse, qui braille tout ce qu'il peut.

Le public le suit.

« Ramzan ! »

« Allah akbar », entend-on sur la scène.

Mais les gens ont commencé à rentrer chez eux.

Une bande de garçons traîne autour d'un drapeau « Russie unie » avec un ours blanc sur fond bleu, l'emblème du parti pro-Poutine. Quand je leur demande ce qu'ils font ici, ils se mettent à rire. « Nous nous le demandons un peu, en fait, répond l'un deux.

— Parce que vous êtes patriotes ?

— Mouais..., rigolent-ils de nouveau.

— C'est ce qui est marqué sur vos tee-shirts...

— Ce n'est pas parce qu'il y a marqué « *I'm a rocker* » sur mon tee-shirt que je suis un rocker pour autant, non ? »

Ils ont tous la casquette « Avec Ramzan ».

« Pour être honnête, nous n'avions pas le choix. Le doyen nous a donné l'ordre de venir. On nous a dit qu'on perdrait notre bourse ou que nos notes seraient baissées en cas d'absence. »

Le drapeau avec l'ours, on le leur a mis dans la main quand ils sont arrivés sur place.

Les garçons rient de nouveau quand je leur demande ce qu'ils étudient. « Peu importe, disent-ils. Nous sommes inscrits à l'Institut du pétrole. Mais qu'allons-nous faire d'un diplôme ? alors qu'on peut l'acheter ? Comme tout ici. Sans contacts, il ne sert à rien. Pour trouver un travail, ce qu'il faut avant tout c'est des contacts, puis de l'argent et ensuite l'intelligence. C'est pourquoi nous sommes dirigés par autant de personnes peu brillantes. L'intelligence a peu de poids actuellement.

— Nous n'avons aucune liberté ici », dit un des garçons suffisamment fort pour couvrir la musique de danse folklorique tchétchène. « Ni aucune démocratie, même s'ils le crient sur scène. Il y a un dirigeant, un courant, une politique, et *il* fait ce qu'il veut. »

Un des garçons me prend à part. « Je vais vous raconter quelque chose », dit-il. Il me conduit un peu plus loin avant de chuchoter. « Je suis de la famille d'Alou Alkhanov, l'ancien président. Les gens disparaissent la nuit. Ils ne reviennent jamais. S'ils critiquent, c'est fini pour eux. Les gens ont peur. Dans deux ans, nous sommes bons pour une nouvelle guerre civile. Pour le moment Kadyrov est soutenu, mais bientôt il sera politiquement mort. Qu'adviendra-t-il de lui s'il est viré ? Il ne lui restera rien. Les gens sont avec lui uniquement parce qu'il a le pouvoir et de l'argent. Un ami à moi a été arrêté, il est revenu le corps couvert de blessures. Ici, aux poignets, me montre-t-il, il avait de profondes...

— Qu'est-ce que tu lui racontes ? Fais voir ta pièce d'identité ! Et vous, la vôtre ! »

Un type pas aimable a tout à coup surgi entre nous. Il est grand, costaud, habillé en civil. Du coin de l'œil, nous voyons les visages épouvantés des amis qui s'éloignent discrètement à reculons. Le garçon avec lequel je parlais a un visage de marbre. Dix hommes en uniforme apparaissent derrière l'homme costaud.

Il tire une carte de sa poche. Il est le chef d'une unité des forces de police du ministère de l'Intérieur tchétchène.

Je sors mon accréditation du ministère des Affaires étrangères russe et ma carte KTO pour les séjours dans les zones où ont lieu des opérations antiterroristes.

« Montrez ce que vous avez écrit ! Qu'est-ce le garçon vous a dit ? »

Il m'arrache le carnet des mains.

« Je ne lis pas l'anglais, grogne-t-il avec mépris.

— Non, et c'est du norvégien. Voulez-vous que je vous traduise ? »

Je commence au début des notes prises dans la journée et j'énumère les citations extraites des discours « *Grâce à Ramzan* », « *Grâce à Poutine* », « *Consolider l'unité de la Russie* », « *Une Russie forte* », et j'enchaîne sur le poème « *Le devoir de Ramzan – travailler pour notre bien. Notre devoir – l'y aider* ». Je fais une lecture détaillée de toutes les strophes que j'ai griffonnées. Puis je lis à voix haute ce que les étudiants pensant comme il faut ont dit : « Nous soutenons notre président », « Nous sommes heureux d'avoir l'occasion de lui rendre hommage ». Je m'interromps : « Je continue ? »

Il me regarde, furieux.

« Où est votre garde ?

— Je n'ai pas de garde.

— Et pourquoi ?

— Demandez à ceux qui ne m'en ont pas donné.

— Qui est-ce ?

— Je suis ici sur invitation du gouvernement tchétchène.

— Et où est votre groupe ?

— Je ne fais partie d'aucun groupe.

— Et pourquoi ?

— Parce que je n'aime pas les groupes.

— C'est dangereux ici, il vous faut un garde.

— Le président Kadyrov dit que la Tchétchénie est la république la plus sûre de toute la Russie. C'est un pays libre ici, non ? »

Le policier le plus près de nous confirme d'un hochement de tête.

« C'est une démocratie ici, les gens sont libres et ils peuvent dire ce qu'ils veulent, ils viennent de le crier sur scène.

— Oui, oui, dit le chef. Nous devons simplement veiller à ce que les gens ne vous disent pas des choses fausses. Des choses qui ne sont pas vraies. Nous devons veiller à ce qu'ils vous disent la vérité. »

— Et il n'existe qu'une vérité ?

— Ben bien sûr. Il ne peut pas exister deux vérités, non ? »

# Le fils de son père

Les voitures glissent vers le centre-ville comme une chaîne de billes d'argent. Elles filent sur l'asphalte fatigué, sur les passages cloutés, survolent les carrefours, se faufilent et atteignent le cœur de la ville. Les chauffeurs qui arrivent en face serrent leur voiture autant que possible sur le côté et personne ne traverse la route, car les feux ne concernent pas les plus égaux d'entre nous.

Les billes d'argent sont les derniers modèles Lada. Ramzan est assis dans l'une d'elles.

La suite présidentielle compte rarement moins de trente voitures. La vitesse, le mépris de la mort et les manœuvres inconsidérées des chauffeurs sont ses signes distinctifs.

« On doit savoir conduire à la vitesse d'une balle, me dit Sultan.

— Pour ne pas être touché, vous voulez dire ?

— Ouais.

— Et quelle est la vitesse d'une balle ?

— Soixante-quinze mètres seconde. »

Nous-mêmes, nous roulons à cent vingt kilomètres-heure, une allure bien supérieure à ce que je peux supporter sur des routes cahotiques. Nous traversons le centre d'Argoun.

« Ici nous accélérions toujours, raconte Sultan, car les islamistes nous attendaient et nous tiraient dessus quand ils voyaient les plaques minéralogiques du gouvernement. Plus vite on conduit, moins on a de risques d'être touché. Les voitures de Kadyrov doivent rouler au minimum à cent trente kilomètres-heure, pas plus lentement, c'est trop dangereux. Ils font du cent quatre-vingts en moyenne. »

Quand les perles argentées arrivent dans la zone verte, il vaut mieux que les barrières soient levées. Car Ramzan ne s'arrête pas. Des gardes sont aux fenêtres des voitures, l'arme chargée, d'autres sautent et courent à côté du véhicule. Quand le président et ses hommes freinent dans un dérapage contrôlé devant le bâtiment du gouvernement, plusieurs personnes sont là pour les accueillir. Ramzan bondit d'une voiture et tout le monde se presse autour de lui, les gardes du corps, les secrétaires, les porteurs, les assistants et les conseillers politiques.

« Sales Russes ! » crie un garde du corps aux soldats en faction. Il leur balance un gros crachat aux pieds.

« Que réponds-tu quand ils te disent des choses pareilles ? ai-je demandé après.

— Que puis-je répondre ? Je ne suis qu'un soldat. »

La suite passe à toute allure devant les hommes en vert, devant les gardes en costume et contourne le portail électronique. Elle monte un large escalier couvert d'un tapis et entre dans un hall qui sert de réception à deux bureaux. Une porte mène chez le *Premier ministre*, l'autre chez le *président de la République*.

Je les suis à petites foulées. Aujourd'hui on m'accorde audience.

Cinq secrétaires, chacune derrière son bureau, et plein de gardes du corps attendent avec moi dans le hall. Ces derniers se tiennent près des portes, sont étalés dans les canapés ou font les cent pas dans le couloir. Pour ma part, je suis coincée contre un palmier en plastique. Toutes les places assises de la salle d'attente sont occupées par les gardes musclés qui se massent les jambes, jouent avec leur portable, tapotent leur arme. La Tchétchénie est un pays où les hommes sont assis et les femmes debout.

C'est le Conseil des ministres, convoqué au pied levé. Une secrétaire m'a raconté qu'avant, très souvent, Ramzan faisait réunir tout le monde et ne venait pas. Les ministres poireautaient pendant des heures, alors que Ramzan avait changé d'avis sans prévenir. « Maintenant nous attendons que le président soit en route et, alors seulement, nous nous dépêchons d'appeler tous les autres qui lâchent ce qu'ils ont en cours pour se précipiter ici. C'est plus simple. »

Un groupe d'hommes aux voix de stentors sort ; les ministres et quelques gardes disparaissent, mais la plupart restent. Le Premier ministre, Abdoulkahir Izrailov, m'appelle dans la pièce d'à côté, où je découvre encore d'autres gardes du corps, affalés dans des fauteuils de velours jaune ou perchés sur des chaises de bureau. Ici aussi, des secrétaires derrière leurs bureaux regardent les mouches voler. Je dois laisser mon sac là et vider mes poches.

La porte s'ouvre, et le Premier ministre m'invite à m'avancer. Le sol de la pièce tout en longueur est couvert d'épais tapis persans rose et vert. Les rayons du soleil s'insinuent à travers les persiennes et illuminent une énorme table en acajou brillante et sombre. Sur un mur, de lourds rideaux aux motifs dorés tombent devant des fenêtres rectangulaires. Sur un autre, le pied du drapeau tchétchène rouge et vert croise celui du russe, rouge blanc et bleu.

Dans le coin, sur un bureau imposant, des stylos dorés sont exposés à côté d'un téléphone et d'un cactus. Au bout de la pièce, une porte est entrebâillée sur une petite alcôve où un canapé jaune soleil en forme de banane épouse le mur. Mais la première chose que je remarque, c'est l'énorme portrait des parents du président. La mère, qui apparaît rarement en public, est lourdement campée sur son siège, un châle blanc sur la tête.

Assis à ses côtés, le père de Ramzan, l'air rébarbatif et sévère.

Quand j'entre dans la pièce, leur fils, à son aise dans son fauteuil, écrit des SMS. Le Premier ministre attend en trépignant qu'il termine, mais l'homme en chemise rose, le col ouvert, veste bleue et pantalon gris prend son temps pour venir à bout de la complexité des touches.

Je regarde autour de moi. Juste en face du président écrivant ses SMS, une sculpture de perles, avec « *Jeddah Chamber of Commerce and Industry* » gravé en lettres dorées, est posée sur une étagère. Sous celle-ci, il y a des livres dans une vitrine. Je lis les tranches : *Pensées et importance du Coran*, plusieurs tomes d'une encyclopédie aux sous-titres tels que : artillerie, chars, aéronautique, artillerie radioactive, sous-marins, un livre pour chaque armée de la défense russe. J'aperçois à côté un ouvrage sur l'histoire de la Tchétchénie, puis *Le Grand livre des aphorismes*, *Mélodies des montagnes*, *Dernier manuel du savoir indispensable*, *Dictionnaire latin-russe des termes juridiques*, *La migration internationale du travail et ses conséquences sur l'économie russe* et, pour finir, la Constitution russe et le manuel *Éducation des enfants dans l'islam*.

Le président appuie sur une dernière touche, se redresse brusquement et déclare :

« Allez-y ! Maintenant vous pouvez me demander tout ce que vous voulez savoir. »

On m'invite à m'asseoir sur la chaise juste en face de lui, je déclenche le dictaphone. Deux portraits sont accrochés au mur vis-à-vis des fenêtres. L'un de Vladimir Poutine, l'autre de Che Guevara.

« Que fait Che Guevara ici ? »

Ramzan me regarde. Il sourit un peu bêtement. Est-ce une question qu'il ne fallait pas poser ?

J'insiste : « C'est votre héros ?

— Mon seul héros est Poutine, rien que Poutine ! C'est mon modèle ! »

Ramzan est penché en avant sur son fauteuil.

« Il devrait être président à vie. On devrait supprimer les lois électorales, le laisser diriger tant que son action est positive pour la Russie. Si les citoyens russes tiennent à ce que la Russie redevienne une grande puissance, il faudrait que Poutine soit président. Je le connais bien, vraiment bien, et je sais ce qu'il a fait pour notre pays. Il aime son peuple. Il donnerait sa vie pour nous ! »

Le spectacle politique le plus absurde s'est joué à Moscou au printemps 2007. Des hommes politiques, plus influents les uns que les autres, ont supplié Poutine d'être candidat à un troisième mandat, bien que la Constitution ne le permette pas. « Mais la Constitution peut-être changée », estimait le président de la Douma Boris Gryzlov, le dirigeant de Russie unie, le parti qui soutient le président. Mais Poutine a dit non. « Il faut de graves raisons pour modier une constitution », a-t-il déclaré. Ramzan Kadyrov fut l'un de ceux qui ont le plus insisté pour que Poutine continue. Son motif est évident : tant que Poutine le soutiendra, il gardera les pleins pouvoirs de la république, avec un nouveau président il n'est sûr de rien. Mais les muftis et les imams l'ont bien remis à sa place quand il a demandé aux musulmans de se mettre à genoux pour prier Poutine de se représenter une troisième fois. « Les musulmans ne s'agenouillent que devant Allah », lui ont-ils rétorqué.

« On peut dire tout ce qu'on veut, on ne retrouvera jamais son égal, affirme Ramzan Kadyrov. Au Kazakhstan – un des pays les plus développés au monde – le président peut l'être à vie, mais pas en Russie, pas Poutine. C'est parfaitement aberrant. Seul Poutine est vraiment capable de nous défendre, nous et l'unité de la Russie. “La Russie est l'amie de l'islam”, a dit Poutine. Il a dit ça ici.

— Et vous, qu'en est-il ? Pourriez-vous vous imaginer être président à vie ?

— Être président est une grosse responsabilité, surtout pour un musulman, car il sait qu'il est non seulement responsable des gens mais aussi des animaux, et que le jour du Jugement dernier il devra répondre de tout ce qu'il a fait. Tant que mon peuple le désire, je serai président, mais si un autre s'avère un rouble, ou ne serait-ce qu'un kopek, mieux que moi, je lui céderai ma place. Ce ne sont pas que des mots, je viens d'une famille croyante. Beaucoup pensent que je suis jeune et imprévisible, que je suis excessif, que j'exagère. Mais des temps différents exigent des choses différentes de moi, et on doit montrer son cœur. J'en suis convaincu. »

Ramzan Kadyrov parle mal le russe. Ses phrases ne veulent pas toutes dire quelque chose. Il conjugue mal les verbes, se trompe de cas, de genre et son vocabulaire est limité. On dit qu'enfant, il ne suivait pas à l'école et qu'il n'est pas allé jusqu'au lycée. Il n'en a pas moins été nommé membre d'honneur de l'Académie des sciences en 2006 et cette distinction lui a été décernée lors d'une cérémonie solennelle à Moscou.

« Que ressent-on en voyant autant de portraits de soi partout ? »

Ramzan baisse timidement la tête.

« Je n'aime pas me voir, c'est gênant. Le mérite de tout ce qui s'est passé ici ne me revient pas. Je n'en suis pas digne. Mais je suis fier quand je vois Poutine et mon père.

— C'est en fait le premier bureau où je vais sans aucun portrait de vous sur les murs !

— Oui, vous avez ici mon père et ma mère, c'est suffisant.

— Votre père soutenait, et l'a écrit dans son dernier livre, que la Tchétchénie devait être dirigée comme une dictature, que tout le pouvoir devait être détenu par une seule personne. Qu'en pensez-vous ?

— Je ne suis satisfait que si je suis soutenu à quatre-vingt-quinze ou quatre-vingt-dix-sept pour cent. Cela signifie que nous sommes à notre place. Ça, c'est la justice. C'est l'ordre, la loi, la démocratie. Nous avons tout. Dans ces conditions, ceux qui violent la loi doivent se faire du souci. Nous avons trouvé un équilibre maintenant ; les tribunaux, le parlement, le gouvernement, toutes les structures, tout le monde est représenté. La paix et la stabilité. J'exige de mes hommes qu'ils soient les serviteurs du peuple. Ceux qui ne s'y résignent pas ne peuvent pas travailler pour moi. Personne ne possède quoi que ce soit. Ils savent tous que la cravate, la voiture et le bureau ne leur appartiennent pas, mais qu'ils leur sont donnés parce qu'ils sont les serviteurs du peuple. J'ai une voiture de fonction, le téléphone gratuit, l'État met tout en œuvre pour que je serve le peuple, je dois donc tout faire pour lui. En réalité, c'est lui le maître et nous les serviteurs. Je ne me vante jamais, personnellement ou de tout ce que nous avons réussi. Ça, le peuple peut le faire.

— Jusqu'où avez-vous vous-même participé à la formation de la Tchétchénie ?

— J'ai réalisé le rêve de mon père. La Tchétchénie est maintenant l'endroit le plus paisible du monde. Pas seulement de Russie, mais aussi du monde. Attendez, bientôt vous verrez, les touristes afflueront ici. Nous avons tant à leur offrir. Un air pur, de hautes montagnes. Ce que j'ai fait ? J'ai participé à la guerre, j'étais combattant, j'ai défendu mon pays, je me suis battu, j'ai exterminé des gens, comme dit le prophète, l'arme à la main. J'y ai pris part en tant que musulman, tchétchène, soldat, policier. J'ai arrêté des gens, je les ai interrogés. J'ai servi mon peuple avec plaisir, à ma grande satisfaction, dois-je ajouter. Maintenant nous continuons le travail. Je peux déclarer que la guerre est à quatre-vingt-dix pour cent terminée, il ne reste que des petits bandits, mais ça c'est partout, en Angleterre, en Allemagne et aux États-Unis aussi. Mais les ennemis de la Russie peuvent me craindre. Je suis pour la justice.

— On vous a reproché des atteintes répétées aux droits de l'homme, aussi bien maintenant que pendant la guerre...

— Ah ! Je ne comprends pas ces Occidentaux. Ils habitent là-bas, loin d'ici, et ils croient mieux connaître la situation que moi ! Je connais cette république dans ses moindres recoins, et nulle part on n'y viole les droits de l'homme. Regardez-moi, j'ai tout perdu : mon père, de la famille, des amis et des centaines de soldats. Il ne me reste plus qu'une seule chose, la lutte. Et vous croyez quoi ? Qu'ils se soucient plus de mon peuple que moi ? Non, ils sont payés pour ça ! Ils disent qu'ils protègent telle et telle personne, ils inventent des noms et toute une histoire, et comme ils connaissent mon nom, ils disent : “C'est Kadyrov !” Mais trouvez-moi la personne qui peut me montrer du doigt en disant que j'ai violé les droits de l'homme. Elle n'existe pas ! Trouvez-la, allez-y ! Ils sont là-bas, loin d'ici, et critiquent, envoyez-les ici ! Et vous verrez qu'ils ne réussiront pas à défendre leurs accusations devant moi. Ce sont des ennemis du peuple, comme Maskhadov. Qu'ils soient des vôtres ou des nôtres, laissez-les parler ! Ça m'est égal !

— Mais à la Cour européenne de Strasbourg, des Tchétchènes ont témoigné contre vous, vos prisons privées et vos chambres de torture...

— Montrez-moi une personne qui soit allée dans ma prison ! »

Ramzan crie. Il a le bras levé, la main crispée sur un stylo bille doré.

« Qu'elle vienne ici me raconter ça ! Envoyez-la à Tsentoroï ! Qu'elle me montre la prison et je la fermerai avec plaisir. »

Il écarte les mains. Soudain, il éclate de rire. Un gros rire qui vient du ventre. Il se gratte le cou avant de poser les coudes sur la table.

« Nous avons des prisons officielles, des colonies pénitentiaires, pourquoi aurais-je besoin de ma propre prison ? Montrez-la-moi, cette prison ! »

Il me regarde dans les yeux.

« Nous avons une unité d'enquête. Nous avons un tribunal. Coupable ou non coupable, il dit. En ce qui concerne ces gens des droits de l'homme, j'ai convoqué tous les Tchétchènes qui travaillent pour *ce camp* et j'ai dit que si quelqu'un avait des questions à poser à Kadyrov, qu'il les pose. J'ai dit ça. Je leur demandé à tous de venir, Memorial, tous, et vous savez ce qu'ils ont dit ? Ils ont dit “Merci. Merci beaucoup.” Ils m'ont remercié d'avoir reconstruit la république et de m'être appuyé sur les valeurs tchétchènes. Ils ont dit ça. “Merci, merci.” J'ai en fait sauvé des gens qui étaient de *ce camp*, ceux qui ont participé à la première guerre. Je leur ai accordé l'amnistie. »

Son visage s'adoucit.

Chamil, avec qui j'ai voyagé dans le pays un an plus tôt et qui est maintenant le responsable du bureau Memorial à Grozny, était à cette rencontre avec Kadyrov et il en a une tout autre version. Il n'avait pas pensé y aller mais il avait été menacé au téléphone par les hommes de Kadyrov. Pendant la réunion, le président s'est levé et a craché : « Je sais ce que vous faites, et vous devez savoir que vous n'avez pas le droit de couvrir de honte la Tchétchénie ! » À la télé le soir, l'épisode où Ramzan, debout, l'index tremblant, menace Chamil, a été montré dans son intégralité. Les collègues de Chamil lui ont conseillé de quitter Grozny, mais le défenseur des droits de l'homme a dit qu'il avait une tâche à accomplir.

« Certains vous soupçonnent d'être derrière le meurtre d'Anna Politkovskaïa. Son dernier article traitait justement des exactions commises contre la population en Tchétchénie. »

Le président lève les yeux aux ciel et ricane en me regardant. Il se tourne d'un air viril vers son Premier ministre, assis près de la grande table, les jambes croisées.

« Nous ne tuons pas les femmes, nous les adorons ! »

Le rire retentit.

Il rigole encore un peu, le Premier ministre reste impassible, et le jeune président reprend un visage sérieux.

« Anna Politkovskaïa : c'est une femme. C'est avant tout une femme. Je crois que les gens savent que je suis incapable de tuer une femme. »

Je ne dis rien. Il arrive que le silence soit la meilleure technique d'interview. Il pousse parfois les gens à continuer. Mais pas aujourd'hui.

« Elle était une de vos plus virulentes détractrices...

— Elle m'accusait sans raison. Elle venait ici et inventait des choses. Elle écrivait toujours des choses contre moi. Toujours ! »

Il tape du poing sur la table.

« Une femme comme elle, si elle vous aime, elle fait votre éloge, mais méfiez-vous ; si elle est en colère, là vous êtes sur la bonne voie ! Elle a été manipulée par d'autres, mais sans le comprendre. Tout le monde le savait. Ceux pour qui elle travaillait l'ont tuée et m'ont accusé. Je vous promets, je n'ai jamais accordé la moindre importance à ce qu'elle écrivait. C'était une femme, elle aurait dû rester à la cuisine. Que m'a-t-elle fait ? Rien. Si je craignais quelque chose ou quelqu'un, je serais resté chez ma mère, mais je sais que Dieu existe, le reste, ce ne sont que des bêtises et des rumeurs ! *Yerounda i kleveta !* Des foutaises et de la diffamation ! *Davaï !* Allez ! Elle a été assassinée afin que personne d'autre ne puisse se servir d'elle, pareil avec Litvinenko, vous n'avez qu'à demander à Berezovski, il les a tués tous les deux. Il les connaissait et il les a tués lui-même, et puis ils disent que c'est Kadyrov ! *Davaï !* Je l'ai rencontrée et je lui ai dit que les gens la lisaient comme ils liraient un roman d'aventure. Non, elle aurait dû se contenter de rester chez elle et de s'occuper de sa maison. »

Il se tortille, étend les coudes et fait craquer ses doigts.

« Moi-même, je sais qu'au bout la mort m'attend, mais elle ne me fait pas peur, Dieu existe et nous avons choisi la bonne voie », déclare-t-il. Il tourne sur sa chaise, se gratte de nouveau et étire ses épaules.

« Qu'y a-t-il du reste de si bien avec l'Europe ? demande-t-il tout à coup. Les hommes et les femmes sont égaux là-bas. En quoi est-ce positif ? La natalité est basse, les gens ne se marient pas. Tout est réuni dans cette société pour détruire un jeune homme. Ils ne veulent pas faire l'armée : un malheur pour le pays, une honte, ce sera bientôt la débâcle. Un garçon naît et il ne sait pas qui est son père, de quelle famille il descend, c'est quoi ces gens ? C'est l'Europe pour moi. Le patriotisme n'existe pas. C'est pourquoi ceci est important pour nous : nos traditions, nos coutumes. Les wahhabites ont essayé de nous faire rentrer dans leur moule, les Arabes ont essayé, les Avars, les Turcs, mais nous avons toujours dit : nous resterons tchétchènes. Nous avons tout ici : la justice, l'ordre, l'islam, pourquoi adopter des traditions étrangères ? L'éducation patriotique est ce qu'il y a de plus important. Quelle est cette démocratie qui mènerait les gens au malheur ? Pour vous et pour les Russes il n'y a pas de lendemain, tout est permis du moment que vous êtes satisfaits ici et maintenant. C'est comme un drogué, il se fait plaisir une fois, deux fois, trois fois et la quatrième, il est devenu esclave. Pareil avec la prostitution, une fois, deux fois, trois fois et puis voilà : dépendant. À partir de là, il faut avoir sa dose quotidienne.

— Quel est le rôle de la femme dans la société ?

— Ah, les femmes. J'aime les femmes ! La femme est sacrée, elle doit être à la maison. La femme en elle-même est sacrée. Malheureusement nous constatons que leur valeur a baissé. Il existe des femmes qui se vendent pour quarante dollars ou cent dollars, les belles, les plus chères, pour mille dollars peut-être, et les moins chères pour quelques centaines de roubles. Partout leur prix a chuté. Je ne sais pas où sont tous ces gens qui défendent les droits de l'homme, pourquoi ne luttent-ils pas pour ces femmes ? Imaginez : les hommes les appellent dans leur bureau, disent qu'elles sont grandes, belles... Elles sont évaluées comme des vaches ou des moutons et ça, personne excepté nous ne s'en soucie ! Nous avons conservé le caractère sacré de la femme. Je veux que nos femmes soient *samiye nedostoupniye* – les plus inaccessibles. Je veux que les Tchétchènes soient les plus vertueuses, aient les jupes les plus longues, portent le foulard.

Comme elles le faisaient avant. Regardez au Daguestan ! Là-bas ils ont des clubs, des filles de Pologne, les femmes se promènent presque en short dans la rue, c'est criminel ! C'est inacceptable !

— Mais tout ça est en contradiction avec le fait d'avoir invité toutes les participantes à Miss Monde en Tchétchénie ?

— Vous avez raison, c'est contradictoire. Mais elles voulaient venir. Elles ont demandé à venir. Elles ont demandé à passer par ici avant le concours – à pouvoir faire un Moscou-Grozny-Sotchi. »

La télévision russe a filmé les reines de beauté en pleurs déposant des fleurs sur la tombe de Akhmad Kadyrov et a montré des images d'une Miss Ukraine super sexy montée sur un cheval choisi dans l'écurie de Ramzan. La miss est restée quelques jours supplémentaires en tant qu'invitée spéciale du président, et l'équipe télé a diffusé des images où elle pose dans différentes tenues pour un Ramzan assis bien calé dans un canapé de son salon. La rumeur dit que les miss ont reçu une somme rondelette pour venir, comme Mike Tyson, le célèbre boxeur à qui on a aussi offert l'avion pour Grozny et qui est apparu en compagnie du président.

« Non, c'est contradictoire, répète-t-il à propos de la visite des miss. Mais nous avons aussi organisé Miss Tchétchénie, ajoute-t-il rapidement. C'était beaucoup mieux. J'ai moi-même établi le programme : nous avons élu la meilleure cuisinière, celle qui en savait le plus sur les traditions et les coutumes, celle qui connaissait le mieux notre histoire, celle qui cousait les plus beaux vêtements et surtout, celle qui portait le mieux ses vêtements, car certaines femmes sont des bijoux pour leurs vêtements alors que d'autres ont besoin de leurs vêtements pour être belles ! La prochaine fois, nous élirons la meilleure mère de famille et la meilleure ménagère, la meilleure sœur, la meilleure fille, et là vous verrez que les gens participeront. »

Il n'y a pas longtemps, le président a interdit aux filles de posséder un téléphone portable, car « on peut y recevoir des images et des messages immoraux ». Il faut épargner ce genre de choses aux femmes tchétchènes. Quant à la vertu du président lui-même, plusieurs photos et vidéos de lui en compagnie de dames plus que légèrement vêtues circulent.

« Vous avez défendu la polygamie. Pourquoi ?

— On peut avoir quatre épouses. Nos traditions nous y autorisent et l'islam aussi. À cause de la guerre, nous avons trente pour cent de femmes de plus que d'hommes, donc si ces derniers se mariaient quatre fois, nous serions sur la bonne voie, cela permettrait à la république d'avoir plus d'enfants. Mais personne n'est obligé de le faire, c'est à chacun de choisir, selon le cœur, pourrait-on dire. Quoi qu'il en soit : je suis pour ! Moi-même, si je trouve une jolie fille, je prendrais volontiers une nouvelle femme.

— Comment allez-vous l'introduire dans la législation russe ?

— Même Poutine n'a pas le droit de se mêler de la vie privée d'un individu. C'est aux gens de décider selon leur conscience. Les épouses n'ont en outre pas besoin d'être enregistrées selon les lois russes. Elles peuvent très bien l'être selon nos propres lois, selon la charia.

— Je vois que vous avez un livre sur l'éducation des enfants. Est-ce un sujet important pour vous ?

— Les filles surtout doivent recevoir une éducation stricte. Si mes enfants ne sont pas de bons exemples, ni ma femme, qui le sera ? Quand mon épouse est tombée malade, je l'ai emmenée à l'hôpital numéro neuf, ici à Grozny. Si je l'avais envoyée en Allemagne ou aux États-Unis, comme j'aurais pu le faire, comment voulez-vous que nous soyons crédibles ? Mon grand-père a été opéré à Goudermes, personne dans ma famille n'habite à l'étranger, mes enfants fréquentent une école normale. Je veux qu'ils soient comme tous les petits Tchétchènes.

— Beaucoup d'enfants en Tchétchénie ont perdu leurs parents pendant la guerre. Vous avez vous-même adopté un garçon pour donner l'exemple. Mais pourquoi avez-vous fermé les structures d'accueil pour orphelins alors qu'il en reste encore vingt mille ?

— Vingt mille orphelins ? N'importe quoi ! Il n'existe aucun enfant tchétchène sans famille. Quand j'ai voulu adopter un fils, j'ai dû chercher longtemps et je n'ai trouvé qu'un garçon russe qui avait été abandonné. Il a maintenant seize ans et vit chez mon frère. Je le considère plus comme un frère d'ailleurs, car je n'ai moi-même que trente ans, mais quelle chance que le destin m'en ait donné un de plus. Et les orphelinats ! Il n'étaient là que pour permettre à certains de gagner de l'argent, c'est pourquoi je les ai fait fermer. C'est comme les jardins d'enfants. “Je dois travailler”, m'a dit une mère quand je lui ai demandé pourquoi elle y mettait ses petits. Que les femmes s'agitent comme ça à l'extérieur et fassent du business, ça a détruit notre mentalité. La famille – le *teip* – doit s'occuper de ceux qui sont seuls, que ce soit des enfants ou des personnes âgées. Toute autre solution est humiliante pour une famille. Si je deviens vieux, je n'irai pas en maison de retraite, non, je veux voir mes petits-enfants courir autour de moi. Un vieil homme a besoin de son pôele, de sa maison. Il a élevé des enfants, des petits-enfants, et on va le mettre dehors ? Ce n'est pas notre mentalité. Il ne nous reste pas beaucoup d'anciens, nous devons respecter ceux que nous avons. C'est pourquoi j'ai fermé les maisons de retraite et les orphelinats. Nous n'en avons pas besoin !

— Comment fut votre propre enfance ?

— Je n'ai pas beaucoup de souvenirs de mon enfance, j'étais tellement petit. »

Le président tourne sur sa chaise. « Je courais partout, j'aimais aider les gens, mon rêve était d'aider. Quand je m'asseyais à table, je prononçais toujours ces mots : “Allah, donne à tout le monde ce que j'ai eu.” Selon ma mère je disais toujours ça, toujours. Mais je n'étais pas un enfant constamment fourré dans les jupes de sa mère. Maman pleurait parce que je ne voulais jamais dire que j'étais son fils. J'étais toujours le fils de papa. J'ai eu une enfance dure, je travaillais sans arrêt et je protégeais toujours les faibles de la classe ; quand on les embêtait, je les défendais. J'étais petit et frêle à cette époque, oui, oui, j'étais mince, et je ne suis toujours pas grand, mais de tout temps j'ai su me défendre, me protéger. Je suis un bon boxeur. Je n'ai jamais touché aux cigarettes ni à l'alcool, je n'ai jamais bu, je n'ai jamais eu de points faibles. Mon enfance a été difficile parce que j'ai toujours essayé d'être à la hauteur des idéaux de mon père, je savais combien il était juste.

— Pouvez-vous m'en dire un peu plus sur votre relation avec votre père ?

— Les gens enviaient notre complicité. Nous sommes tous les deux très forts, aussi bien physiquement que mentalement, nous sommes nés comme ça. Dieu nous a donné des forces. J'étais toujours à ses côtés, il faisait tout pour nous, travaillait dur pour nous nourrir, il effectuait des chantiers l'été. Je voulais l'aider et, à partir de quatorze quinze ans j'ai travaillé comme chauffeur, garde du corps, je l'ai suivi pendant la première guerre ; certains nous appelaient bandits et les bandits nous qualifiaient de traîtres, c'était difficile, il y avait des Russes partout. En 1999, quand la deuxième guerre a commencé, mon père m'a déclaré : “Je sais que j'ai choisi une voie difficile. Si tu as peur, je peux t'aider pour que tu reçoives une bonne éducation, pour que tu puisses revenir quand tout cela sera fini.” Mais alors je ne pourrais pas dire que je suis ton fils, lui ai-je répondu. Maintenant je continue l'œuvre d'un grand homme. J'ai toujours été à ses côtés, toujours.

— Il y a cependant eu une fois où vous n'étiez pas là, le 9 mai 2004... »

Le pied du Premier ministre sursaute à cette question. Jusqu'ici Abulkahir Izrailov n'a pas bougé, le regard confiant – « ça, Ramzan va le gérer ». Maintenant il s'inquiète.

Car qui a tué Akhmad Kadyrov, en réalité ? Selon la version officielle, ce sont les forces rebelles de Maskhadov. Selon une autre version, qui ne circule que dans l'ombre, le FSB serait derrière ce meutre : les Russes auraient voulu se débarrasser du président qui de plus en plus n'en faisait qu'à sa tête. Les conflits entre Kadyrov et le pouvoir central étaient nombreux et durs.

Le stade, qui avait été fini pour la cérémonie au cours de laquelle il a été tué, était entièrement contrôlé par les forces de sécurité ; tous les matériaux avaient été surveillés de près, tous les ouvriers fouillés à l'entrée. L'explosif était scellé dans le siège, pile celui sur lequel Kadyrov allait s'asseoir. Qui que soient les ou la personne derrière l'attentat, il fallait que son auteur ait la possibilité d'éviter les procédures de contrôle. Peut-être le problème avait-il été réglé avec des pots-de-vin, auquel cas l'entreprise avait dû coûter très cher. À moins que ce ne soit le chef des lieux en personne. Les indépendantistes n'ont pas revendiqué l'attentat, et pourtant habituellement ils ne perdent pas de temps avec ce genre de choses, même s'il ne s'agit que d'un hélicoptère qui s'écrase. Cette fois-ci rien, excepté Chamil Bassaev qui a remercié Allah que ce dirigeant abominé ne soit plus là. Mais les Russes ont immédiatement attribué aux Tchétchènes « l'honneur » du meurtre. Autre mystère : Pourquoi Ramzan, le garde du corps personnel de ce père qu'il ne quittait jamais d'une semelle, n'était-il pas présent en ce jour important de l'histoire de la république ? Pourquoi l'a-t-on encouragé à rester à Moscou ce jour-là ?

Le Ramzan qui venait tout juste de perdre son père fut tout de suite appelé auprès de Vladimir Poutine, et ce devant les caméras. Avant de remettre le destin de la Tchétchénie entre les mains de Kadyrov fils, Poutine a juré entre ses dents qu'il punirait les bandits.

Le Premier ministre change de position mais Ramzan, lui, prend calmement les choses. Il pose ses coudes sur la table et me regarde dans les yeux.

« Nous étions allés à la cérémonie d'investiture de Poutine à Moscou quelques jours plus tôt. Nous étions tous les deux invités. Lui comme président, moi comme chef d'équipe. Je devais rencontrer les autorités russes et il me restait encore des rendez-vous, mon père m'a demandé de terminer ce que j'avais à faire. Quand il est parti, le 8 mai, je l'ai accompagné à l'aéroport. Il était prévu que je le rejoigne après le 10 mai. Je me souviens que l'avion devait partir à 14 h 30. Je l'ai prévenu : “Sois prudent, Grozny est dangereux.” Je me souviens avoir dit ça, et il a ri : “Et Allah, tu crois qu'il n'est pas à Grozny ? Allah est à Grozny, à Moscou et à Sotchi.” Nous avions en fait parlé de partir en vacances à Sotchi pour nous reposer. “La mort vient quand elle est condamnée à venir et je dois être auprès de mon peuple”, a-t-il déclaré, un pied sur l'escalier de l'avion. »

Le ton de Ramzan change. Sa voix est plus basse, plus insistante et il pèse chaque mot.

« Je crois que mon père prévoyait sa propre mort. Savez-vous ce qu'il a dit avant de monter dans l'avion ? “Si j'étais sûr à cent pour cent que la mort m'attendait à Grozny, j'irais quand même.” Je me souviens de ça, il était 14 h 30, le 8 mai. Et puis il a dit : “Je ne reviendrai jamais à Moscou.” Les deux jours précédents déjà, il l'avait évoqué. “C'est mon dernier voyage à Moscou”, nous avait-il annoncé à moi, mon frère et ma mère au téléphone. Quelques jours plus tôt, il avait dit : “Je ne toucherai plus jamais à ma barbe.” “Mais jusqu'où va-t-elle pousser ?” ai-je demandé. “Non, je n'y toucherai plus jamais”, a-t-il seulement répété. Comme un acte religieux, je ne sais pas. Et puis il a emporté tout ce qu'il possédait à Moscou. Les costumes, les livres, toutes ces choses, tout. Ça il ne l'avait jamais fait auparavant, il gardait toujours plein d'affaires là-bas. S'il n'avait pas été mon père, j'aurais dit qu'Allah l'avait déjà désigné. Le dernier soir à Moscou, il m'a donné les consignes à suivre s'il mourait. “Si tu ne fais pas ça, ça et ça, nous perdrons tout, absolument tout.” C'est ce qu'il m'a dit. Oui, Abdoulkahir qui est assis ici est témoin. Nous avons suivi tous ses conseils. Tous. Et nous continuons. N'est-ce pas ? »

Abdoulkahir hoche la tête, et sa gorge laisse entendre un raclement.

« Le dernier soir, avant de partir à Moscou, le 5 mai tard dans la nuit, il a dit : “Si je devais ne plus être avec vous, suivez la voie que j'ai tracée.” Maman, qui avait entendu ses propos, est entrée en pleurant : “Pourquoi parlez-vous comme ça ?” Bien sûr, nous savions qu'à tout moment nous pouvions marcher sur une mine, exploser, ne plus être là. C'était un grand homme, notre premier président tchétchène et musulman, le plus digne qui soit. Tous ses rêves seront réalisés. Inch'Allah.

— Terminé, dit le Premier ministre. Terminé, vous avez largement dépassé le temps. C'est bon. Fini. Terminé. »

J'éteins le dictaphone, rassemble mes notes, prends une photo. Le Premier ministre s'agite derrière mon dos, il ne se débarrassera jamais assez vite de moi. Je remercie et suis reconduite par un garde armé qu'on a appellé pour qu'il vienne me chercher. Sur le seuil, je me retourne vers le président. Il est assis exactement dans la même position que quand je suis entrée, à son aise dans le fauteuil, un pied donnant des coups dans la table, et il écrit des SMS sur son portable.

Sur son mur, entre Poutine et le portrait de famille des Kadyrov, Che Guevara semble soucieux. La feuille blanche qui se trouvait sur le dessus d'une pile de papiers posée devant le président quand nous avons commencé l'interview est désormais parsemée de toutes petites fleurs. La tête souriante et ronde, les pétales dodus, elles ont été gribouillées au crayon à bille qui est désormais négligemment posé à côté du porte-stylo en plaqué or.

# Du thé, la vieille ?

Je n'arrive pas à oublier les femmes de cette famille où les hommes disparaissent. Salina, la jeune fille de seize ans, et la voiture de son mari retrouvée brûlée au bord de la route ; Tamara, qui espérait que son fils reviendrait vivant de la prison d'Arkhangelsk. Il s'est écoulé un an et demi depuis que je suis allée chez elles. Plusieurs fois j'ai essayé d'y retourner, mais je n'ai jamais trouvé quelqu'un qui accepte de m'y emmener.

« C'est trop dangereux, elles sont sous surveillance, *il y a quelque chose avec cette famille* », me disent-ils tous.

J'ai découvert que l'histoire de Tamara n'était pas exceptionnelle. Un jour j'ai rencontré quelqu'un en qui je pouvais avoir confiance et qui venait du même village, je lui ai demandé s'il avait des nouvelles de cette famille.

« Quelle famille ?

— Tu sais, celle qui a perdu quatre fils...

— Laquelle ?

— Que veux-tu dire laquelle ?

— Il y en a beaucoup au village qui ont perdu quatre fils. »

L'été passe, puis l'automne et un nouvel hiver qui laisse place au printemps, sans que je réussisse à leur rendre visite. Je n'y retourne que l'été de la deuxième année, avec Zaïra.

Dans une robe rose légère, aux deux épaisseurs de tissu et aux fleurs blanches brillantes, achetée au bazar de Grozny, je suis assise sur la banquette arrière d'une vieille voiture qui me conduit hors de la capitale. Autour de ma tête, j'ai noué un châle vaporeux dans des tons qui vont presque avec ma robe, mais presque seulement, pour que ça fasse plus vrai. Les boucles d'oreilles en or avec les perles en forme de larmes sont à leur place et les sourcils sont bien dessinés. Le fard au-dessus des yeux est vert et le crayon noir. Les chaussures sont à talons hauts, à fleurs, avec un pompon rose sur le dessus, elles aussi jurent un peu avec la robe et le châle, mais rien qu'un peu.

Je baisse timidement les yeux quand les soldats au barrage jettent un coup d'œil dans la voiture. Seuls les papiers du chauffeur sont vérifiés.

Nous allons jusqu'à la maison défendue. Zaïra frappe. Il n'y a personne dans la rue. Après une courte discussion, elle me fait signe de venir et je bondis de la voiture, qui s'en va.

« Je ne sais pas si vous vous souvenez, je suis venue ici il y a un an, c'était l'hiver...

— Bien sûr que je me souviens », dit Tamara en m'étreignant. Puis je réalise. *Quiconque fréquente ces personnes est aussi un ennemi. Quiconque pleure à leur enterrement est aussi mis au ban de la société.* Bien sûr qu'elle se souvient.

Les arbres fruitiers, qui étaient lourds de neige la dernière fois que je suis venue, penchent vers les murs de la maison. Ils ploient maintenant sous les pêches. Un peu plus bas dans la cour, près de la maison où les femmes s'étaient rassemblées pour prier lors de la disparition de Hassan l'année précédente, des grappes de prunes vert clair pendent à un arbre tordu. La vache est toujours là, elle meugle ; attachée à sa corde, elle tourne autour d'un noyer robuste. Le jardin est entouré de lopins de terre soignés où des oignons, des choux et de l'aneth se détachent sur la terre sombre.

Deux vieilles sont assises dans la cour couverte où la treille offre une ombre rafraîchissante, elles me regardent avec suspicion. Ce sont les sœurs du mari défunt de Tamara et l'une d'elles est la mère de Hassan. Sur une table, entre elles, il y a une théière et un plat de galettes repliées sur un épais morceau de fromage fait maison. L'une des femmes soulève le couvercle qui les garde chaudes et nous en propose. La seconde est déjà partie chercher les tasses. On me fait asseoir à côté de Tamara, sur un vieux lit qu'elles utilisent comme canapé.

« Iznaour est sorti de prison », m'annonce Tamara calmement.

Je lui souris. C'est une bonne nouvelle. Elle ne me rend pas mon sourire.

« Il est sorti cet hiver. Il est au boulot maintenant, il a été embauché comme menuisier. Il a appris à travailler le bois à Arkhangelsk. Mais oh ! Il faut voir comment ils l'ont traité, il te racontera lui-même quand il rentrera. Mais il est libre. Seulement, je crains tellement que ce ne soit pas encore fini...

— Et Hassan ? Il est rentré ? »

Les trois femmes se taisent, recroquevillées.

« Ils l'ont découvert juste après que tu es venue la dernière fois, une semaine ou deux après peut-être, répond Tamara. Ils avaient déjà retrouvé la voiture. Hassan gisait pas très loin. Une de ses jambes était sectionnée, pareil pour un bras, et il avait perdu un œil. Il avait une balle dans la tête.

— Savez-vous...

— C'est *eux*, bien sûr. Sa belle-sœur, on ne sait toujours pas où elle est.

— Et Salina, comment va-t-elle ?

— Elle n'habite plus ici, elle est rentrée chez les siens.

— Les siens ? Ils ont tous été tués...

— Quoi qu'il en soit, elle n'habite plus ici.

— Et ses garçons ?

— Les fils sont ici. Ils nous appartiennent. »

Le regard que Tamara pose sur moi me dit : N'en demande pas davantage.

« Je peux la rencontrer ?

— Non, dit Tamara, tu ne peux pas.

— Arrête, tu parles trop, lui reproche en tchétchène une des femmes aux visages sévères.

— *Ya oustala moltchat* », répond Tamara en russe. J'en ai marre de me taire, je n'en peux plus de ce silence.

— Juste avant l'enlèvement de Hassan, oui, juste avant que tu ne viennes ici, ils nous ont aussi emmenées, ma fille et moi.

— Toi ?

— Oui, je ne pouvais pas te le raconter la dernière fois, car je ne savais pas qui était l'homme qui t'accompagnait. À cette époque, Iznaour était encore en prison.

— Où t'ont-ils emmenée ?

— Ils ont débarqué tôt le matin et ils nous ont fait sortir de la maison en chemise de nuit. Les fils de Fatima hurlaient, ils n'y ont même pas prêté attention. Ils nous ont entraînées dans une voiture qui a démarré quand nous sommes montées. En route, ils nous ont frappées. "Qui connaissez-vous ? Où sont les combattants ? Qui cachez-vous ?" Tout en nous tapant, ils ont donné différents noms d'hommes dont je n'avais jamais entendu parler. Ils nous ont conduites vers Tsentoroï et ont arrêté la voiture dans les bois. »

Zaïra n'en croit pas ses oreilles. « À Tsentoroï ? »

Tsentoroï est le fief du clan Kadyrov.

« Là il y avait un autre véhicule, plus gros, continue Tamara. Cinq hommes y étaient assis, les mains attachées dans le dos et la tête recouverte de leur blouson. On nous a jetées dedans. Les types qui nous avaient transportées jusque-là ont déclaré : "la voiture est pleine d'explosifs et elle va bientôt sauter. Celui qui veut sauver sa peau doit nous dire où se cachent les combattants." Aucun d'entre nous n'a ouvert la bouche. Fatima et moi ne savions rien, bien sûr. J'ai cru que ma dernière heure était venue. Fatima pleurait pour ses fils qu'elle pensait ne jamais revoir. Ils sont revenus et ont dit que nous avions encore quelques minutes pour raconter ce que nous savions. Puis ils sont partis, comme pour s'éloigner avant que la voiture explose. Nous avons tout vu : ni moi ni Fatima n'avions de bandeau sur les yeux. Au bout de deux heures, nous avons été relâchées. "C'est un avertissement", ont-ils dit après nous avoir reconduites à la maison dans la même voiture qu'à l'aller. Ils nous ont ramenées juste devant notre porte. Je n'ai aucune idée de ce qui est arrivé aux autres hommes dans le véhicule, ceux qui avaient les mains attachées dans le dos. »

Tamara mélange le russe et le tchétchène quand elle parle. Zaïra traduit quand la vieille femme passe dans sa langue maternelle. Elle le fait aussi quand les deux parentes de Tamara rabâchent la même chose. « Sois prudente maintenant, Tamara. N'as-tu pas assez perdu ? »

Mais Tamara a pris sa décision. Elle est en danger si elle se tait et elle est en danger si elle parle. Elle a opté pour la dernière alternative.

« C'était qui ?

— *Eux* », dit Tamara en insistant sur ce mot.

Les poules caquettent autour ne nous. Leurs ombres se sont allongées.

« Les kadirovski, continue Tamara, les hommes du président. »

La chaleur sèche, qui a presque transformé les champs en désert, s'est un peu atténuée. Tamara poursuit son récit. Quelques semaines plus tard, ils sont revenus. Cette fois-ci, ils ont laissé Fatima à la maison et n'ont pris que la mère. Ils l'ont reconduite dans les bois près de Tsentoroï. Puis tout à coup ils se sont retrouvés devant des grilles hautes. La voiture a passé une porte gardée.

« C'était comme d'arriver en enfer. On m'a jetée hors de la voiture et j'ai été poussée par des hommes munis d'armes automatiques. J'entendais des cris et des lamentations autour de moi, sans comprendre d'où ils venaient. »

Les deux belles-sœurs se taisent. Leurs lèvres serrées et leur regard signifient à Tamara qu'elle va trop loin. Ça suffit maintenant, disent leurs visages.

« On m'a poussée vers ce qui ressemblait à une tranchée, à une sorte de remblai entouré de douves cimentées. Je ne voyais que le dessus. D'abord à distance, puis de plus près. Elles étaient couvertes de planches ou de panneaux de bois qui permettaient de passer d'un côté à l'autre. On m'a demandé de monter dessus. Je revois encore le spectacle qui m'a sauté aux yeux quand je les ai baissés. Des cadavres gisaient les uns sur les autres. Ensanglantés, meurtris, sans dents, sans yeux. L'un d'eux, un des cadavres, ou peut-être vivait-il encore, me regardait. Je rêve encore de ce regard, je me réveille en criant. On m'a conduite au centre de ces douves. De là, je ne pouvais pas m'échapper sans tomber au fond, car les planches étaient gardées par des hommes armés. À cet endroit, trois hommes étaient suspendus à une sorte de support fait de barres et de tuyaux. Ces derniers étaient électrifiés, le courant était mis, coupé. Mis, coupé. Aux cris, on savait quand il passait.

— Qu'est-ce qu'ils te voulaient ?

— La même chose que la première fois. Ils voulaient que je leur révèle où se cachaient les combattants. Mais je ne sais rien. Je leur ai seulement dit : “Vous avez déjà pris tous mes fils, il ne reste plus que moi, alors si vous me voulez, tuez-moi dès maintenant.”

— Ils t'ont battue ?

— Non, ils ne m'ont pas touchée. Ils ont installé une petite table et une chaise devant le support où les hommes étaient torturés. Ils m'ont fait asseoir. Puis ils ont apporté du thé, de la crème liquide sucrée et un morceau de pain, gros comme ça. »

Elle montre une de ses paumes. « “Bois, la vieille”, ont-ils dit. J'ai secoué la tête. “Qu'est-ce que tu as, Baba ? Tu ne veux pas de thé ?” Je préférais encore mourir qu'être assise à boire un thé devant les hommes maltraités à mort, ou devant les corps dans les tranchées.

— Combien de cadavres as-tu vus ?

— Ils étaient pêle-mêle. Plusieurs dizaines. Les tranchées étaient en brique rouge et bordées de métal. Je ne sais pas pourquoi elles sont cimentées comme des bassins, peut-être pour pouvoir y verser de l'acide. J'ai entendu dire ça. »

Elle continue à raconter, comme en transe. Même si son regard est posé sur nous, ses yeux sont repartis là où elle était.

« Les kadirovski marchaient autour de moi et bavardaient en riant. De la musique forte sortait de grandes enceintes, de la pop tchétchène. De la nourriture avait été apportée sur la table : des plats remplis de grands morceaux de viande, du pain, des rafraîchissements. De temps à autre, ils s'asseyaient, se détendaient et mangeaient avant de se relever pour torturer les hommes sur le portant. Deux femmes s'occupaient de la nourriture, elles s'activaient autour de nous. L'une d'elles épluchait tranquillement des pommes de terre. En plein enfer. Comme je refusais de boire mon thé, un homme m'a ordonné de débarrasser et de laver. Ce que j'ai fait. Je pensais que les deux femmes étaient aussi des prisonnières, mais non, en fait elles étaient payées pour travailler là. “Comment pouvez-vous faire ça ?” me suis-je exclamée. Je n'avais plus peur de rien. De toute façon, je croyais que c'était la fin. “Les prisonniers n'ont qu'à s'en prendre à eux-mêmes”, a répondu la plus jeune, “*Ne nado bylo lezt kouda ne nado bylo*” – “Ils n'avaient qu'à ne pas se mêler de choses qui ne les regardaient pas”. J'étais sous le choc. Si froidement. Que nous est-il arrivé ? Comment avons-nous pu devenir aussi abominables ? Jamais dans notre histoire nous ne nous sommes fait souffrir comme aujourd'hui. Ce n'est plus les Russes contre les Tchétchènes. C'est entre nous. Une autre femme à côté de moi était prisonnière, elle a été interrogée. Elle venait juste d'accoucher et le lait coulait de sa poitrine. Elle n'est jamais ressortie. On me l'a dit. Mais je ne sais pas ce qu'ils lui ont fait. »

Les larmes coulent sur ses joues.

« La nuit commençait à tomber et je ne serais jamais sortie de là non plus si un homme ne s'était pas tout à coup exclamé : "Mais vous n'êtes pas la mère d'Iznaour ?" Je ne sais pas qui il était, mais je crois qu'il m'a sauvée. Il a parlé à quelqu'un et au bout d'un moment ils m'ont ramenée à la maison.

Mais ils peuvent revenir à tout moment. Je n'ai pas peur pour moi, mais pour Iznaour. Je sais qui est venu me chercher, qui les a pris, lui et ses frères, je sais qui ils sont. Mais je ne le lui dis pas. J'ai refusé de le faire. J'ai tellement peur du jour où il essaiera de se venger et où il sera lui-même tué… mon dernier fils. Non, je ne lui dirai jamais qui ils sont. »

La porte s'ouvre et un jeune homme entre.

« Iznaour ! » s'exclame sa mère. Ses traits s'adoucissent dans un sourire.

Le garçon, car il n'est guère plus qu'un jeune garçon, est beau, avec plein de boucles brunes et un regard doux. Nous nous présentons, il nous prie de rester assises. Sa mère a passé un bras autour de lui. « Quand il est rentré, il avait tellement maigri, il n'avait plus que la peau sur les os, et maintenant, il est redevenu mon grand gaillard ! »

Disparu en 2000, Iznaour est revenu en 2007, marqué à vie. Avec un marteau.

Ils lui ont planté un crayon de papier dans le thorax. La mine est encore là. Ils lui ont creusé la poitrine avec une pince. Il en reste des trous profonds.

« Les Russes. Pour me faire parler », dit Iznaour.

J'étais tombée par hasard sur cette famille, en prenant un nom sur une liste de la Croix-Rouge répertoriant ceux qui avaient des fils dans une prison russe. Il s'est avéré que cette famille était porteuse d'une histoire difficile à raconter. Si j'avais opté pour un autre nom sur la liste, j'aurais découvert une autre histoire. Derrière des noms et des adresses griffonnés sur un bout de papier de la Croix-Rouge se cachent d'autres récits.

Ce fut Tamara et ses fils perdus. Salina et son mari assassiné.

Je ne les ai pas revus depuis ce soir d'été, mais je les suis encore, car Iznaour est un des rares à avoir choisi de ne pas taire ce qu'il a vécu. Il est un témoin important dans le procès du lieutenant russe Sergueï Lapine, plus connu sous le nom de *Kadet*, qui dirigeait l'action « antiterroriste » au nom de la Russie, en qualité de « responsable dans la lutte contre le terrorisme et la criminalité organisée ». Que quelqu'un soit jugé pour des exactions commises en Tchétchénie est rare. Peu de victimes osent porter plainte, les conséquences sont trop grandes. Mais la famille d'un de ces jeunes hommes que le *Kadet* a torturés à mort n'a pas renoncé. Les avocats des organisations internationales de défense des droits de l'homme leur ont permis de le poursuivre en justice et de résister à la pression des autorités.

*Le Kadet* était réputé pour sa cruauté. C'est lui qui plantait le clou dans l'épaule. Lui qui introduisait le crayon de papier dans la poitrine. Lui qui grattait la chair avec une pince.

Il est maintenant rattrapé par un système judiciaire qu'il n'a que trop méprisé. Le jour où une de ses victimes a protesté, en disant qu'elle était innocente, qu'elle voulait voir un avocat, il lui a attaché des câbles électriques à l'oreille et à un doigt, et ces câbles ont été accrochés à un cadran de téléphone. En composant un numéro, le courant a été activé. La technique fut appelée *zvonok advokatou* – le coup de téléphone à l'avocat.

Iznaour a choisi de témoigner à visage découvert. Iznaour est le fils de sa mère.

# Pendant que Poutine regarde

Les vacances d'été approchaient à grands pas et Hadizat avait depuis longtemps commencé à préparer la rentrée. Plusieurs des petits allaient intégrer le CP. Le placard où les enfants rangeaient leurs affaires d'école était rempli. Elle gémissait. Bien qu'on ne fût qu'en juin, le mercure atteignait les quarante degrés – du jamais vu. Il n'y avait pas un souffle d'air, pas le moindre mouton en vue dans le ciel. La brume humide qui stagnait au-dessus de l'orphelinat n'apportait aucune fraîcheur sous le soleil qui brillait dans un ciel tout bleu. Elle voulait demander à Zaour de fixer de nouvelles étagères. Ils avaient tout ce qu'il fallait dans la réserve, il ne leur manquait que les clous.

Au marché, les produits souffraient sous la chaleur. Les premiers melons étaient déjà arrivés à maturité, leur peau éclatait et leur arôme suave suivait les gens dans les allées où les abricots dodus étaient entassés dans des grands cageots. Les fruits mûrissaient d'heure en heure et leur odeur se mélangeait à celle de la cigarette, du fer rouillé, de la peinture et du papier tue-mouche. Ce bazar poussiéreux de la rue Rosa-Luxemburg proposait les meilleurs prix, même pour une simple boîte de clous.

Zaour était accompagné de son ami Saïd ; après leur achat ils ont couru pour attraper un bus plein à craquer.

Ils ont eu de la chance et se sont laissés tomber sur un siège libre, juste avant que le bus ne démarre. Les fauteuils en moleskine collaient à la peau moite : où pouvait-on trouver de l'air pour respirer ? L'odeur d'essence s'est répandue dans l'allée. Certains ont tenté d'ouvrir les fenêtres. Soudain les rayons de poussière vibrant dans la lumière de la porte qui ne fermait plus ont été coupés par des ombres sombres. Trois hommes se tenaient sur les marches. « Vérification des papiers », ont-ils annoncé en montrant Zaour et Saïd du doigt. Les garçons n'avaient aucuns papiers sur eux, il n'étaient censés faire qu'un saut au marché.

« Dans ce cas, vous devez nous suivre au bureau de l'état-major », ont déclaré les hommes habillés en civil. « Nous pouvons passer les prendre chez nous », a eu le temps de dire Zaour, avant d'avoir le tee-shirt remonté au-dessus de la tête, les mains pliées dans le dos et les poignets menottés. Ils ont été poussés hors du bus. Saïd a crié son adresse aux autres passagers : « Prévenez maman ! » Personne ne s'est levé. Personne n'a tenté de s'interposer. Et personne n'a prévenu.

Zaour a senti les mains d'un des hommes dans ses poches. « Je peux les vider moi-même », a-t-il dit, mais les hommes se sont emparés du téléphone portable, du portefeuille et de quelques bouts de papier. Ils ont jeté le tout dans une voiture qui les attendait et les garçons ont subi le même sort.

Zaour les avait remarquées au marché : trois Lada 110 gris métallisé, les voitures des kadirovski. En retrait, debout au bord du trottoir, ils étaient aisément repérables dans la masse.

Les hommes leur ont mis la tête entre les genoux et les ont frappés derrière la tête, sur le cou et le dos pendant qu'ils roulaient. Nauséeux à cause des virages brusques, Zaour a essayé de deviner le chemin emprunté en se fiant aux mouvements de la voiture, aux arrêts, aux tournants, mais sans voir c'était difficile. Il était recroquevillé, le cou et le dos découverts, sans défense contre les coups de poing et d'un objet dur, probablement une batte selon Zaour.

Dans la voiture, les hommes ont appelé quelqu'un et demandé : « On les emmène *là-bas* ? »

« Je suis un simple citoyen », a crié Zaour entre les coups. Il était convaincu qu'ils allaient le tuer, le jeter dans un sac-poubelle et qu'on le retrouverait au bord d'une route ou qu'il disparaîtrait, tout bonnement. Comme tant d'autres avant lui.

Quand la voiture s'est arrêtée et qu'on les a poussés dehors, son tee-shirt a glissé et il a reconnu la grande grille juste à côté des bâtiments du MVD – le ministère de l'Intérieur russe –, où il y a aussi une prison. On les a conduits dans un couloir en leur tapant dans le dos. Les hommes ne les laissaient pas lever la tête, ni les yeux, ni regarder autour d'eux. Ils les frappaient au moindre geste, mais Zaour a entraperçu un sol en linoléum beige par un pan de sa chemise écarté.

Les garçons ont été amenés chacun dans un bureau. Ils avaient toujours les mains attachées dans le dos, mais les hommes avaient découvert leur visage. Dans la pièce où Zaour se trouvait, il y avait une table avec un ordinateur, deux chaises, un coffre-fort, un lit et une étagère de quatre livres. Au-dessus du coffre, trois portraits étaient accrochés : Vladimir Poutine flanqué de Kadyrov père et fils. Deux petits drapeaux ornaient le bureau, le tchétchène et le russe. Tous les hommes dans la pièce étaient armés, et ils étaient tous tchétchènes. L'un d'eux a décroché le téléphone et composé un numéro. Il a décrit Zaour en détail.

« Grand, oui, solidement charpenté, une barbe, des cheveux longs, des yeux marron, des grandes mains et des grands pieds, une bague en argent, une montre. »

L'homme a pris une photo de Zaour sur son portable et l'a envoyée en MMS. Après avoir reçu la confirmation qu'ils avaient attrapé la bonne personne, il s'est avancé vers Zaour. « Nous t'avons amené ici pour que tu parles », a-t-il dit en lui donnant une claque sur l'épaule.

« Ce doit être une erreur, a réussi à formuler Zaour.

— Où est Chtourmovik ? »

La voix de l'homme était dure comme le métal.

« Je ne connais aucun Chtourmovik. »

Coup sur la nuque.

« Où est-il ?

— Je ne sais pas de qui vous parlez. »

Coup derrière la tête.

« Ne mens pas !

— Je ne connais pas... »

Coup sur les tempes. Ses oreilles se sont mises à bourdonner. Ils l'ont frappé sur les vertèbres du cou, au front, à la racine des cheveux, aux poignets, aux chevilles, derrière les genoux, dans le dos.

« Allez, dis !

— Je ne sais pas de qui vous parlez. Je ne connais même pas son nom. Je ne l'ai jamais rencontré. Jamais vu. Je ne sais pas s'il vit ou s'il est mort », a craché Zaour.

Nouvelle avalanche de coups.

Ils ont continué à crier, à lui demander où se trouvait Chtourmovik, qui signifie l'avion de chasse ou l'assaillant, puis Le Pirate et Moriak – Le Marin. Tous ces surnoms sont ceux de combattants célèbres qui à une époque se sont battus aux côtés de Ramzan Kadyrov, avant de changer de camp et de former leurs propres troupes. Mais ça, Zaour l'ignorait. Il n'avait jamais entendu parler d'eux. Zaour ne parvenait pas non plus à déterminer s'ils savaient qui il était ou s'ils avaient seulement décidé de prendre deux garçons au hasard sur le marché.

C'est le FSB, a pensé Zaour. Ils n'étaient pas grands et costauds comme les gardes du corps de Kadyrov, qui s'entraînent au club de boxe Ramzan, ou comme les gars de l'OMON – la police anti-émeute. Ils était minces, bien habillés et bien rasés, avec des cheveux courts, ils portaient des jeans et des tee-shirts à la mode ; ils avaient dans la trentaine, un peu plus peut-être pour certains. Ils parlaient, ou criaient plutôt, un tchétchène relativement châtié, ou comme des gens qui ont fait des études. Malgré l'apparence officielle de la pièce, avec les portraits d'un président mort et de deux vivants, aucun procès-verbal n'a été fait, ils ne disposaient d'aucun mandat d'arrêt.

« Je connais des hommes de Ramzan, a tenté Zaour, vous pouvez appeler, je peux vous donner le numéro ! »

Un des voisins dans la rue, un ancien camarade de classe de Zaour, occupe un poste haut placé auprès de Ramzan Kadyrov, et Zaour, prêt à tout, espérait qu'il prendrait sa défense.

« *Nam Ramzan do lampotchki* », lui ont répondu en riant ceux qui l'interrogeaient. « On s'en fout de Ramzan ! Regarde, nous aussi on l'a, il est accroché là-bas, nous aussi on est ses amis, ah ! ah ! »

Coup. Dans les reins. Sur la tête. Dans les côtes.

« On va chercher les câbles ? » a demandé un des hommes aux autres.

L'un d'eux est sorti les chercher, puis il est revenu en disant qu'ils étaient déjà pris, qu'il allait falloir attendre un peu. « Dans ces conditions, on va être obligé d'utiliser la vieille technique », ont-ils dit en riant, et ils ont frappé encore plus fort. Certains hommes sortaient, d'autres entraient. Zaour n'arrivait plus à suivre.

« Tu sais qu'on va te tuer si tu ne nous dis pas où se trouve l'Assaillant...

— Mais j'ignore... »

Coup.

« ... qui il est ! »

Coup.

« Tu sais quel effet ça fait les électrochocs ? Tu trembles et tu brûles, puis une énorme puissance t'envoie trois mètres plus loin. Si on est sympa, on t'installe à une certaine distance du mur, mais sinon, on t'y colle, le visage tourné vers les crochets que tu vois là-bas. Charmant, non ?

Quand Zaour s'est évanoui de douleur, ils se sont contentés de le gifler pour qu'il reprenne conscience, et ont continué à frapper. L'un d'eux a fait une pause, il a posé la batte par terre et s'est allongé sur le lit. Il a essuyé la sueur sur son front. « Quelle chaleur ! a-t-il dit. On bout ici. Quelqu'un peut aller me chercher à boire ? »

Ce type sur le lit était le pire. C'était lui qui disait les choses les plus horribles, qui frappait le plus fort.

« Quand on t'aura tué, est-ce que quelqu'un te cherchera ? Est-ce que quelqu'un voudra te venger ?

— Oui ! a crié Zaour.

— Ah ! Et tu crois qu'on te retrouvera ? » a lancé l'homme en sueur.

Zaour s'interrompt. Raconter est difficile. Pour réussir à reconstituer son histoire, je lui demande une quantité de détails dont il ne comprend pas l'importance. « Précisément, qu'as-tu vu dans la pièce ? À quoi ressemblaient les hommes ? Que portaient-ils ? Comment as-tu vu qu'il était allongé sur le lit ? »

Nous sommes assis dehors, à l'ombre, sur la terrasse couverte entre la chambre de Hadizat et l'aile des garçons. Trois semaines se sont écoulées depuis l'enlèvement. En bas, dans la cour, les enfants galopent et shootent dans un ballon de plage recollé à plein d'endroits. Il est en si piteux état qu'ils doivent sans cesse s'arrêter pour le regonfler.

« Tout a changé ce jour-là », dit Zaour en me regardant tristement.

« Ils me frappaient tellement fort à la tête que j'avais l'impression qu'elle allait éclater, tout est devenu rouge et je suis tombé plusieurs fois. Ces gars, ils savent où taper. Ils peuvent démolir quelqu'un en un rien de temps. Je n'avais plus qu'un seul désir à ce moment-là : revoir le monde. Il y avait une fenêtre dans la pièce, mais elle donnait sur un mur, et des chiens aboyaient dans la cour intérieure. Toute ma vie, j'ai entendu parler de gens qu'on était venu chercher, qu'on avait torturés, qui avaient disparu, mais que cela allait m'arriver... »

« Retire ta bague ! » lui ont ordonné ceux qui l'interrogeaient. « Pourquoi tu la portes ? »

Les deux garçons ont au doigt une bague en argent sertie d'une petite pierre précieuse. « Le prophète portait une bague à l'auriculaire, le prophète aimait les bagues comme ça, c'est pourquoi j'en porte une », m'avait expliqué Zaour l'année précédente quand je l'avais interrogé sur la bague sertie de la petite pierre pourpre. On dit que ce type de bijou est signe qu'on est wahhabite.

« Et cette montre, qui te l'a donnée ? »

Ils montraient du doigt la montre Casio.

« Je l'ai achetée, au bazar.

— Non, c'est l'Assaillant qui te l'a offerte ! Les combattants utilisent ce genre de montres.

— C'est moi qui l'ai achetée, pour sept cents roubles.

— Pourquoi ?

— Parce que je la trouvais belle ! »

Zaour ne voulait pas avouer qu'il l'avait achetée pour qu'elle sonne à l'heure de la prière. « Elle est très pratique », m'a-t-il dit une fois.

« Tu mens, qui t'a donné cette montre ? »

Coup. Coup de pied. Une pluie de coups.

« C'est moi qui l'ai achetée ! »

Coup.

« Ce sont les combattants qui te l'ont donnée !

— Non !

— Nous avons la preuve que tu... »

Sa tête a éclaté. Il avait le cou et le dos en feu.

« ... es une recrue des combattants. De l'Assaillant, du Marin, du Pirate. »

Puis ils ont ri.

Zaour ne connaissait aucun de ces hommes et ne pouvait que crier non ! non ! non ! « Le mot résonne encore dans ma tête », explique-t-il.

Ils ont continué à le frapper aux mêmes endroits. Combien ces hommes étaient-ils, d'où venaient-ils ? Il ne sait pas. Mais il a été torturé dans les locaux officiels des autorités tchétchènes, par des hommes payés par ces mêmes autorités, elle-mêmes financées par l'État russe.

Le passage à tabac a eu lieu le 25 juin 2007, le jour où Ramzan Kadyrov a inauguré le nouvel hippodrome de Grozny. Deux mois et demi après avoir été investi président, après avoir prêté serment, la main sur la Constitution, et juré de stabiliser la république et de respecter la loi russe. Ramzan Kadyrov a été personnellement nommé par Vladimir Poutine. Le président russe est aussi le seul qui puisse le déposer.

« Que penses-tu de Poutine ?

— J'ai un grand respect pour Poutine, répond Zaour.

— Et Ramzan ?

— Je suis à fond avec Ramzan.

— On te prévient, ne sois pas ami avec ceux qui ne sont pas les siens, ont menacé les hommes. Ne suis pas ceux qui ne le suivent pas. Poutine nous aide. Ce n'est pas comme avant, les Russes sont avec nous maintenant.

— As-tu peur du FSB ? » a demandé l'un d'eux.

Zaour aurait voulu rétorquer qu'il ne craignait qu'Allah, mais il a répondu :

« Pourquoi aurais-je peur du FSB ? Je n'ai rien fait de mal, je n'ai aucune raison de le craindre. »

Ils ont ri : « Bonne réponse. »

Un nouveau type est entré et a dit : « Frappez plus, plus fort, travaillez-le ! Tuez-le s'il ne collabore pas. »

« Je pensais à tout ceux qui disparaissent sans laisser de trace, qui sont tués pour rien. Je ne voulais qu'une chose : sortir, recommencer à vivre. »

Zaour baisse les yeux. « Ce n'était pas nécessairement nous qu'ils cherchaient, continue-t-il. Ils aperçoivent ce qu'ils pensent être un individu suspect, ils regardent ce qu'il achète, où il va, qui l'accompagne, et surtout ce qu'il porte. A-t-il l'air d'un combattant ? D'un islamiste ? D'un insurgé ? Nous étions tous les deux en jeans et en tee-shirt, mais nous avions une barbe et les cheveux longs dans le cou. »

Les cheveux longs sont un des signes permettant d'identifier un sympathisant wahhabite, or ces derniers ont été déclarés ennemis numéro un par Kadyrov. « Le prophète avait les cheveux longs dans le cou », continue Zaour de son ton un peu traînant et déprimé. « C'est pourquoi je les porte ainsi. »

« Je crois quand même qu'ils savaient qui nous étions. C'est leur boulot de se tenir informés. Kadyrov ne peut conserver le pouvoir que de cette façon, en propageant une peur qui pousse les gens à rentrer dans les rails, à ressembler aux autres, à agir comme tout le monde. Ce jour-là, ils voulaient attraper quelqu'un, pour faire leur boulot, pour écrire qu'ils avaient pris untel ou untel, pour donner l'impression qu'ils sont actifs, et surtout, pour effrayer les gens. La façon dont ils m'ont frappé prouve qu'ils l'ont déjà fait des centaines de fois. Ils aimaient ça, ils y prenaient plaisir, et ils savaient où taper pour que ce soit le plus douloureux possible, sans laisser de marque. Ils riaient. Ils buvaient. Ils cognaient. Ils s'amusaient. »

Zaour hésite.

« Par la fenêtre, j'ai entraperçu le soleil en train de se coucher. L'homme sur le lit est venu se coller à moi. "Nous pouvons conclure un accord", a-t-il dit en me regardant droit dans les yeux. »

Je tremblais.

« Nous te relâchons si tu t'inscris comme indicateur. »

À ce moment-là, Je n'avais qu'une idée en tête : partir, partir, partir. Je ne me souviens plus de ce que j'ai répondu, mais tout à coup je me suis retrouvé penché au-dessus du bureau à noter sous la dictée. Je devais m'engager par écrit, m'engager comme indicateur. Ils dictaient. C'était affreux. Terrible. J'avais si honte. Sur ce papier, il est marqué que je dois être à l'affût des combattants, que je les contacterai si j'obtiens des informations sur eux, que je promets de dénoncer les gens. » Il fait une pause.

« Si je n'avais pas signé, je ne serais pas ici aujourd'hui. Mais par Allah, je le jure ! Je ne dénoncerai personne ! Je n'ai signé que pour être relâché. Je ne veux pas faire leur sale boulot ! Et ce papier, ce papier, ils ne pourront pas l'utiliser contre moi. Ils s'en servent uniquement pour montrer qu'ils travaillent : eux aussi ils ont des chefs, et ce papier prouve qu'ils recrutent du monde. »

Zaour tremble. « Maintenant tout est écrit noir sur blanc. Je suis dans leur fichier informatique. Comme indicateur. »

Le ton dans la salle d'interrogatoire a changé.

Il ne restait plus qu'un problème à régler.

« Tu nous a vus, a dit un des hommes. Qu'est-ce que tu vas faire ?

— Je la fermerai.

— Oui, si tu ne le fais pas, tu es mal. Nous viendrons te rechercher, mon petit gars. Ne crois pas que tu puisses nous échapper. »

« Cela n'a duré qu'un après-midi, dit Zaour, entre le déjeuner et le dîner. Ils m'ont torturé entre le déjeuner et le dîner. Et rien n'est plus pareil. »

Après avoir été reconduits devant la maison et jetés devant la porte, Saïd a quitté la Tchétchénie et Zaour n'est plus sorti. Les premières semaines, il est resté cloué au lit par la douleur, le visage et le corps couverts de bleus. Il n'a presque aucun souvenir des premiers temps qui ont suivi. Il a pris des photos de ses hématomes comme preuve, au cas où il en aurait un jour besoin, mais il n'a pas osé aller chez le médecin. « Les premiers jours, j'avais tellement mal que je ne pouvais même pas me pencher pour la prière. »

Maintenant il dort tout habillé, de crainte qu'on vienne le rechercher.

« Je dois partir d'ici, dit Zaour. Ils m'ont dans leurs archives maintenant, ils reviendront. C'est sûr. Mais la prochaine fois, ils ne m'auront pas. S'ils viennent avant que je sois parti, je m'enfuirai. Je sortirai par la petite fenêtre de la salle de bains, je descendrai par le toit de tôle ondulée et je traverserai la cour du voisin ; de là, je ne sais pas encore trop comment faire. La grille est surmontée de piques dangereuses, on peut s'empaler dessus, je dois trouver un moyen de les enlever, me préparer un passage par où m'échapper. Mais Louiza, ma femme, dit que la fuite ne sert à rien, car ils penseront que j'ai quelque chose à me reprocher et me tireront dessus.

— Tu ne peux pas porter plainte ? Connais-tu quelqu'un qui puisse te renseigner ? Memorial ? Des organisations de défense des droits de l'homme ?

— Peuh ! Qu'est-ce que ça changera ? Non, il vaut mieux disparaître, tout bonnement.

— Mais d'après ce que tu me dis, cela s'est passé dans des bâtiments fédéraux. Peux-tu dénoncer ceux qui t'ont torturé ? Tu as les photos, peux-tu les envoyer à un avocat ? »

Zaour secoue la tête.

« Nous sommes en Russie ici, pas en Allemagne – là-bas, si tu déposes une plainte, elle aboutit. Ici, les règles sont différentes. »

Le muezzin d'une mosquée voisine appelle à la prière. Zaour se lève lourdement.

« Allah m'a sauvé », dit-il et il s'en va prier.

Zaour, Louiza et leur fille de deux ans ont choisi de quitter Grozny à l'automne 2007. Ils vivent désormais hors de la république.

# L'honneur

Un sujet revient souvent dans les conversations tchétchènes.

L'honneur.

L'honneur d'un combattant. L'honneur d'un peuple. L'honneur d'un dirigeant. L'honneur d'une femme. C'est surtout ce dernier cas qui soulève l'opinion. Le crime d'honneur est courant. Très courant. Quand je pose la question aux femmes autour de la table un soir, toutes peuvent me parler d'un voisin, d'une connaissance, de parents chez qui c'est arrivé. « Tous les enfants ici ne sont pas devenus orphelins à cause de la guerre », déclare Hadizat, et elle me cite ceux dont la mère a été victime d'un crime d'honneur.

« C'est affreux, dit-elle, mais beaucoup l'acceptent. L'honneur est important.

— Cela donne l'exemple, explique Malika, afin que personne ne fasse comme ces pauvres filles.

— J'aimerais bien parler avec quelqu'un qui a commis un tel meurtre, dis-je, me mettre dans sa tête.

— On doit pouvoir t'arranger ça, répond Hadizat.

— Arranger ça ? J'ai à peine le droit de passer la porte de cette maison ! »

Le dîner se termine. Hadizat s'excuse, et je reste autour d'un thé avec Malika et Madina. Malika est triste.

Son beau-frère qui avait disparu quelques semaines auparavant était rentré, pour mourir juste après. Son corps s'était tout à coup couvert de plaques et quelques heures plus tard c'était fini. Malika est sûre qu'il a été empoisonné. Il avait dit qu'ils lui avaient fait une piqûre.

Hadizat redescend et me demande de la suivre à l'étage, dans sa chambre. « Prends ton thé », dit-elle. Dans l'escalier, elle s'arrête : « J'ai trouvé ce que tu voulais.

— Quoi ?

— Quelqu'un qui a tué sa sœur. »

Je reste bouche bée.

« Tu peux le rencontrer à une condition : que tu ne lui reproches rien.

— Je promets. »

Nous entrons dans notre chambre. Je suis brûlante, puis glacée, quand je vois qui est assis en face de moi : Abdoul. Le paisible et taciturne Abdoul. Qui vient juste de se marier, qui a rencontré sa femme lors d'un pèlerinage. Qui craint de ne pas être payé sur le chantier, mais qui n'ose pas le dire. Qui marchait toujours deux pas derrière les autres garçons. Qui va bientôt être papa.

« Oui, dit Hadizat. En voici un. »

Elle sort et nous laisse seuls. Que dire ? L'interview me semble tout à coup impossible. J'avais déclaré sans réfléchir que j'aimerais parler avec une personne ayant tué pour l'honneur. Et je me retrouve face à Abdoul. Je connaissais déjà une partie de son histoire. Il entrait tout juste dans l'adolescence quand la guerre a éclaté. Un an après le début du conflit, il a enterré les restes calcinés de ses parents, après qu'un missile se fut abattu sur la bouteille de gaz dans la cuisine alors qu'ils y buvaient le thé après le dîner. Lui-même était sorti avec quelques camarades. Il a vu les flammes jaillir et a couru chez lui. Il y avait un avion et un hélicoptère au-dessus d'eux. La maison s'est transformée en brasier avant qu'il l'atteigne. Sous ses yeux, le toit s'est effondré et seuls quelques pans de murs sont restés debout. Il ne savait pas si sa mère et son père étaient morts touchés par le missile ou dans l'explosion, les restes ne permettaient pas de le dire.

Les premiers mois, les enfants ont habité chez des voisins. Ils collectaient les bouteilles, le métal, ont commencé à sniffer. Un jour le frère a disparu. Abdoul ne l'a jamais retrouvé. La sœur vivait chez d'autres parents. Abdoul avait treize ans quand, comme Adam, il est devenu le garçon à tout faire des combattants.

Voilà ce qu'il m'avait raconté jusqu'à maintenant. Ce soir-là, dans la chambre de Hadizat, il allait me raconter le reste.

Abdoul parle d'une voix basse, monotone. Ses mains sont jointes, il les tord l'une contre l'autre. Dans la lumière vacillante de la lampe à gaz, il semble encore plus pâle que d'habitude, ses cheveux acajou ont presque l'air noir sur les ombres du plafond.

Le frère et la sœur ont perdu le contact durant tout le temps où Abdoul a vécu parmi les combattants, mais un an après il a appris qu'elle avait été vue avec des hommes qui n'étaient pas de sa famille. Il ne l'a pas cru, mais a commencé à la chercher. Il l'a trouvée, l'a ramenée à la maison et l'a menacée. Il avait alors quinze ans et elle quelques années de plus, mais il était beaucoup plus fort. Il l'a attachée à une chaise avec une corde et a bloqué ses pieds avec une longue chaîne terminée par un crochet.

« Je lui ai dit d'avouer. Ce qu'elle n'a pas fait. Au contraire elle a juré ses grands dieux qu'elle n'avait rien fait de mal, qu'elle ne ferait jamais rien de mal, qu'elle me respecterait comme chef de famille maintenant que nos parents étaient morts. Je l'ai libérée et j'ai à peine eu le temps de me retourner qu'elle avait déjà disparu. Au bout d'un moment, j'ai entendu plusieurs histoires à son propos et de nouveau je l'ai cherchée, pendant trois ans. J'ai enquêté et parcouru toute la Tchétchénie en bus. »

Il change de position et laisse tomber ses bras le long des pieds de la chaise.

« En réalité, ces voyages me plaisaient, je prenais toujours un siège tout au fond d'où je regardais les arbres défiler. Au bout de trois ans, je l'ai trouvée. Un voisin de Grozny l'avait vue dans un village dans lequel il pensait qu'elle habitait. Selon lui, elle vendait de l'essence dans une petite rue. Ce matin-là, je suis reparti plein d'espoir. J'avais emprunté une voiture. À l'heure du déjeuner, j'étais arrivé. J'ai d'abord trouvé la mosquée, puis j'ai compté les maisons en suivant les indications du voisin – à gauche, une, deux et trois. Et là, je l'ai vue, assise devant la maison, avec un jerricane d'essence. J'ai eu l'impression que mon cœur s'arrêtait, je l'aimais tellement, je me souvenais comme elle s'était occupée de moi dans notre enfance. J'avais désormais dix-huit ans et j'étais déjà barbu, comme un vrai musulman ; elle avait la vingtaine. Un homme était assis à côté d'elle. Elle s'est levée, elle a voulu me serrer dans ses bras. "Mon petit frère !" s'est-elle écriée. Je devais avoir un regard menaçant, car l'homme a disparu. J'ai pris ma sœur par la main et lui ai dit : "Rentrons à la maison". "Où ?" a-t-elle demandé. "Chez des parents, ceux chez qui nous habitions avant. Et puis je te ramènerai ici", ai-je répondu. Elle m'a suivi. Je devais avoir une tête à ne pas être contredit. Je n'arrêtais pas de penser : Dois-je le faire ? Ne pas le faire ? Tuer ? Ne pas tuer ? Si je ne la tue pas, toute ma vie j'aurai honte. Je devrai supporter que les gens la critiquent, et me critiquent moi aussi. Celui qui est incapable de contrôler ses sœurs, de les protéger, n'est pas un homme. Voilà ce que je me disais. Je ne pouvais pas continuer à vivre avec une sœur dépravée. Je n'avais rien à répondre aux accusations, rien pour me défendre. »

Abdoul me regarde. « Pourquoi crois-tu donc que le voisin m'avait dit où elle se trouvait ? Si ce n'était pas pour que je... ? »

Il continue.

« La route étant jonchée de trous, nous ne roulions pas vite, à quarante kilomètres-heure peut-être. La nuit avait commencé à tomber. J'ai pris un chemin menant à un petit bois. J'avais prévu où sortir : près d'une usine détruite par les bombes et d'un énorme tas d'ordures. J'ai fait mine d'aller dans le fossé et je lui ai demandé de venir m'aider à pousser. “Essayons à deux”, ai-je dit. À la ceinture, j'avais un pistolet, j'avais toujours une arme sur moi à cette époque. Elle était à ma gauche, elle poussait, la nuit était tombée, la lune brillait, et de la main droite j'ai saisi le pistolet à ma ceinture ; j'ai visé et tiré, j'ai touché son bras. Elle a hurlé et s'est mise à courir. “Pourquoi veux-tu me tuer ?” a-t-elle crié en s'enfuyant. J'ai recommencé. Je lui ai tiré trois balles dans le dos et elle s'est effondrée. Elle gisait sur le sol. Je lui ai tiré dans le ventre. Elle me regardait. Ses yeux étaient grands ouverts. Du sang coulait de sa bouche. Elle avait les bras écartés, elle avait gardé exactement la même position qu'en tombant, elle ne pouvait plus bouger. Son visage tremblait. Elle semblait vouloir dire quelque chose, mais elle n'en a pas eu le temps. Je me tenais au-dessus d'elle et j'ai tiré une dernière fois. En plein visage. Pour être sûr qu'elle ne survivrait pas. »

Il me regarde, comme s'il avait terminé son histoire.

« Qu'as-tu fait du corps ?

— Elle était déjà dans un fossé, j'ai creusé un trou un peu plus profond que j'ai recouvert de terre et d'herbe. »

Abdoul regarde droit devant lui.

« Tu y es déjà retourné ?

— Non.

— Tu crois que quelqu'un la trouvée ?

— Des chiens, sûrement, qui l'auront dévorée. Je ne l'avais pas spécialement bien recouverte. »

Il se tait. Puis il poursuit.

« Je l'ai vue en rêve. Je marche dans un champ et elle vient vers moi. Elle a un trou dans le front et un pansement dessus. Je lui demande : “Tu n'es pas morte ?” Elle me répond : “La mort n'a pas réussi à me vaincre.”

*Smert ne mogla menia ubedit.* Elle porte un tee-shirt blanc et une jupe claire, celle qu'elle avait quand je l'ai tuée. Dans le rêve, ses vêtements sont tout blancs et pas pleins de sang, comme quand je l'ai enterrée. »

Abdoul serre ses mains si fort que ses articulations blanchissent.

« Je n'ai pas fermé l'œil la nuit qui a suivi. Je ne pensais à rien, ne sentais rien. Je n'avais que l'image de ma sœur en tête. »

Et maintenant seulement, les larmes coulent.

Je le laisse pleurer. Que dire ? Je ne peux pas le consoler, je n'ai pas les mots pour. Je me souviens de l'unique condition de Hadizat.

« Pourquoi tu pleures ?

— Je n'avais pas raconté cette histoire depuis longtemps. Je ne l'ai dit qu'à Malik, Hadizat et aux frères de mon âge. Et puis à ma femme, six mois après notre mariage.

— *Après* votre mariage ?

— Oui.

— Et comment a-t-elle réagi ?

— Elle m'a seulement demandé pourquoi je l'avais fait.

— Qu'as-tu répondu ?

— Que je l'avais fait pour ne pas être montré du doigt par les gens et les répugner. Je l'ai fait pour pouvoir marcher la tête haute. En tuant ma sœur, j'ai montré que j'étais capable de la protéger. Je n'avais pas pensé le dire à ma femme. Je ne voulais pas. Mais quand elle m'a parlé de sa vie et de toutes les difficultés qu'elle avait endurées quand son père était devenu infirme pendant la guerre en Afghanistan, quand il était allé en prison, avait perdu tous ses doigts et était mort comme prisonnier, elle a partagé sa souffrance avec moi, alors je le lui ai raconté. »

Abdoul renifle, puis se tait de nouveau.

« Ta sœur, elle était comment ?

— Elle avait les cheveux blonds. Comme les tiens, un peu plus foncés ; ou comme les miens, un peu plus clairs. Ils lui arrivaient aux épaules, elle avait des cheveux ondulés et des yeux bleu foncé. Elle était belle. »

Il est loin, puis il se redresse et déclare, d'une voix dure :

« Pour être tout à fait honnête, je ne me souviens plus très bien d'elle. Elle n'existe pas pour moi. Je n'ai pas de sœur. Souviens-toi, j'ai tout essayé. J'ai pleuré devant elle. Je l'ai suppliée de mener une vie décente. Je lui ai demandé à genoux d'être vertueuse. J'ai dit que je pouvais m'occuper d'elle, lui trouver un mari. Mais elle ne voulait pas. Elle a elle-même choisi cette issue. Si je ne l'avais pas tuée, tout le monde aurait dit : "Regardez-le, il n'est même pas capable de tuer sa sœur." »

Abdoul me regarde dans les yeux.

« Je voulais mener une vie normale, une vie d'honnête citoyen. Je voulais respecter la charia où la femme doit se subordonner à l'homme, la mère de famille à son époux, la sœur à son frère.

— Mais comment pouvais-tu être sûr que les histoires que les gens racontaient étaient vraies ? Peut-être n'étaient-ce que des rumeurs ?

— Les rumeurs sont assassines. Et imagine qu'une personne ignorant qu'elle était ma sœur se soit mis à parler d'elle de cette façon. Comme s'il s'agissait d'une fille facile à propos de laquelle tout le monde peut dire ce qu'il veut. Imagine qu'une personne ignorant que j'étais son frère se soit mis à tenir des propos humiliants sur elle. Comment aurais-je pu le surmonter ? Je suis fier de ce que j'ai fait. Je suis fier. Et je marche la tête haute. »

Abdoul doit rentrer chez lui. Il est tard. Il habite une ferme hors de la ville, avec une femme vertueuse, un enfant qui va naître et une sœur qui le hante la nuit.

# Le poing

Le vent mugit dans les rues de Moscou. Des montagnes de neige se dressent le long des trottoirs. Une eau d'un blanc bleuté luit au pied des tas humides. Il neige depuis plusieurs jours. Les flocons blancs n'ont pas cessé de recouvrir les rues et les trottoirs, de s'accrocher aux manteaux des gens et de danser sur les toques de fourrure. Les congères sont trop larges pour être enjambées et trop molles pour être escaladées, il faut donc se frayer un passage. Quand le pied se croit en terrain sûr et ose le pas, il s'enfonce dans l'eau glaciale qui croupit sous la surface.

Dans la lutte que mène le printemps contre l'hiver, les fronts ont changé : le fier soleil de mars qui avait fini par s'imposer la semaine passée a dû battre en retraite sous les attaques répétées de la neige. Ce matin-là, un vent glacial a pris l'offensive. Les rafales emportent avec fougue des flocons qui semblent ne devoir jamais toucher le sol, comme en apesanteur. Ils tourbillonnent avant d'échouer sur les congères, comme du talc, ou de se noyer dans les flaques d'eau. Dans la journée, la neige fond et les plaques blanches se transforment en une eau sale marron.

Nous sommes en 2006, dans les premiers jours de mars. Près de la station de métro Stoudentcheskaya, une paire de bottes pointues en daim se fraie un passage au milieu des obstacles. Elles appartiennent à la chanteuse Liza Oumarova. Son regard, comme celui des autres combattants, est rivé au sol, pour ne pas finir sur le dos ou à genoux dans une flaque d'eau. Liza, qui s'habille toujours en noir, a jeté ce matin-là sur ses cheveux un châle violet en camaïeu de rose et marche comme une femme habituée à ce qu'on la remarque ; parfois pour son plus grand plaisir, parfois pour le pire, mais elle ne passe jamais inaperçue. Elle a des yeux sombres et des cheveux noirs ondulés. Le visage est joli, mais amaigri, il sera bientôt celui d'une vieille femme. L'empreinte des dernières années l'a durci, il est un peu abattu, un peu énigmatique.

Liza n'est pas seule. Elle aurait souhaité être accompagnée d'un membre de sa famille, mais n'en ayant pas à Moscou, elle a demandé à Apti. Apti, ou Oleg comme il s'appelle en Russie, s'est empressé d'accepter. Le petit homme rond marche d'un pas rapide, presque sautillant, auprès de Liza. Il est roux et ses joues rouges sont parsemées de taches de rousseur. Pour l'occasion, il s'est habillé en rose ; avec sa chemise fraîchement repassée, il ressemble à un banquier. Apti est historien, historien au chômage, mais il n'en échafaude pas moins des théories qu'il met toute son énergie à divulguer. Tout en foulant la neige fondue, il raconte à Liza sa nouvelle et sensationnelle hypothèse qui changera l'approche que l'on a de l'histoire du monde et la perception de la religion : les Tchétchènes seraient des descendants directs du prophète Mahomet, via son gendre Ali. Selon Apti, Ali aurait combattu dans le Caucase et serait enterré dans les montagnes.

La voix d'Apti mitraille aux oreilles de Liza, mais elle le remarque à peine. Il s'est écoulé six mois depuis l'événement qui va sans doute l'obliger à passer une journée de plus dans la salle d'audience. Ça la fatigue. Elle et Mourat ont depuis longtemps pardonné aux trois garçons.

De la station de métro Koutouzovskaya, qui se trouve de l'autre côté du palais de justice, le couple Ivanov marche d'un pas souple et alerte. De taille moyenne, Olga et Ivan ont sous le bonnet et l'écharpe des cheveux châtain clair, des yeux gris, une peau d'hiver blafarde, des vêtements d'une maison de prêt-à-porter aux modèles sans âge et de robustes chaussures d'hiver. L'homme a un beau visage taillé à la serpe, dont le seul défaut est une mauvaise dentition. Il n'a plus de canines, d'où une expression étrange quand il sourit, comme si quelqu'un avait tendu un piège dans les traits réguliers. La femme, un peu boulotte, a une figure ronde plutôt commune et des yeux discrètement maquillés de gris.

En marchant sous les rafales de neige ils ont le sentiment que le monde est injuste, que ce n'est absolument pas normal et qu'il est contraire à tous les principes qu'ils soient obligés de se rendre au procès de leur plus jeune fils ; pour eux, Sergueï est mêlé à tort à cette sale affaire. Leur benjamin ne leur a en effet jamais donné l'impression d'être un sympathisant fasciste. Ses deux grands-pères ont combattu Hitler pendant la Seconde Guerre mondiale.

Boris Gorbenko sort de la station de métro par la même porte à tambour. Il fait presque deux mètres de haut. Solidement charpenté, les épaules larges, il foule la neige poudreuse d'un pas décidé sans se soucier des pièges sournois que lui tend d'eau. Il a beau avoir commencé à se voûter, il dépasse quand même d'une tête presque tout ceux qu'il croise. Dans le cou, des cheveux clairsemés blond foncé s'échappent de sa casquette. Il a les yeux enfoncés, une incisive cassée dont il ne reste que la racine et d'énormes mains carrées. Le lacis de rides et ridules sur ses paumes et sur ses doigts est noir de l'huile qui ne peut pas être lavée après une vie à travailler comme mécanicien. Marchant à côté de lui, en grosses bottes, son fils porte également une tenue de travail rustique. Il est aussi grand que son père.

Quelques pas derrière les dos saupoudrés de neige, Antonina Grigorevna, la belle-mère de Boris Gorbenko et la grand-mère du deuxième prévenu, progresse à grand-peine dans ce monde de glace. Elle arrive tout juste à la poitrine des deux hommes ; en revanche elle est plus large qu'eux et elle se dandine à leur suite en soufflant. Le manteau se tend sur son dos et sa poitrine, et elle porte un léger châle au crochet noué sous le menton. Peut-être est-ce l'effort qui fait trembler légèrement ses lèvres.

Les trois n'échangent pas une parole.

Ouf, quel temps ce vendredi-là ! Alors que le vent s'intensifie et que les flocons de neige tourbillonnent, que les gens avancent transis, que les voitures se rentrent dedans, que les aéroports sont fermés et que les enfants privés d'école restent chez eux, Liza, Apti, Olga, Ivan et les trois générations de Gorbenko arrivent au tribunal de Dorogomilovski. Celui-ci se cache dans une cour, entre de grands immeubles et les vieilles balançoires rouillées d'un square clos. Seul le drapeau russe à l'entrée apporte une touche de couleur à l'ensemble. Il indique qu'il y a ici quelqu'un qui exerce le pouvoir.

Le contrôle de sécurité passé, ils pénètrent tous dans la salle d'audience 203 et prennent place sur les bancs de l'auditoire. Artur, le troisième camarade prévenu dans cette affaire, est assis devant eux sur une chaise. Selon Gorbenko, il a eu la chance d'échapper à la détention provisoire grâce aux contacts de son père. Le couple Ivanov adresse un bref signe de tête à Liza Oumarova, mais ignore Apti. La grand-mère Antonina salue aimablement tout le monde ; les deux Gorbenko sont installés sur un banc, inexpressifs, les bras croisés sur la poitrine.

Voici l'affaire : au début de la deuxième guerre de Tchétchénie, Liza et ses trois enfants ont fui à Moscou, où ils vivent dans un deux-pièces en banlieue. Les enfants ont commencé à l'école et se sont fait des amis, mais comme la plupart des petits Tchétchènes ils ont dû subir les agressions verbales et les insultes. Ils ont été traités de « terroristes » et de « bandits ». Il est devenu particulièrement difficile d'être tchétchène dans la capitale russe après l'action terroriste contre l'école primaire de Beslan en 2004. La violence contre les Caucasiens a alors explosé. Pour un jeune garçon très typé, comme Mourat, le fils aîné de Liza, c'était encore pire. Depuis longtemps, Liza pensait qu'il faudrait que le garçon se muscle un peu, qu'il s'initie aux sports de combat, pour plus de sûreté. L'année précédente, après la rentrée des classes, elle a trouvé un gymnase près du parc Fili et l'y a emmené. Sur le chemin du retour, ils sont tombés sur trois hommes ivres qui ont attrapé Mourat.

« Tu es de quelle nationalité ? » a crié l'un d'eux en le tenant par le col. Mourat ne répondant pas, il a reçu trois coups de poing dans la figure.

« La Russie est pour les Russes ! » ont-ils hurlé en frappant. Liza a appelé à l'aide, mais le parc était sombre et silencieux. Celui qui avait tout commencé, un type de deux mètres, a soulevé son tee-shirt. Une grande croix gammée pendant au bec d'un aigle, l'aigle russe, était tatouée sur sa poitrine. « C'est ce que nous devrions faire avec vous, a-t-il vociféré en indiquant la croix gammée. Vous n'avez pas le droit de vivre ici ! », a-t-il bafouillé tout en continuant à tabasser Mourat. Liza a crié plus fort et quand ils l'ont lâché, elle et Mourat en ont profité pour s'enfuir. Mourat saignait du nez et de la bouche, mais aller à la police, ils n'y ont même pas pensé.

On estime à cinquante mille le nombre d'attaques à caractère raciste commises chaque année en Russie. Le chiffre augmente. Peu de gens osent porter plainte. La police sympathise souvent plus avec l'agresseur qu'avec les victimes. Seuls quelques centaines de cas sont enregistrés chaque année, en plus d'une cinquantaine de meurtres. Rares sont les plaintes déposées, encore plus rares sont les condamnations prononcées. Les auteurs des agressions sont généralement de jeunes hommes. Parmi ces procès dus à la peur de l'étranger, un sur deux est tenu à huis clos parce que le prévenu a moins de dix-huit ans.

Les gens du Caucase en général, et les Tchétchènes tout particulièrement, sont les plus exposés au mépris et à la haine du Russe moyen. Les deuxièmes ont dû mal à se faire enregistrer dans les villes russes, à inscrire leurs enfants à l'école, à trouver du travail, un logement.

Liza n'a donc rien fait. Mais la victime suivante, un homme au nez crochu et au yeux sombres « qui avait l'air d'un juif », comme le diront plus tard les garçons au juge, si.

La victime a fait la déposition suivante auprès de la police : « Je rentrais chez moi avec ma femme et ma fille. Trois garçons se sont précipités sur nous. L'un m'a poussé et très vite ils ont été tous les trois sur moi, me bourrant de coups de poing. Quand je me suis retrouvé allongé par terre, ils ont utilisé les pieds. Entre les coups de poing et les coups de pied, l'un m'a demandé mon nom et j'ai répondu Pavel Semionovitch. "Mais alors vous êtes russe ?" s'est exclamé le garçon étonné, la main suspendue en l'air. "On croyait que vous étiez juif ! Il est blanc !" a-t-il crié, puis il s'est agenouillé devant moi et m'a supplié de leur pardonner. Et ils ont quitté les lieux en titubant. »

Ils avaient oublié quelque chose d'important : le sac d'Alexei Gorbenko. Dans celui-ci se trouvait sa carte d'étudiant, où figurait son adresse complète, et des cahiers avec des croix gammées dans la marge et des slogans racistes.

Pavel Semionovitch est parti directement voir la police qui par devoir a pris la déposition, mais qui, comme d'habitude, n'a pas donné suite. L'homme s'est rendu aux urgences où il a fait constater des contusions graves aux reins et aux jambes, et des ecchymoses et des enflures au visage.

Quand Liza et son fils sont enfin rentrés chez eux, après un long voyage en métro suivi d'un trajet dans un bus local bringuebalant, le téléphone a sonné. C'était leur amie Nadia qui souhaitait les inviter chez elle. Liza lui a raconté l'agression et Nadia, journaliste à *Gazeta*, un journal qui ne mâche pas ses mots, a flairé le papier : elle a réussi à convaincre Liza de porter plainte et de se laisser interviewer.

« Je veux chanter pour les skinheads » titrait *Gazeta* quelques jours plus tard. Même si Liza Oumarova était totalement inconnue en Russie, elle était assez célèbre en Tchétchénie. Elle n'avait jamais sorti de CD, mais on entendait partout les enregistrements pirates de ses chansons.

L'article ayant parlé de l'agression et Liza ayant porté plainte, la police du quartier de Fili est tombée sur l'affaire de Pavel Semionovitch, où elle a trouvé toutes les informations dont elle avait besoin. Dix jours plus tard, le matin, tôt, la police a sonné chez Alexei et Sergueï et leurs parents sceptiques. Artur a été embarqué quelques heures plus tard, pendant le premier cours de la matinée. La police a interrompu le professeur sur l'estrade, a passé les menottes à Artur et l'a conduit hors de la salle.

Les trois garçons ont été interrogés séparément. Artur a pu appeler son père, qui lui a trouvé un avocat, et il est sorti. Ses camarades sont restés. L'accusation était claire : incitation à la discorde nationale, raciale et religieuse, selon l'article 282 de la Constitution. Un article auquel on avait très rarement eu recours.

Au début, Liza avait été heureuse qu'ils passent sur le banc des accusés. Qu'est-ce qui les arrêterait sinon ?

Mais les garçons sont maintenant en détention provisoire depuis presque six mois et l'affaire en est au point mort. Devoir se présenter dans la salle d'audience aussi souvent ne l'arrange pas. Elle trouve, en outre, désagréable de rencontrer les parents.

Tandis que les gens se pressent sur les bancs en ce jour de mars glacial, deux gardiens entrent en traînant des plantes sur le linoléum. Elles sont sèches et rendent la salle encore plus triste. Une grille blanche devant les fenêtres dessine sur le sol un soleil aux rayons écartés. Les radiateurs sont couverts de plaques ; il manque plusieurs vis et certaines pendent de travers, d'autres ont tout bonnement disparu. Les interrupteurs sur les murs sont noirs après des années de doigts graisseux.

Les avocats prennent place à une petite table, tandis que le juge s'assoit à son bureau surélevé sur une estrade faisant face à l'auditoire. Le drapeau russe et un aigle en or sont accrochés au-dessus de son fauteuil.

Les avocats ont une cage derrière eux. Ses barreaux sont peints en gris et sur le dessus, elle est couverte d'un filet d'acier. À l'intérieur, il y a un banc.

Les portes du couloir s'ouvrent sur plein de policiers. Un des hommes en uniforme est attaché à un garçon pâle, qu'il conduit dans la cage. D'un clic, les menottes sont ôtées et passées autour d'une barre. Le policier sort et la porte est refermée. Le jeune garçon, assis tête penchée, a les mains mollement posées sur ses genoux, il jette des regards à la dérobée vers l'auditoire. Sa mère lui fait un petit signe, en levant à peine les doigts. Son père lui lance un regard sévère, genre « attends un peu d'être sorti de là ». Mais pourquoi Sergueï est-il seul ? Où est Alexei ?

L'air arrogant, le juge embrasse l'assemblée du regard et lit un papier : « Alexei Gorbenko est en quarantaine après que la méningite se soit déclarée en prison. »

Un frisson parcourt l'assemblée.

« La prochaine audience se tiendra dans deux semaines », annonce le juge, puis il se lève.

La grille de la porte est rouverte, les menottes sont de nouveau passées, la serrure fait clic et Sergueï est conduit hors de la cage, attaché au gardien qui l'a accompagné à l'intérieur. Le groupe disparaît dans le couloir.

« Méningite ! » s'exclame Antonina Grigorevna, qui reste assise, bouche bée.

Elle croise les regards graves autour d'elle. Les maladies contagieuses foisonnent dans les prisons russes et la méningite peut tuer. Les détenus meurent de maladies comme la tuberculose ou d'épidémies qui éclatent brusquement.

L'assemblée hétérogène prend congé, l'air un peu gêné. Lisa et le couple Ivanov conservent un ton poli, la babouchka se signe et décide de se rendre au monastère de Taganka, tandis que les gars Gorbenko ignorent tout le monde. Ce qui les a réunis, les événements qui se sont produits six mois plus tôt, ne leur donne rien à partager.

La porte du palais de justice claque derrrière les dernières personnes. Ils resserrent autour d'eux leurs manteaux d'hiver et partent d'un pas lourd vers les stations de métro d'où ils sont venus, tandis que le vent leur siffle aux oreilles.

Pour tenter de comprendre les garçons, j'ai voulu rencontrer les parents.

La famille Gorbenko habite près de la station de métro Akademika Yanguelia, là où une forêt d'immeubles de béton a poussé dans les années 1970. Deux beaux bouleaux trônent devant les tours et des sentiers relient les entrées entre elles. Une certaine paix s'installe au fur et à mesure que l'on s'éloigne du métro. On est protégé du bourdonnement de la grande route par une haie d'immeubles qui ne cesse de croître, s'étendant au loin dans un paysage plat. Un peu plus et on pourrait entendre les oiseaux gazouiller et le bruit de ses propres pas dans la neige. Bien que les immeubles abritent des milliers de familles, je ne croise pratiquement personne. C'est en fait une ville dortoir, on habite ici, on n'y vit pas. Le matin, vers 7 heures, l'endroit grouille de gens qui remontent péniblement les sentiers dans l'obscurité hivernale et s'entassent dans les trolleybus, pour ensuite jouer des coudes dans le métro où ils sont écrasés et transpirent dans leurs manteaux d'hiver. Le même phénomène se répète vers 18 heures. En pleine journée, il y a pléthore de places assises dans les transports en commun et les sentiers sont déserts. De plus, nous sommes aujourd'hui dimanche et rares sont ceux qui mettent le nez dehors entre les monstres de béton.

Dans la cuisine au neuvième étage d'un des immeubles, Galia Gorbenko prépare des blinis. La pile de crêpes dorées grandit ; elle a ajouté un peu de levure dans la pâte afin qu'elles soient légères. Galia sort le saumon et la crème fraîche, retourne une autre crêpe dans la poêle et met la table en attendant qu'elle cuise. Des prunes, des cerises et des fleurs imprimées flottent sur la toile cirée aux tons argentés. Les placards de la cuisine sont décorés d'autocollants de l'époque soviétique. Des étiquettes de bouteilles de vodka ornent l'un d'eux. Les quelques meubles roses jurent avec la tapisserie à fleurs orange. Des bouquets séchés, des plantes, des bibelots et des figurines en plastique ont envahi la pièce.

Boris Gorbenko me montre le séjour et m'invite à regarder les livres : « Les œuvres complètes de Pouchkine, Tolstoï, Boulgakov, et regardez, ici vous avez l'*Histoire du monde* de Karamzine, la philosophie de Soloviev, les *Mythes du monde*, et là les *Légendes de la Bible*. Exactement, c'est ça, des légendes, remarquez le mot, tout est inventé là-dedans, il n'y a rien de logique dans cette Bible. Oui, nous sommes athées dans cette maison », déclare-t-il ; sa femme quant à elle marmonne quelque chose comme quoi on ne peut jamais savoir.

Dans la chambre des garçons aussi il y a une bibliothèque, avec une série sur les grands explorateurs, *L'Histoire du monde pour les enfants*, *L'Atlas pour les enfants, La Physique et la Chimie pour les enfants*. Tout en haut, une étagère est pleine de canettes de soda et de bière. « Il a commencé à les collectionner dès qu'elles sont arrivées en Union soviétique et il a continué ; dès que de nouveaux modèles sortaient sur le marché, il les voulait », explique le père. Un grand poster de Bambi est affiché au mur. Le père ramasse des haltères posés dans un coin.

« Pesez-moi ça ! Vous pouvez les soulever ? Non ? Notre fils était tellement fort que s'il avait frappé Mourat, un coup aurait suffit à le tuer. Il était tellement puissant ! Et le garçon n'a eu que quelques bleus ! Ça ne peut pas être Alexeï. »

C'est l'anniversaire de la mort de Staline qui cette année tombe le dernier jour de *Maslenitsa* – jour gras – où l'on doit se gaver de crêpes avant le début du carême.

Le 5 septembre de l'année précédente avait été une journée tout à fait banale, si ce n'est qu'Alexei avait reçu son salaire. Il avait embarqué deux copains et quelques bouteilles de bière au parc Fili où ils avaient bu. Ils s'étaient levés pour s'asseoir ailleurs, quand ils avaient aperçu une femme et son garçon, les cheveux foncés tous les deux. À partir d'ici, les histoires de Liza et d'Alexei diffèrent.

Selon les parents d'Alexei, Mourat avait poussé leur fils et crié « Sales Russes ! ».

« Notre fils était-il censé accepter ça sans rien dire ? Baisser la tête et poursuivre son chemin ? Devons-nous avoir peur de répondre dans notre propre pays ? Même quand nous sommes insultés ? »

Boris Gorbenko manque de place dans la petite cuisine où nous partageons le banc vissé au mur, tandis que Galia est assise dos à la fenêtre.

« “Que faites-vous ici si vous ne nous aimez pas ?” a demandé notre fils. “Rentrez chez vous !” a-t-il dit. C'est tout. Plus tard dans la soirée, il a dîné avec nous à la maison. Nous n'avons rien remarqué de spécial, si ce n'est qu'il avait un peu bu, mais c'est normal. Un matin, la police a frappé à la porte. “Alexei Borisovitch Gorbenko habite-t-il ici ?” ont-ils demandé. J'ai confirmé. “Il est en état d'arrestation”, ont-il déclaré. “Qu'est-ce que tu as fait ?” ai-je murmuré épouvanté à Alexei, mais il s'est contenté de lever les yeux au ciel. Le policier a dit qu'il devait les suivre pour un petit interrogatoire et qu'il serait rapidement relâché. Si j'avais su qu'il ne reviendrait pas, je l'aurais accompagné, mais je les ai laissés l'emmener et je suis parti au travail. Quand je suis rentré à la maison, j'ai appelé la police et ils m'ont annoncé qu'il était en détention provisoire. Cela a pris plusieurs jours avant que je puisse le voir. Et vous savez quoi ? Ils ont volé son téléphone portable et les six cents roubles, presque sept cents, qu'il avait dans sa poche, et ses clés aussi. Ils ont tout pris, nous avons dû changer les serrures de l'appartement. Quand je l'ai signalé, ils m'ont répondu : “Envoyez votre plainte au Kremlin !” »

La mère d'Alexei est petite, ronde, elle a un visage frais, une peau claire et des yeux bleus. Elle est vêtue d'une jupette de tennis turquoise et n'a pas retiré le tablier décoré d'étoiles et de guirlandes de fleurs. Elle a les cheveux coupés au bol et les mèches dansent devant son visage alors qu'elle s'emporte.

« Aïe, aïe, aïe ! Il a tellement maigri. Il a perdu quarante kilos ! Il était costaud, il faisait du karaté et de l'aïkido. Il est mince comme un doigt maintenant, alors qu'avant il était fort, il a hérité de mes bras, regardez ! s'exclame-t-elle en me montrant ses poignets ronds. Il était même plus large que moi ! »

Qu'Alexei ait été désigné comme le principal responsable les rend encore plus amers. Ils étaient tout de même trois quand ça s'est passé. Galia et Boris sont convaincus que les deux autres garçons ont payé pour se sortir de là. Et maintenant, ils s'accusent tous mutuellement. Le pire, selon eux, c'est Artur qui a échappé à la détention provisoire. Quand Galia est allé le voir pendant le procès, il a seulement murmuré : « Papa a payé. » « Regardez-le maintenant, il poursuit ses études, alors que notre Alexei est en prison ! »

Leur fils étudiait l'histoire dans un IUFM et il aurait terminé sa formation de professeur cet été. « Ils l'attendaient à l'école, là-bas », dit Galia en montrant du doigt un petit bâtiment, le seul parmi tous les autres à ne pas s'élancer vers le ciel. « Il ne finira jamais ses études maintenant. On peut faire une croix sur son avenir, comme ça », dit Galia en dessinant une croix dans le vide devant elle. « Tout ça parce qu'il a bousculé ce gamin ! »

Alexei, ou Liocha ou Aliocha comme ses parents l'appellent, avait une croix sur la poitrine, une croix gammée. Alexei est un sympathisant de *Salvianskiï Soyuz*, une organisation aux initiales éloquentes : *SS*. Leur principal slogan est justement : « La Russie aux Russes ». Ses militants s'habillent comme des durs et ont souvent le crâne rasé, comme Alexei.

Les parents dédramatisent les faits : « Liocha avait les cheveux courts parce que c'était à la mode. Souvenez-vous de l'époque des Beatles. En ce temps-là, tout le monde avait les cheveux longs dans le cou, Boris était coiffé comme ça quand nous nous sommes rencontrés. On suivait la mode, c'est tout, cela ne voulait rien dire de plus. Quant à la croix gammée : il était soûl et quand il s'est réveillé, quelqu'un la lui avait tatouée. Ses deux grands-pères se sont battus contre le fascisme pendant la Seconde Guerre mondiale. Sa grand-mère aussi. L'année dernière, ils ont reçu une carte de félicitations de la part du président Poutine, où il les remerciait de leur contribution soixante ans plus tôt. Le grand-père maternel d'Alexei était dans les parachutistes et a combattu dans l'un des régiments les plus prestigieux de l'armée soviétique. Il est mort juste après avoir reçu cette carte, amputé d'une jambe, aveugle et amaigri. »

« Quand nous sommes allés dans notre petite maison de vacances l'année dernière pour faire des travaux, Aliocha se promenait en chemise, mais comme il s'est mis à faire de plus en plus chaud, il a décidé de l'enlever et de nous montrer le tatouage. »

« Tu ne pourras plus aller chez un médecin juif maintenant », avait sèchement commenté son père.

« Il voulait être comme eux, c'est tout. S'intégrer. Il voulait que les gens aient peur de lui, raconte Galia. Et c'était bien le cas. Je me souviens que je devais acheter une pastèque chez des Azerbaïdjanais – oui, il n'y a qu'eux qui en vendent. Au moment de me tendre le fruit, le marchand a vu Liocha, légèrement en retrait derrière moi. Il en a alors choisi une autre et nous sommes rentrés à la maison avec une délicieuse pastèque, juteuse à souhait, et non le truc fade qu'on me donne d'habitude. Vous voyez ? Ils avaient peur de lui. Aliocha veut que les gens le craignent, mais son visage est si doux, si gentil. Souvent, il s'entraînait à avoir l'air méchant devant la glace ; il fronçait les sourcils, mettait le menton en avant, prenait un regard mauvais », dit Galia en faisant une grimace. Elle me montre le bijou qu'elle porte autour du cou. Il ressemble à une croix gammée, mais il n'a que trois bras, au lieu de quatre.

« C'est le dieu du feu Peron, de l'époque préchrétienne, explique-t-elle. Je l'ai reçu de Liocha, il a dit qu'il me protégerait. La croix gammée est en fait un ancien symbole celte et je crois que c'est ce à quoi pensait Liocha quand il se l'est fait tatouer. Mon fils n'est pas un nazi, ni un raciste ou un skinhead.

— Mais quand il a crié la Russie aux Russes ?

— Pour qui la Russie est-elle censée être, si ce n'est pour les Russes ? s'exclame le père. Pour les Pygmées ? »

La mère hoche énergiquement la tête.

« Pour les nègres ? » insiste le père.

La mère me lance un regard intense.

« Et maintenant il peut en prendre pour cinq ans parce qu'il a osé dire le fond de sa pensée ! » rugit le père dans la miniscule cuisine. « Et comme si cela ne suffisait pas, il va peut-être mourir, cette phrase aura peut-être sa peau. Il est maintenant en quarantaine à cause d'une méningite. Dans d'autres parties de la prison c'est la tuberculose qui fait des ravages. Notre fils ne purge pas comme Khodorkovski, qui a droit à une cellule individuelle, lui. »

Assise la tête dans les mains, Galia se redresse et me propose une autre crêpe dorée au saumon et à la crème fraîche.

« Soyons francs. Nous n'aimons pas les Tchétchènes. Nous ne les aimions ni avant ni maintenant. Nous connaissons notre histoire et nous savons que ce sont des criminels, ils n'ont jamais accepté le pouvoir russe et ont continué à vivre comme des sauvages, des *dikari*. Bien sûr que les gens doivent disposer des mêmes droits, mais les Tchétchènes ne se soumettent jamais, ils sont toujours en train de se battre, ils vivent dans un monde de bandits, ils se vengent sans arrêt, c'est la tradition de la vendetta qui règne chez eux. En 1944, Staline a fait la seule chose possible, il a déporté tout ce peuple en Sibérie, et vous savez pourquoi ? Parce que les Tchétchènes nous tiraient dans le dos. Ils collaboraient avec les nazis. Tout près d'ici, ils ont fait exploser deux immeubles. Vous vous souvenez ? Deux cents personnes ont été tuées. Où s'arrêteront-ils ? Peut-être est-ce le clan de cette Oumarova qui est responsable de cet attentat. »

Le père a pris en grippe la femme tchétchène. Le Russe, le premier qui a porté plainte auprès de la police, est rarement mentionné.

« Quand Aliocha a compris qu'il n'était pas juif, il s'est mis à genoux et s'est excusé. Notre fils est un brave gars, un garçon gentil. Ce qu'il aimait en réalité, c'était jouer sur l'ordinateur, nous lui achetions des jeux pour qu'il reste à la maison, soupire la mère. Il a toujours aimé se battre et depuis l'enfance je le supplie : “Essaie de t'expliquer avec des mots, Aliocha. Avec des mots, pas avec des coups.” »

Les parents peuvent envoyer de la nourriture à leur fils une fois par mois. Ils mettent des biscottes, du sucre, du thé, des pommes, des noix, des raisins secs et des oignons dans les paquets. « Apportes-en plus la prochaine fois », avait demandé Alexei à sa grand-mère, qui après plusieurs allers et retours à la prison s'était enfin vu accorder une visite grâce à son diplôme de « vétéran de la Seconde Guerre mondiale ». « Envoie des produits moins chers si tu veux, mais en plus grande quantité, nous sommes nombreux », lui avait-il dit. Et dans ce « nombreux », il n'a pas que des amis. Ceux qui n'obéissent pas aux aînés sont passés à tabac ou punis, d'une façon ou d'une autre. Dans la cellule, ils sont quarante pour vingt-quatre lits, ils dorment donc à tour de rôle ; plus tu es là depuis longtemps, plus tu as le droit de profiter du lit.

Les parents ont reçu des appels d'un Alexei en larmes. « Rendez-vous devant telle ou telle station de métro, là vous verrez une femme blonde en blouson gris. Demandez-lui si elle attend Boris, si elle répond : « Non, j'attends Vania », donnez-lui une enveloppe de deux mille roubles. »

La mère s'est déjà rendue quatre fois sur place.

« À cause de cette Oumarova, notre Alexei rencontre des bandits ! Des amis à lui nous ont raconté qu'il leur empruntait aussi de l'argent. Il leur a dit qu'il ne pouvait plus nous en demander. Boris a perdu son travail, il y a eu une réduction de personnel à l'usine et ils ont viré les anciens. Et tout ça parce qu'il a bousculé un Tchétchène ! À l'époque soviétique, toutes les nationalités s'entendaient. Tout se passait bien, dit Galia. Le matin, nous disions bonjour aux autres étudiants, aussi bien à ceux d'Afghanistan qu'à ceux du Mozambique. »

« Ce sont Lénine et Staline qui ont déclenché tout ça, en créant les républiques, déclare le père. Avant il y avait un gouverneur pour les régions du Nord et un autre pour celles du Sud. Vladimir Ilitch et Joseph Vissarionovitch ont tracé les frontières de ces territoires. Brejnev a consolidé l'Union soviétique, alors que Khrouchtchev a donné la Crimée, et Gorbatchev a tout sapé. Il nous a poussés dans la boue, nous a privés de notre fierté. Avant, dans le sud, les cosaques nous protégeaient des Tchétchènes. Grozny a été construite par les cosaques et le Terek marquait la frontière, mais maintenant les Tchétchènes ont passé le fleuve et s'incrustent partout. »

Le téléphone sonne.

« Oh, mon chéri ! Comment vas-tu ? »

La voix de Galia tremble.

Boris a les yeux rivés au visage de sa femme.

« As-tu tout ce qu'il te faut ? Du papier toilette. Des caleçons. Tu en as assez ? Tu es triste ? J'ai eu tellement peur quand j'ai appris pour la méningite. Elle se termine quand la quarantaine ? Là, nous mangeons des crêpes, c'est *Maslenitsa*, tu sais. Oui, bien sûr que je peux retoucher les pantalons. On ne te donne pas à manger ? Je trouve que ta voix a l'air tellement... bien, ça je suis heureuse de l'entendre, quoi qu'il en soit. Ça va mieux que la dernière fois ? Liocha, tu ne peux pas me tromper, tu sais... »

La mère raccroche. La conversation a été brutalement interrompue. Elle a les larmes aux yeux.

« Nous sommes très patients, nous les Russes », dit-elle.

« Il en faut beaucoup pour qu'on s'énerve. Notre garçon, il met du quarante-sept en chaussures, il aurait pu tuer ce Mourat avec un doigt. Alors des bleus et des saignements de nez...

— Peut-être est-il tombé sur la glace, ou plutôt sur l'asphalte », dit le père en sortant une bouteille de champagne russe dont il essuie la poussière. Elle semble avoir été gardée pour une occasion spéciale, mais il l'ouvre. Galia a l'air soucieux. Le champagne est sucré, doux et chaud.

« Nous ne sommes pas des fascistes, répète le père, mais qui sont les juifs en réalité ? Ils ont tourné en rond dans le désert pendant quarante ans pour oublier d'où ils venaient. Puis ils se sont mis à tuer la population locale et à s'installer dans leurs maisons. Je suis contre Israël. Les juifs ont eu leur république juive en Sibérie, ils auraient très bien pu vivre là-bas ! Et cet ami d'Oumarova qui crie partout qu'Ivan le Terrible serait musulman, que les Tchétchènes descendraient d'une bonne famille arabe, je lui ai dit : "D'habitude, les bonnes familles vivent dans les bons endroits, donc si vous êtes si bien que ça, vous devriez habiter Istanbul, ou en tout cas Damas, et qu'est-ce que vous avez eu ? Des montagnes noires où rien ne pousse !" »

Le champagne chaud pétille dans le verre.

« Les Tchétchènes sont sournois, fourbes, traîtres... Il y a certainement un homme derrière tout ça, jamais une femme de là-bas ne pourrait agir seule, déclare Boris. Et pourquoi tout va si mal dans ce coin ? À cause du système de clan. Dans les usines ou l'administration, ils n'embauchent pas des spécialistes, mais des membres du clan, des gens non qualifiés – les oncles, les cousins ou les frères. Et on s'étonne que ce soit le bazar ? Savez-vous ce que les Égyptiens ont fait pour se débarrasser des juifs ? Ils leur ont fait payer deux fois plus d'impôts. Pas bête, non ? C'est ce que nous devrions faire avec les Tchétchènes, leur faire payer le double d'impôts, histoire qu'ils disparaissent. Et elle, là, la Oumarova qui se dit chanteuse, je ne l'ai jamais entendue à la radio. Qu'on nous épargne ses braillements de liberté, qu'elle retourne en Tchétchénie avec ses chansons ! Cette histoire est montée de toutes pièces par cette bonne femme qui veut pousser la chansonnette. Elle s'en sert comme publicité, pour faire sa promotion. Et c'est à cause de ça que mon fils a perdu sa liberté, qu'il rate ses cours et qu'il habite avec quarante autres personnes dans une chambre de vingt lits. Pourquoi doit-elle absolument chanter à Moscou ? Pourquoi ici à Moscou, si elle trouve la vie parmi les Russes aussi terrible ? En plus, c'est elle qui a provoqué mon fils en criant "sale Russe !". Est-ce vraiment étonnant qu'il se soit mis en colère ? Qu'ils rentrent chez eux, personne ne les en empêche. Qu'ils nous laissent tranquilles. Ces musulmans sont des idiots, ils n'ont pas compris que les caricatures en étaient justement, des caricatures. Je trouve du reste qu'elles étaient très bonnes. Mahomet avec une bombe sur la tête, c'est vraiment ça ! Ce sont des idiots, mais des idiots dangereux ! Et notre fils est le seul qui a osé dire la vérité. Il sera un héros national ! Et je peux me dire que je suis le père d'un fils qui a été bien élevé. »

Un silence poussiéreux tombe sur la cuisine quand la bouteille de champagne est terminée. Comme tous les dimanches, le couple Gorbenko va voir la Babouchka Antonina qui habite quelques immeubles plus loin.

Nous nous asseyons autour de la table dans le modeste séjour. La grand-mère serre sur son cœur la photographie de son petit-fils normalement posée sur le buffet. « Oh, un garçon si bien, si serviable, si gentil. »

L'agression des deux Tchétchènes, elle appelle ça des gamineries. La croix gammée est bien pire. Elle ne l'a appris qu'en lisant les journaux. « Je vais économiser de l'argent, afin qu'il puisse la faire enlever. J'ose à peine y penser. Imaginez, un svatiska... comment va-t-il bien pouvoir aller à la mer ? Se baigner ? »

La grand-mère soupire. Qu'est-ce qui avait mal tourné ?

« Hier j'ai appelé Politkovskaïa, déclare-t-elle tout à coup.

— Qu'a-t-elle dit ? demande sa fille.

— Elle ? Non, c'est moi qui ai parlé. Je lui ai demandé pourquoi elle avait traité mon petit-fils de fasciste. Pourquoi elle avait écrit qu'il diffusait la haine dans le pays. Je lui ai raconté qu'il avait été au mariage d'un ami d'enfance qui était juif et qu'il n'était pas fasciste. Je lui ai raconté que j'étais vétérante de la Grande Guerre patriotique, que j'avais reçu une médaille, que mon mari avait défendu Moscou, que mon père et mon grand-père avaient été arrêtés en 1937, que j'avais dix ans quand ils avaient emmené papa et que nous avions très peur. Papa a été envoyé en camp de prisonniers et maintenant Aliocha y est aussi. Papa était un homme du Parti, mais il a été appelé ennemi du peuple. Aliocha est appelé ennemi du peuple, lui aussi. Papa a été réhabilité et il faudra aussi qu'Aliocha le soit. J'ai également dit que j'avais une voisine. Elle a quatre-vingt-deux ans, elle habite au-dessus de chez moi et ça se passe bien. Elle a écrit un article dégoûtant sur Aliocha, cette Anna Politkovskaïa, et je ne me suis pas gênée pour le lui dire. Puis j'ai raccroché. Elle n'a pas eu le temps d'en placer une. »

Le gendre pianote des doigts sur la table. « Inutile, dit-il, parfaitement inutile. »

Antonina hausse les épaules.

« Je suis allée au monastère hier, raconte-t-elle. Là-bas, le prêtre m'a expliqué que ce sont maintenant les Russes qui sont persécutés. Mais il m'a demandé de tenir bon. "Nous les Russes, nous supportons tout", a-t-il dit. »

Antonia prend souvent le métro et puis un trolleybus pour le monastère Sainte-Matrone, qui protège spécialement les prisonniers. Elle y a acheté un livre de prières. Elle se lève lourdement pour aller le chercher. Elle pose les mains sur le bord de la table avant de se rasseoir lentement sur sa chaise. La femme de bientôt quatre-vingts ans lit à voix haute et claire la prière de la détention, de la purification et du pardon.

« N'importe quoi !, s'exclame Boris railleur.

— Chut ! le gronde la grand-mère.

— Du baratin !

— Un peu de respect », crie la grand-mère en faisant le geste de le frapper. À la longue, Boris et sa belle-mère ont appris à se supporter, mais ils se querellent sans arrêt.

« Des légendes, des histoires, du blabla, poursuit le père.

— Maintenant tu te calmes !

— Calmez-vous, tous les deux, siffle Galia. Regardons plutôt la télé ! »

Et la discussion s'éteint devant le petit écran.

À l'autre bout de la ville, dans une banlieue aussi lointaine mais tout au nord, près du métro Altoufievo, la famille Ivanov vit dans un trois-pièces au cinquième étage.

« Avant on apercevait les tours de contrôle de l'aéroport de Cheremetievo. Regardez comme ils construisent, ils ont massacré notre vue ! Cela dit, les nouvelles bâtisses ont au moins l'avantage de nous protèger du bruit du périphérique », dit Ivan Ivanov, le père de Sergueï.

Dans le séjour, qui est aussi la chambre à coucher des parents, il y a un canapé douillet et deux fauteuils. Les fils ont chacun leur chambre ; dans l'une d'elles le lit est fait, il est impeccable. « Eh oui, c'est la chambre de Sergueï... », dit le père, puis il referme la porte. Dans la cuisine, Olga Ivanova nous sert du thé et des meringues au chocolat.

Ivan sort des photos. « Regardez, là ils s'entraînaient, celles-ci sont de Mourmansk et celles-là d'un voyage à vélo en Crimée. Ici nous sommes à Yalta, ça c'est d'Odessa. Nous faisions du vélo, nous transportions tout ce dont nous avions besoin, mes garçons étaient costauds. Deux années de suite, Sergueï a couru la Super-100, une course de ski de cent kilomètres. Il l'a faite en cinq heures, il est arrivé à la vingt-et-unième place. Pas mal pour un non professionnel. Vous, vous avez la Vasaloppet, elle n'est longue que de quatre-vingts kilomètres mais elle est peut-être plus dure, car elle doit se faire en classique. La Super-100, on peut la faire en skating, ce que je préfère, car on n'a pas besoin d'utiliser de fart, et puis ça va plus vite ! Vous avez dit que vous aviez couru la Vasaloppet en combien de temps ? Sept heures ? Pas mal ! Regardez, là c'est Jelena Välbe, six fois championne du monde. À côté de mon fils, vous voyez ? Là c'est Julia Tchepalova. Elle a gagné l'argent du trente kilomètres libre aux J.O. de Turin et puis l'or au relais. Elle a couru la troisième étape, c'est elle qui a fait le meilleur temps. Ces dernières années, Sergueï s'est distingué dans les courses de chiens de traîneaux. L'an passé, il a remporté l'argent en senior, moi-même je suis arrivé à la septième place. L'année d'avant, il avait gagné la course junior. Regardez les photos, regardez, là il commence. Nous avions beau ne pas être riches en Union soviétique, nous avons toujours été forts en sport. Tout n'était pas bien à l'époque, mais les gens avaient tous droit à la même chose. L'école, l'entraînement, le sport. Tout le monde pouvait tenter sa chance. Je n'ai pas souvenir d'avoir manqué de quoi que ce soit. »

Après avoir passé en revue les photos, le père fait une pause. L'officier du FSB passe la main dans ses cheveux châtains épais. Il fait encore très jeune. Olga et Ivan ont eu leurs enfants quand ils avaient la vingtaine, l'âge de leurs fils aujourd'hui. Le père se demande s'il aurait dû s'y prendre autrement pour certaines choses. Mais Sergueï n'avait jamais exprimé quoi que ce soit qui puisse laisser penser qu'il était nazi ou n'aimait pas les étrangers. Et Sergueï n'était pas un enfant livré à lui-même. Au contraire, il était choyé. Depuis leur enfance, le père leur avait consacré presque tout son temps libre, à lui et à son frère. Ils s'étaient promenés dans les bois et à travers champs, il leur avait appris à skier, les avait accompagnés lors de leurs différents stages. Aux début des années 1990, quand les prix s'étaient envolés sans que les salaires suivent et que les parents n'avaient plus réussi à joindre les deux bouts, le père avait travaillé au noir le week-end afin de grappiller suffisamment d'argent pour acheter l'équipement de sport des garçons. Bien que cela soit formellement interdit aux officiers. Il était ingénieur de formation et aidait les gens à régler des problèmes techniques chez eux, il réparait les lave-linge, les ventilateurs, les radiateurs. Afin que les garçons ne manquent de rien.

La déception a été grande quand, à seize ans, Micha, le fils aîné, a abandonné le sport. Mais Sergueï a continué, lui et son père avaient déjà organisé la saison de courses de chiens de traîneaux.

Le père pince les lèvres.

Une semaine avant les coups fatals, Sergueï avait intégré une filière agricole dans l'enseignement supérieur.

« Ce soir-là... Trois bons amis. Qui boivent un peu. Ils fêtent un anniversaire. »

Sergueï était énervé quand il était rentré à la maison vers minuit. Il avait un peu mangé, bu un thé avec eux, mais il ne leur avait pas répondu quand ils lui avaient demandé ce qui s'était passé.

« Ils marchaient sur un petit sentier et ils se sont foncés dedans, explique Olga. Vous savez, par exemple, dans le bus, quand ils discutent dans leur langue, fort, ce n'est pas vraiment agréable, ni poli, souvent je me demande s'ils ne me critiquent pas. Et avec tout ce qui se passe en Tchétchénie, les attaques contre les soldats russes, le terrorisme, les enlèvements, les agressions, nous ne tenons pas non plus à ce que le conflit se déplace ici, et avec tous les Tchétchènes qui viennent chez nous...

— Cet article 282, qu'est-ce qu'on va en faire au juste ? demande Ivan. Du temps de l'Union soviétique, il y avait encore plus de nationalités qui cohabitaient et nous n'en avions pas besoin. Je crois qu'il a été introduit sous la pression de toutes les fondations et associations qui travaillent pour tous ces trucs des droits de l'homme. Mais ils font quoi exactement ? Pour récolter de l'argent, ils sont obligés de présenter des affaires, et avec cet article 282, ils vont en avoir plein. Imaginez : un Ukrainien et un Russe commencent à se disputer et le Russe dit : “Salaud d'Ukrainien, rentre chez toi !” L'Ukrainien vexé peut alors accuser le Russe d'avoir violé le fameux article. S'ils étaient tous les deux russes, personne ne pourrait être jugé. En Russie, on condamne rarement quelqu'un pour une bagarre, même s'il y a des blessées, mais si cette personne est étrangère, elle peut maintenant agiter l'article 282 et assigner le Russe en justice. Vous trouvez ça juste ? »

Les parents parlent d'une seule voix. C'est le couple moyen typique, aussi bien au niveau du physique que du logement, du travail, des origines et des opinions.

« Le père d'Olga est mort de ses blessures de la Seconde Guerre mondiale quand elle avait trois ans. Mon grand-père est mort au front, son frère, mon oncle, tous sont morts pendant la même guerre, il n'existe pas une famille en Russie qui n'ait pas été touchée par le fascisme, dit Ivan. Notre pays est vaste. Nous avons demandé aux Allemands de nous peupler, nous avons demandé aux Français de venir. Et maintenant on nous traite de racistes ? Nous qui avons invité tout le monde chez nous ! J'espère que l'article 282 finira comme les vignes de Gorbatchev. Vous vous souvenez ? Dans son enthousiasme à se débarrasser de l'alcoolisme, Gorbatchev avait ordonné d'arracher toutes les vignes. Que s'est-il passé ? L'industrie du vin a été laminée mais les distilleries de vodka, elles, ont prospéré, tout comme l'eau-de-vie maison et la contrebande. Les gens avalaient tout, le parfum, l'alcool industriel, l'antigel. Gorbatchev a admis s'être trompé et avoir fait une erreur en détruisant les vignes, nous espérons qu'il se passera la même chose avec l'article 282, que Poutine le regrettera et le retirera.

— Quand notre fils est allé en prison, tout le monde a su les accusations qui pesaient sur lui et dans sa cellule se trouvaient pas mal de gens du Caucase... Ils appellent et disent : "Votre fils a perdu aux cartes. Il nous doit tant. Il passera un mauvais quart d'heure si vous ne réglez pas." Nous n'avons pas d'autre choix que de payer, de piocher dans nos économies, d'emprunter de l'argent, soupire le père. Ils nous ont même donné notre numéro de plaque d'immatriculation. J'aurais pu aller directement à la police, mais ils connaissent leur pouvoir. Les trois premières fois, il s'agissait de gens du Caucase, en tout cas ils n'avaient pas le type slave. Les deux dernière fois, c'était des hommes bien habillés, des Russes, ce sont probablement les gardiens de prison qui nous rançonnent.

— Liza Oumarova m'a donné un livre pour Sergueï, mais nous n'avons pas le droit de lui en apporter, alors à la place je l'ai lu, raconte la mère. Il s'appelle *Sedoï*

*Kavkaz*. Pour être honnête, ça m'a un peu agacée. Tout le livre parle de ce que les Tchétchènes ont enduré pendant des siècles, comme si nous n'avions pas souffert ! Comme si les Russes n'avaient pas souffert. Tout le monde a souffert ces derniers siècles. Tout le monde a souffert pendant la Seconde Guerre mondiale. Pourquoi les Tchétchènes se sentent-ils si spéciaux ? Le livre était pas mal du reste, mais qu'ils arrêtent de se lamenter, il y a des limites ! Il faut toujours qu'on parle de la vie difficile de ces pauvres montagnards. Pouchkine et Lermontov ont déjà écrit à ce sujet, tous les deux. Comme si nous vivions mieux ! Je suis désolée, le peuple Tchétchène est un peuple dur. Dans leur langue, il n'existe aucun mot pour *milosserdiye* – la charité, affirme la mère. Le pauvre Alexei qui a été traité de skinhead dans le journal ! Nous avions des ouvriers géorgiens ici, je ne l'ai jamais vu mal se comporter envers eux. Il l'aurait fait s'il avait été fasciste. Je sais que les garçons parlent beaucoup de tout ce qui est aryen, en tout cas Aliocha. Mais pourquoi les accusations vont-elles toujours dans ce sens-là, pourquoi on ne nous informe jamais quand des basanés agressent des Blancs ? »

Il est tard, le visage de la mère est encore plus gris. Le père semble seulement las.

« M'enfin, Lénine appelait la prison une université », se contente-t-il de conclure.

Pendant que ses camarades de ski glissent au milieu des bouleaux sous un soleil de mars radieux, Sergueï est assis dans la cellule moisie d'une prison en périphérie de Moscou. Une petite lucarne est son seul lien avec le printemps. Une heure par jour on les emmène sur le toit, dans le préau aux murs grillagés et au toit de tôle ondulée. Il est détenu depuis six mois et dès le premier jour il a tenté d'apprendre le code de survie en prison.

« Quand tu entres pour la première fois dans ta cellule, tu dois déposer ton sac près de la porte, afin que *starchiï* – l'aîné – puisse le fouiller et prendre ce dont il a envie », lui a expliqué l'un de ceux qui l'ont initié.

*L'aîné* n'est pas désigné en fonction de son âge, mais en fonction de son expérience en prison, de son parcours criminel et de ses qualités de meneur. Il est nommé par les autres prisonniers, ou il se nomme lui-même ; il tient ou il tombe, selon qu'on lui obéit ou pas. La hiérarchie se base sur le type de délits ou crimes commis et après dix jours seulement, Sergueï est devenu un fin connaisseur des articles. Le plus grand prestige revient aux condamnés pour vol – article 158. Il existe plusieurs échelons parmi les voleurs ou le type de vol : être pickpocket est bien coté – il faut en effet faire preuve d'une certaine habileté – , tout comme les cambriolages. Vient ensuite le vol avec agression qui, de préférence, doit se faire rapidement et efficacement, sans que personne ne soit blessé. Le vol est suivi du meurtre. Tout au bas de l'échelle se trouvent les condamnés pour viol. Ils doivent exécuter les pires tâches et sont les plus mal traités. Le trafic de drogue se situe quelque part entre le vol et le meurtre. Mais où place-t-on l'article 282, celui sur le racisme ?

« Cela dépend de la cellule, a dit le prisonnier expérimenté. S'il y a beaucoup de Caucasiens, ça va être chaud, mais s'il y a une majorité de Russes, tu seras un héros. »

Au bout de quelques semaines, Sergueï a été transféré dans la cellule où il purgerait sa peine. Vingt-cinq têtes se sont levées quand il est entré. On lui a indiqué la couchette près des toilettes, la pire. Le gardien a quitté la pièce, claqué la porte, tourné la clé, et Sergueï a été abandonné aux vautours. Il a posé son sac près de la porte et demandé : « Qui est l'aîné ici ? »

On lui a montré du doigt un homme basané au nez aquilin et aux biceps énormes, qui était assis sur le lit sous la lucarne, la meilleure place.

« Quel article ? a demandé l'homme aux yeux noirs.

— 282.

— Qu'est-ce que tu as fait ?

— Je me suis bagarré.

— Avec qui ? »

Pas de doute, il est du Caucase celui-là, a pensé Sergueï en tremblant intérieurement. Il était foutu.

« Il y a eu une discussion, puis quelques coups sont tombés et une plainte a été déposée contre moi, du moins contre nous, on était trois. »

Trois hommes contre une femme et un enfant. Ce n'est pas glorieux. Il a exagéré et tenté de noyer le poisson, tout en pensant qu'il avait atterri dans la pire cellule. Les yeux noirs ne le lâchaient pas.

« Mais pourquoi l'article sur le racisme ? a demandé le nez aquilin.

— Je ne sais pas...

— Alors ?

— Ils étaient tchétchènes...

— Aïe ! », a dit l'homme. Sergueï s'est fait tout petit. Il avait raté la première épreuve. Il a senti le regard mauvais des autres sur lui et il les a sentis qui se levaient de leur lit. Ses jambes tremblaient. Il regardait les murs gris souris. La cellule était silencieuse, l'air étouffant. Puis l'aîné a dit aux hommes qui l'entouraient : « N'y touchez pas. Nous sommes tous dans le même pétrin ici. »

On venait de donner une nouvelle chance à Sergueï. Une chance qu'il ne devait pas gâcher.

L'aîné était de Géorgie et, bien que du Caucase, il ne supportait pas les Tchétchènes. Les Géorgiens sont chrétiens et, pour le nez aquilin, les Tchétchènes discréditaient toute la région avec leurs actions terroristes. Sur les douze prisonniers de la cellule de Sergueï, seuls cinq étaient russes, les autres venaient du Caucase ou d'Asie centrale. La prison était comme un village, où chaque cellule était une maison régie par des règles qui lui étaient propres. La couchette au-dessus de Sergueï, celle avec vue sur les toilettes, était occupée par un violeur. Dans les lits alignés, les voleurs et les assassins étaient les plus près de l'aîné. Les premiers jours, Sergueï est resté dans son coin, attendant que tout cela se termine. Ils étaient réveillés à 8 heures, inspection de la cellule, petit déjeuner à 10 heures, sortie à 11 heures, déjeuner à 14 heures et dîner à 19 heures. La nourriture était infecte, de la bouillie gluante, de la soupe insipide avec des fils de quelque chose ou des pommes de terre et de la viande de soja. Les colis de nourriture envoyés par les familles rompaient quelque peu la monotonie. Le paquet allait d'abord à l'aîné, ensuite à celui qui l'avait reçu, puis aux autres – on le posait alors sur la table afin que tout le monde se serve. Un certain équilibre était respecté grâce à des règles tacites. Même si l'aîné se servait le premier, il ne devait pas se montrer trop avide, il risquerait de provoquer la grogne de ses codétenus. Pareil pour celui qui avait reçu le paquet. S'il faisait main basse sur les meilleurs produits, il serait mal vu et rejeté. Parmi les prisonniers, de tous les délits, le pire était la délation. Si quelqu'un était surpris en train de moucharder, les codétenus se montraient sans pitié. Sergueï en avait vu plusieurs se faire tabasser. L'aîné frappait lui-même ou bien désignait celui qui allait se charger d'asséner la raclée. Ils tapaient de façon à ce que les coups ne se voient pas, il ne fallait pas que du sang coule. Derrière la tête et sur les tempes, les bleus et le sang étaient cachés par les cheveux. La solidarité était cependant plus grande qu'à l'armée où des officiers sadiques faisaient subir à peu près tout ce qu'ils voulaient à de jeunes recrues, et le papier indiquant « Cause du décès : suicide » était ensuite envoyé aux parents. En prison, pour frapper, il fallait avoir une raison. On réglait le problème comme si on était face à un copain.

C'était l'aîné qui pratiquait le chantage « afin qu'il n'arrive rien à Sergueï en prison », comme il disait à la mère de celui-ci avec son fort accent géorgien.

Sergueï est tombé peu à peu dans la routine de la prison, il s'est mis à fumer, ce qu'il n'avait jamais fait auparavant, et il est devenu bon aux cartes. Pendant les J.O. de Turin, ils ont eu une télé. Sergueï était scotché à l'écran. Quand son vieux copain d'entraînement Evgeni Dementiev a remporté l'or du trente kilomètres, il a poussé des cris de joie. Evgeni, qui était un peu plus âgé que lui, s'était toujours distingué, il était grand, rapide et costaud. « Il pouvait déjà concourir chez les senoirs à quinze ans », a raconté fièrement Sergueï à ses camarades de cellule. Il avait un humour rude, se souvenait-il, aussi rude que l'endroit d'où il venait, tout à l'est de la Russie.

Sergueï perdait tous ses muscles, le préau sur le toit ne mesurait pas plus de vingt mètres carrés et tourner en rond le rendait fou. Bien sûr, il aurait pu faire quelques exercices de musculation dans la cellule, mais l'air était lourd et il craignait le regard des autres, il en a donc abandonné définitivement l'idée.

Dans la discothèque de l'énorme bibliothèque Lénine près du Kremlin, Liza Oumarova, un casque sur les oreilles, est assise devant une pile de bouts de papier et un tiroir de fiches. Elle cherche des chants populaires tchétchènes et essaie de trouver le nom des disques qu'elle veut écouter. Elle les note et donne la liste à la bibliothécaire qui va les chercher dans les archives. Elle donne la pochette à Liza afin que celle-ci puisse écrire le numéro des chansons. Dans la première pochette elle découvre des chants populaires tchèques et non tchétchènes. « Ah, il est manifestement mal catalogué », murmure la bibliothécaire. Au disque suivant, des symphonies de Bach s'échappent des enceintes. « Oh ! Que s'est-il passé cette fois-ci ? », murmure la bibliothécaire en le rangeant ailleurs. Les mélodies d'après sont aussi de Bach. La bibliothécaire est gênée et Liza révoltée. A-t-on retiré les disques tchétchènes de la discothèque ?

Le quatrième disque contient vraiment de la musique tchétchène. L'enregistrement date de l'époque soviétique et la plupart des titres sont des marches, aux titres tels que *J'aime la république de Tchétchéno-Ingouchie !* ou des chœurs chantant l'heureuse époque soviétique dans le

Caucase. Deux des disques contiennent ce que Liza recherche : des morceaux d'accordéon tchétchène. Sur l'un deux, le musicien joue exactement ce que Liza souhaiterait sur son disque. Ou sur son rêve de disque. En réalité, Liza est comédienne. Après avoir terminé sa formation à l'école de théâtre de Grozny, elle s'est mariée et son mari ne lui a jamais permis de jouer dans des films ou des pièces. Sa place était au foyer et elle a eu trois enfants, avant que la guerre éclate et que son mari les quitte. Les chansons, elle a commencé à les écrire à ce moment-là.

« Les mots sont venus en premier, et la musique après », raconte-t-elle.

Par un jour d'hiver glacial, avec cent dollars en poche pour enregistrer quelques chansons qu'elle avait écrites, elle a pris le bus de Grozny pour Naltchik, la capitale de la république voisine de Kabardino-Balkarie. Des tas de ruines, des poubelles à la place des maisons, des toits effondrés et des restes de mur étaient le paysage qui s'offrait à elle par la fenêtre. « Pour la énième fois j'ai pensé : dans quelle horreur vivons-nous ? L'extrême était devenu banal. Notre ville n'était-elle pas une héroïne qui continuait à se battre ? Qui était encore vivante ? J'ai noté ces mots dans mon journal, puis la mélodie m'est venue, accompagnée par le bruit du vieux bus qui nous ballottait. Arrivée au studio à Naltchik, le technicien m'a demandé quelle chanson je désirais enregistrer en premier. *Grozny, mon héroïne* ! ai-je répondu.

— Je ne la trouve pas sur la liste, a-t-il dit.

— C'est normal, je l'ai écrite en venant. »

Elle a d'abord donné les cassettes à ses amis et à des connaissances, qui les ont à leur tour copiées et distribuées à droite et à gauche. La chanson de Grozny est passée au marché, dans les bazars, à la radio. Un jour, elle deviendra l'hymne de notre ville, a-t-on même dit.

Le terme de « ville héroïque » – *Gorod Gueroï* – a une signification particulière dans l'ex-Union soviétique, il s'agit d'un titre donné à des villes cruellement éprouvées, comme Leningrad, assiégée pendant la Seconde Guerre mondiale, ou Stalingrad qui a arrêté les Allemands.

« La chanson parle du quotidien des Tchétchènes, celui d'une république humiliée, celui d'un peuple bâillonné. Mais elle parle aussi d'un peuple qui ne baisse pas les bras. »

*Même si tu n'as plus de rues*
*Et que notre enfance est réduite en miettes*
*Effondrée, torpillée, rasée,*
*Notre capitale, nous sommes fiers de toi*
*Grozny, ville héroïque !*
*Tu n'as pas cédé, pas renoncé, tu n'es pas tombée.*

Une fois elle a été arrêtée au barrage Kavkaz sur la grand-route pour sortir de Tchétchénie, là où tant de gens ont disparu. Quand elle a montré son passeport, le soldat l'a regardée, étonné.

« Vous êtes cette Liza Oumarova-là ? Celle qui chante ? » a-t-il demandé.

Liza a craint qu'on lui fasse payer ses chansons.

« Non, c'est quelqu'un d'autre », a-t-elle répondu avant d'ajouter : « L'autre Oumarova ne voyage sûrement pas dans un bus plein à craquer, mais plutôt dans une Mercedes. »

Le soldat était d'accord : « Oui, c'est vrai, elle roule sûrement en Mercedes », a-t-il acquiescé en opinant du chef.

Mais Liza ne gagne pas un kopek avec sa musique. Elle vit des livres et des magazines qu'elle vend pour la rédaction *Doch*, de leur petit bureau à Moscou, et de ce que son frère lui envoie du Kazakhstan. Les chansons, elle les écrit sur la table de sa cuisine. « C'est là que j'ai composé la chanson *Les mères russes*. Je pleurais en lavant des vêtements, et j'ai réalisé tout à coup que les larmes des mères tchétchènes et des mères russes étaient les mêmes. Les couplets me sont venus à ce moment-là, j'ai laissé le baquet et suis allée dans la cuisine pour les écrire. Puis je suis retournée dans la salle de bains finir ma lessive. »

Les textes de Liza sont patriotiques, mélancoliques. Certains les qualifient de primitifs et jugent la musique facile. D'autres disent que les chansons sonnent comme des bâtiments qui s'effondrent, qu'elles sont brutes, spontanées ; rudes comme les gens devenus violents qui continuent à vivre à Grozny. La chanson la plus connue s'appelle *Garmonist* – l'accordéoniste. « Il y avait un homme au marché de Grozny qui jouait de vieilles chansons sur un accordéon, des chansons dont ma mère se souvenait. Un jour je ne l'ai pas vu et des femmes qui étaient là m'ont appris qu'il avait été tué dans le bombardement du marché. Alors j'ai écrit une chanson sur lui.

Il règne une grande indifférence dans tout le pays. C'est pourquoi j'ai écrit la chanson *Debout, Russie !* Elle est dédiée à tous ceux qui y vivent, les Tchétchènes comme les Russes. Je m'adresse à tous : "Humains ! Réfléchissez ! Criez haut et fort que la guerre doit cesser !" »

Liza refuse de chanter pour la diaspora tchétchène à Moscou, qui compte en son sein un nombre non négligeable d'hommes d'affaires riches. On lui a déjà proposé deux ou trois mille dollars pour une soirée. « Dans ces cas-là, je leur demande : "Vous avez écouté mes chansons ?" S'ils répondent oui, j'ajoute : « Alors vous ne devez pas avoir compris les textes. Réécoutez *Debout, Russie !*, le premier couplet est pour vous : "Les îles Canaries, des casinos et des clubs, pendant qu'il y a la guerre en Tchétchénie." Là, en général, ils raccrochent. Certains me demandent pour qui je me prends. Mais si même les Tchétchènes qui vivent à Moscou ne se soucient pas de ce qui se passe chez eux, comment pouvons-nous attendre d'autres pays qu'ils le fassent ? »

Liza, qui a quarante-quatre ans, ne désespère pas d'enregistrer un disque, mais les artistes tchétchènes n'ont pas la cote auprès des maisons de disques russes. Alors qu'elle rêve d'un contrat, elle imagine la pochette. Elle étudie des photos de ruines bombardées, d'enfants qui passent la tête entre celles-ci pour regarder à l'extérieur, de vieux hommes aux épaules voûtées qui se recueillent sur les tombes de leur fils. Elle choisit finalement un monument constitué de vieilles plaques tombales où une main énorme tient une épée. Celui-ci a été érigé sous Maskhadov, pendant la courte période d'indépendance vis-à-vis de Moscou ; il est dédié aux victimes de la guerre. Elle veut le mettre sur un fond rouge sang. Elle montre fièrement le résultat à un ami.

« Liza, mais Liza ! Où as-tu la tête ? Où vas-tu le vendre ?

— Ici. À Moscou.

— Aux Russes ?

— Oui...

— Aucune boutique n'en voudra dans ses bacs. Cela ressemble trop au genre de disques que les terroristes pourraient écouter.

— Je peux le vendre moi-même, en me postant devant les mosquées.

— Mais tu souhaites que les Russes écoutent ta musique, non ?

— Oui...

— Alors vas-y mollo, ne sois pas aussi vindicative. Mollo. »

Liza regarde son ami avec scepticisme.

« Et si tu faisais une pochette où il n'y aurait que tes yeux ? Ce serait tellement beau, pas agressif et malgré tout mystérieux. Qu'en penses-tu ? »

Quoi qu'il en soit, la musique ne serait pas ce qui ferait parler de Liza dans la presse. Ce fut l'agression qui attira l'attention.

« *Vous n'êtes pas en sécurité parmi les Russes !* » a écrit un journal.

« *Foutez le camp !* » a dit un autre. Une fille a presque fait preuve de compréhension : « Je comprends bien sûr que vous ayez besoin de publicité, mais est-ce vraiment nécessaire pour cela de détruire la vie des autres ? Car ces jeunes ne sont pas les seuls à souffrir de vos actes, leurs parents aussi, leurs amis et leurs petites amies... »

Les pires menaces sont venues de *Slavianskiï Soyuz* – dont Alexei est un sympathisant. Ils ont donné son adresse précise sur leur site Internet : « Liza Oumarova habite au rez-de-chaussée et elle n'a pas qu'un fils, elle a aussi deux filles mineures. Elle les laisse souvent seules à la maison. Liza et ses deux petites filles vivent sans aucun homme... »

Elle regrette d'avoir porté plainte.

« Je ne pense pas que le système carcéral russe puisse changer quoi que ce soit. Ils se sont excusés et je crois qu'ils sont sincères. Il aurait mieux valu que les garçons soient condamnés à passer quelques heures avec moi. J'aurais pu leur expliquer ce qu'est le Caucase, ce qu'est l'islam. J'aurais pu les emmener dans une mosquée, les emmener voir comment les musulmans vivent, et je suis sûre que leur opinion aurait changé. C'est malgré tout l'ignorance qui les a poussés à se conduire comme ils l'ont fait », a-t-elle déclaré au juge lors la première audience, proposant de régler cette affaire à l'amiable.

Mais le système judiciaire en a décidé autrement, et une fois Aliocha déclaré guéri de la méningite, tout le monde se retrouve dans la salle d'audience. C'est alors l'été et ce ne sont plus les flocons de neige qui tourbillonnent dans l'air mais la malédiction de Staline – le pollen cotonneux grisâtre des peupliers que Staline a donné l'ordre de planter le long des avenues de Moscou. Il chatouille le nez, reste dans la gorge et colle aux joues en sueur.

Il n'y a que deux rangées de bancs et elles sont pleines à craquer. À chaque audience, on retrouve les mêmes amis, avec leur sac et leur téléphone portable ;

cette fois encore, un garçon est venu avec sa bouteille plastique d'un litre cinq remplie de thé vert.

La grand-mère d'Aliocha est là, habillée en noir, portant le deuil de son mari mort depuis bientôt un an. Ivan porte une chemise bleu ciel et un pull en V bleu. Un sac de sport est posé sur ses genoux.

Le troisième copain, Artur Antonov, qui a échappé à la détention provisoire, est assis sur une chaise devant l'assistance. Il regarde droit devant lui, ne se retourne jamais. Ses parents ne se sont pas montrés lors des auditions. Lui aussi avait le crâne rasé avant, mais il a laissé pousser ses cheveux.

Gorbenko père feuillette un livre intitulé *Cent grands secrets*. « Vous saviez que le jour, sous l'influence de la lune, raccourcit de 0,00164 secondes toutes les vingt-quatre heures ? » demande-t-il à la cantonade. Personne ne répond.

« Il y a quelques millions d'années, nous avions quatre cents jours par an, poursuit-il. Personne ne m'écoute parce ce que je ne suis que le père d'un fasciste, c'est ça », rit-il sèchement. Puis il continue à anônner : « Pendant l'époque romaine il n'y avait que dix mois, deca signifie dix, et *dekabr* – décembre – était le dizième mois. Octobre le huitième, novembre le neuvième. Mais Jules César est arrivé et a tout gâché. Il a ajouté juillet pour lui et Auguste l'a imité avec août, imaginez ça, en plein milieu d'année, à la meilleure période, et ils ont été obligés de revoir tous les jours. C'est pour ça que Jésus ne peut pas être né le 24 décembre, c'est évident, leur calendrier était complètement différent à l'époque. Je suis athée, donc ça ne change rien pour moi, mais que les choses soient claires. »

Puis les deux prisonniers sont amenés. Ils avancent en traînant les pieds dans des chaussures sans lacets. Sergueï vêtu d'un sweat-shirt bleu marqué *Salt Lake City* en lettres blanches sur la manche et RUSSIA dans le dos, une réplique de la tenue de l'équipe nationale russe aux J.O.

de 2002. Alexei porte une chemise à carreaux rouges délavée. D'un côté, les deux amis ont les poignets menottés ensemble, et de l'autre ils sont chacun attachés à un policier. La menotte qui les lie n'est ôtée qu'une fois dans la cage. Ils secouent un peu les mains avant de les poser mollement sur leurs genoux. La tête baissée, ils sourient un peu bêtement, comme deux garçons qui auraient été attrapés pour une bêtise à l'école, mais qui ne réussiraient pas tout à fait à prendre la punition au sérieux parce que le reste de la classe regarde.

Artur, au milieu de la salle, doit déposer en premier.

« Nous marchions dans le parc Fili. Entre 21 heures et 22 heures. Puis une femme et un jeune garçon sont arrivés. Aliocha s'est avancé vers eux et a demandé : "Qui êtes-vous ?" Nous avons essayé de le retenir, mais il est plus fort que nous. Puis un homme m'a bousculé. J'ai cru qu'il essayait de me frapper, alors j'ai répondu. Mes amis sont venus à ma rescousse. Je n'avais pas vu que l'homme était accompagné de sa femme et sa fille.

— Qui a frappé ? demande le juge.

— Je n'ai vu personne frapper.

— Il raconte n'importe quoi ! crie Pavel Semionovitch. Je ne l'ai pas bousculé. Et il m'a frappé fort !

— J'ai demandé pardon, continue Artur timidement. Nous sommes étudiants, nous voulons tous les trois devenir enseignants, nous ne sommes pas des nazis ou des bandits. »

La victime secoue la tête.

« La femme et la fille ont dit, elles aussi, que vous aviez frappé, dit le juge.

— Les femmes réagissent de façon plus émotive...

— Vous voulez dire qu'elles se trompent ? Oui ou non ?

— Elles étaient sous le choc...

— Bien, les femmes étaient sous le choc, d'accord, mais l'homme ?

— Eh bien...

— L'avez-vous frappé ?

— Oui, mais il exagère. Nous étions tous un peu soûls. Peut-être avons-nous dit quelque chose sur les nègres.

— Pourquoi ?

— Ils avaient les cheveux noirs, nous avions vu qu'ils n'étaient pas slaves.

— Êtes-vous vous-même un Russe pur ?

— Oui.

— À quoi ressemblaient-ils ?

— Ils étaient typés, c'était évident qu'ils étaient du Caucase. »

Les deux autres garçons font des dépositions identiques.

« Nous nous sommes retrouvés à 17 heures, avons bu quatre ou cinq bouteilles de bière », commence Sergueï en jetant un coup d'œil furtif à son père qui ne croise pas son regard. Il tousse, recommence, mais sa voix flanche.

« Je devais retrouver une fille plus tard dans la soirée, sinon j'avais surtout envie de rentrer à la maison. Puis nous avons rencontré une femme et son fils, et Artur a bousculé l'autre homme, l'a frappé au visage, et puis je me souviens qu'une femme a crié : “Ne craignez-vous pas le châtiment de Dieu ?” Et après je suis rentré la maison.

— Une passante ?

— Non.

— Avez-vous frappé ?

— Mouais. »

À travers les vitres fêlées des fenêtres et les barreaux pourris, on entend le bruit d'un bulldozer qu'on démarre. Le juge lance un coup d'œil agacé vers l'extérieur.

« Et vous, avez-vous dit quelque chose ?

— J'ai peut-être dit “la Russie aux Russes” ou quelque chose comme ça. »

Sergueï peut se rasseoir. Il se penche en avant, la tête dans les mains et les coudes posés sur les genoux.

Puis c'est au tour d'Alexei, il déglutit derrière ses lèvres épaisses. Galia se ronge les ongles, Gorbenko père, les mains pendant entre les jambes, écoute la déposition de son fils.

Quand l'homme avait voulu fuir, c'était Alexei qui l'avait poursuivi. « Mais c'était seulement pour lui demander pardon. Puis nous avons un peu parlé de Dieu », déclare Alexei. Ses lèvres tressaillent, comme agitées de tics. « Ils ressemblait au père d'un ami d'enfance qui était juif, c'est pourquoi j'ai pensé qu'il l'était. »

La grand-mère se tient toute droite pendant que son petit-fils parle. Puis vient le pire pour elle, la croix gammée.

« Savez-vous ce qu'elle signifie ?

— Oui.

— Que signifie-t-elle ?

— C'est un symbole qui date des Celtes.

— Mais que signifie-t-elle ?

— C'est le signe du soleil.

— Vous, futur professeur d'histoire ! Vous devriez être le premier à savoir le tort que les idéaux qui se trouvaient derrière la croix gammée ont causé à la Russie. Il n'y a pas une famille qui n'ait pas souffert. Pourquoi l'avez-vous tatouée ? »

Alexei hésite.

« Je soutiens les nationaux-socialistes et les Russes sont menacés. Nous sommes chassés de notre propre pays. Tout particulièrement par les peuples du Caucase. Il y en a beaucoup ici. Je pouvais clairement voir que Liza et son fils venaient de là-bas. La Russie est aux Russes, Moscou aux Moscovites. »

Les articulations du père blanchissent.

« J'étais très déprimé à cette époque. Je venais d'être quitté par une fille. Je voulais me suicider. Je voulais me jeter sous une voiture pour qu'elle regrette. C'est le patriotisme qui m'a aidé. »

Derrière les lunettes à monture blanche, Galia regarde fixement son fils.

Le juge rejette de nouveau toute idée de conciliation. Il pense que le délit n'a pas été commis contre des individus, mais contre l'État, contre la Constitution russe, que c'est elle qui a été bafouée. Le pardon des victimes et les remords des agresseurs n'ont donc pas grande imporance. Il veut tester l'article sur le racisme, si rarement utilisé. C'est au tour de Liza.

« Pourquoi s'en sont-ils pris en particulier à vous ?

— Ils étaient soûls, ils voulaient nous embêter un peu.

— Mais pourquoi vous, spécialement ?

— Il faisait nuit.

— À vous entendre, on a l'impression que vous voulez ajouter quelque chose, Exprimez-vous !

— J'ai dit qu'ils étaient soûls.

— Mais pourquoi vous avoir choisis, vous ?

— Parce que c'est ce qui se passe dans notre pays », répond Liza calmement.

Quelques semaines plus tard encore. Le parquet a la parole :

« Gorbenko, coupable, trois ans. »

Gorbenko déglutit. L'assemblée a le souffle coupé.

« Ivanov, coupable, deux ans et demi. »

Ivanov baisse les yeux.

« Antonov, coupable, deux ans et demi. »

Antonov ferme les yeux et baisse la tête. Le seul bruit perceptible est celui d'une branche qui tape contre le carreau.

L'avocat d'Alexei Gorbenko, un grand homme obèse aux jambes arquées, est le premier à réagir.

« Cette affaire a été politisée. Le verdict était donné d'avance. Il sert de publicité pour donner l'impression que la Russie agit et lutte contre le nationalisme. Ceux qui paient pour cette réclame sont trois jeunes garçons qui se sont déjà excusés.

— Ils ont déjà payé pour ça ! crie le père Gorbenko de son banc.

— Du calme ! du calme ! interrompt le juge en regardant sévèrement en direction de Gorbenko.

— Ils ont déjà présenté leurs excuses et les deux personnes impliquées leur ont pardonné et ont demandé que l'affaire soit close, poursuit l'avocat. Un traitement bestial, comme l'appelle le parquet. Je crois que le pire coup que Gorbenko ait porté aux victimes, c'est en disant qu'il n'existait pas de dieu. Il s'agissait là du pire outrage de cette soirée, insulter le sentiment religieux des victimes. Mais est-ce interdit par la loi ? Non. Et pourquoi détruire les garçons psychologiquement ? Quel sera le résultat de ces trois années en prison ? Mon client a une mauvaise vue, ce qui n'est pas pris en considération dans le jugement. Dans la vie, il arrive que les choses tournent mal. Les mois qu'ils ont déjà passés en détention – il s'en est écoulé plus de six – sont une peine bien assez dure. »

L'avocate de Sergueï, une femme bien en chair, fortement maquillée et aux cheveux décolorés, renchérit.

« Aucun n'a nié les faits », dit la silhouette ondulante perchée sur des talons et moulée dans une jupe très étroite. « Mais ces garçons ne sont-ils pas eux-mêmes victimes de ce nationalisme malsain ? Combattre l'extrémisme est important, mais ces trois-là n'ont-ils pas déjà eu une leçon ? La Constitution menacée ? Il ne faut pas exagérer ! Votre Honneur, les garçons n'ont jamais été condamnés auparavant. Rien que quelques petites années en prison peuvent suffire à détruire leur vie.

— Elles sont déjà détruites, crie Gorbenko père. Les gens ne sont pas des poubelles ! »

Le juge lui adresse un dernier avertissement.

« Et où sont tous ces gens qu'ils sont censés avoir influencés ? C'est à cette condition que l'article sur le racisme peut être utilisé, il faut que les accusés aient propagé la haine raciale, souligne l'avocate. Ce sont plutôt ces garçons qui ont été influencés, comme des moutons, par ce qu'on peut lire dans les médias », dit-elle en les pointant d'un long ongle rose.

Puis c'est au tour des accusés.

« Je suis vraiment désolé et demande pardon », dit Sergueï. Les larmes coulent. La voix s'entend à peine. « Je ne suis pas nationaliste. J'étais seulement soûl. »

« Je promets que cela ne se reproduira plus », dit Alexei brièvement et il se rassoit. Artur dit la même chose.

En deuxième instance, la peine d'Artur est annulée, Alexei prend un an et la condamnation de Sergueï est réduite à neuf mois. Le 16 juin 2006, il est libéré.

Son père refuse d'aller le chercher. C'est Olga qui attend dehors quand le fils passe tranquillement la porte de la prison. Elle se précipite vers lui. « Mon fils ! »

Ils s'offrent un taxi pour rentrer chez eux.

« Salut *Synoulia* ! Salut fiston ! dit le père durement, sans l'étreindre, sans sourire.

— Salut papa », répond Sergueï d'une petite voix.

Puis ils se taisent. Le père serre les lèvres. Le fils regarde par terre. Le père va dans le séjour. Sergueï s'assoit, le dos voûté, dans la cuisine où Olga réchauffe le dîner qu'elle a préparé pour fêter le retour de son fils. Le père apparaît dans l'encadrement de la porte.

« C'est mieux qu'en prison ?

— Oui, murmure Sergueï.

— Alors tu réfléchiras la prochaine fois. »

Sergueï acquiesce d'un hochement de tête.

« J'ai un travail pour toi demain. Je me suis engagé à décharger des pierres sur un lotissement de chalets tout le week-end. J'ai promis que tu serais là.

— Oh, mais j'avais pensé voir mes amis demain. Et puis je suis tellement crevé, je voudrais bien me reposer un peu.

— Tu t'es reposé pendant six mois !

— Mais, papa...

— J'ai commandé les pierres. Je vais faire un chemin d'accès à un chalet. J'ai besoin de toi.

— J'aimerais tellement voir mes amis demain.

— Tu as une dette à rembourser, tu le sais ? »

La mère a bientôt fini de préparer à manger et les supplie de se réconcilier. Plusieurs des amis de Sergueï sonnent déjà à la porte. Tous sont invités à la table et le repas de fête, qui est composé d'un plat de pommes de terres grillées, de tomates confites par Olga et d'un morceau de poulet chacun, est vite englouti. Le père sort une bouteille de champagne. Le fils sourit timidement. Le père verse une goutte à chacun, mais passe le verre de son fils. Les épaules du fils s'affaissent.

« Et l'invité d'honneur ? demande la mère, en regardant son mari droit dans les yeux.

— Ce garçon-là ne boira plus jamais », répond le père en crispant la mâchoire.

De tout le repas, personne n'évoque la prison, chacun s'empresse de trouver un autre sujet de conversation. Les tomates d'Olga, l'été au chalet, les races de chiens. Ivan parle des courses de chiens de traîneaux de l'hiver. La mère cajole son garçon, lui sert les dernières pommes de terre. Le père l'ignore.

Après le repas, Sergueï s'esquive avec ses amis. Le père reste assis dans la cuisine.

« Quelle erreur ai-je faite ? Quelle erreur ai-je faite ? »

À la fin de l'été, Aliocha est lui aussi libéré, et les deux garçons galèrent toute l'année qui suit. Aucun des deux n'a eu de place dans une école et ils sont au chômage jusqu'à ce qu'ils trouvent un boulot de magasinier. Galia explique qu'Aliocha est rentré complètement changé de son séjour en prison.

« Ils m'ont pris un garçon, dit-elle, et je ne sais pas ce qu'ils m'ont rendu. »

La ligne de téléphone grésille

« Il ne veut rien dire, ne veut pas parler, je ne sais pas ce qui lui est arrivé là-bas. Il dit que tout ce qu'il veut, c'est oublier. Il ne va plus voir sa babouchka. Il est brusque et maussade. »

Le téléphone grésille toujours. Galia dit quelque chose sur le crime et la punition. Sur mériter une punition.

« Quoi ? dis-je en criant.

— Tout le monde est puni, j'ai dit. Liza sera punie pour cela. Anna Politkovskaïa a déjà été punie.

— Que voulez-vous dire ?

— Vous vous souvenez du terrible article qu'elle a écrit sur Aliocha ? Qu'il était fasciste. Ce qu'elle a écrit sur le peuple russe ! Elle nous a insultés. Maintenant elle n'est plus là.

— Vous voulez dire que vous soutenez...

— Je dis seulement que tout le monde est puni, coupe Galia. De la part de Dieu ou d'Allah, ou quel que soit le nom qu'ils lui donnent. »

# Tout pour la patrie

La détonation est tout ce dont il se souvient. Pas l'éclat de lumière, ni la douleur. La détonation. Le nouvel an approchait et les plaines étaient enfin toutes blanches. Au milieu des collines et des sommets enneigés, la route était récouverte de boue gelée. Les traces profondes d'un véhicule lourd avaient dessiné des motifs irréguliers dans la terre sombre. Le gel et le redoux avaient creusé des rigoles sous l'asphalte et éclaté la croûte grise. Par endroits, les garçons devaient contourner de gros trous. Dans les fossés, des roseaux secs pointaient hors de la neige, et les noyers, dont ils avaient goulûment mangé les fruits tout l'automne, étaient noirs et nus, sans aucune noix, sans aucune feuille.

Il était parti depuis un an et demi. C'était la première fois qu'il quittait la maison. La première fois qu'il allait ailleurs qu'au village des grands-parents, où il avait l'habitude l'été d'aider son grand-père à couper le bois, à aller chercher de l'eau, à sarcler le champ, à s'occuper des tomates, des pommes de terre, des haricots. La première fois qu'il devait se débrouiller seul. Même s'il avait quelques camarades, Pacha et Vlada étaient là, il se sentait plutôt seul. Il n'avait jamais été très bavard, n'avait jamais pris beaucoup de place. Ici aussi, dans les montagnes, il restait le plus souvent dans son coin.

Pour rejoindre les montagnes, ils avaient quitté le camp de Borzoï – *Le Loup* – après le petit déjeuner. Ils devaient repérer les mines éventuelles sur la route de Tsentoroï, le fief des Kadyrov. Il ne faisait pas froid, autour de zéro peut-être, un brouillard léger imprégnait l'air d'humidité. Ils marchaient, ils commençaient à être épuisés, la sueur se mélangeait peu à peu à la brume, les bavardages s'étaient éteints. Les blindés roulaient derrière eux, sous les noyers. Il était 15 h 20 quand ça a explosé.

Deux semaines plus tard. Le nouvel an 2004. Klaudia Mikhaïlovna avait enfin fini sa journée. La veille, en rentrant de la station d'épuration, elle avait lavé l'appartement de fond en comble. Maintenant elle allait se reposer, c'est tout ce qu'elle allait faire. Ne plus penser à la station où chaque jour elle nettoyait les grilles afin d'éviter que la saleté s'accumule et bouche les tuyaux. Elle fêterait le dernier jour de l'année seule.

Le repas du nouvel an se trouvait dans le réfrigérateur. Elle avait préparé deux plats, des salades d'hiver, l'une à base de carottes cuites, de pois et de mayonnaise, et l'autre de choux marinés et d'oignons. Elle allait enfin pouvoir s'offrir quelques verres de vodka, pensait-elle. Toute seule. Pour la nouvelle année. Cette petite fête ne durerait probablement pas jusqu'à minuit, car elle dormirait : le premier de l'an, elle devait retourner aux égouts à 7 heures.

Le téléphone a sonné.

Elle s'est précipitée vers l'appareil, pensant que son fils aîné l'appelait pour lui souhaiter une bonne année. Ou peut-être même était-ce son petit dernier dont elle n'avait aucunes nouvelles depuis plusieurs mois... Elle n'avait reçu que trois lettres, la dernière en août.

« Oui ?

— Est-ce Klaudia Mikhaïlovna ?

— Oui.

— Votre fils est gravement blessé, il se trouve à l'hôpital militaire de Rostov. »

Des blessures à la tête, avait dit la femme. Sérieuses. A marché sur une mine, avait-elle expliqué. Rien de plus. Elle s'était présentée comme sœur de la charité d'une des églises de Rostov, une volontaire qui s'occupait des soldats, les nourrissait, veillait sur eux. La tête de Klaudia bourdonnait. Nikolaï était là-bas depuis plus de deux semaines, avait-elle dit. Pourquoi personne ne l'avait-il appelée avant ? C'était le garçon qui avait donné son numéro quand il était sorti du coma, avait expliqué la voix féminine à l'autre bout du fil. Coma ? Oui, mais maintenant il a repris conscience. Je crois que vous devriez venir, avait dit la sœur. Klaudia a fait le numéro du commandement militaire local à Oulianovsk à laquelle était rattaché son fils. La tonalité a résonné dans l'écouteur avant de se transformer en brefs bips. Elle a regardé l'heure et réessayé. Aucune réponse. La nuit avait commencé à tomber, bien que l'après-midi ne fût pas encore très avancé. La neige était grise dans le crépuscule. Le commandement militaire ne travaillait manifestement pas ce jour-là, qui était malgré tout le soir du nouvel an.

Puis tout s'est passé très vite. Elle a mis quelques vêtements dans un sac, pris ses quelques économies et elle est partie quémander l'argent du voyage chez ceux qu'elle connaissait dans les immeubles alentour. Juste avant le départ du train de nuit pour Moscou, elle se tenait devant le guichet et achetait un billet en troisième classe, un wagon sans compartiments ni cloisons équipé d'une cinquantaine de couchettes sur deux étages, remplies de voyageurs qui allaient fêter le nouvel an sur les rails. Elle avait comme voisine une femme de l'Oural qui a partagé avec elle son repas et sa vodka. Après seize heures sans dormir, à être ballottée, Klaudia Mikhaïlovna, complètement abrutie, est descendue du train à Moscou, à la gare de Kazan. De là, elle a pris le métro jusqu'au terminus à l'est, puis un bus pour l'aéroport Domodedovo. Elle y a attendu l'avion pour Rostov pendant une demi-journée.

Le 2 janvier, le jour n'était pas encore levé quand elle a atterri dans cette ville du Sud qui, pour des milliers de parents, évoque désormais un triste souvenir. C'est ici que les mères et les pères russes se rendent quand ils sont appelés par l'armée pour identifier leurs fils. Les soldats gravement blessés ou tués en Tchétchénie sont rapatriés en avion dans cette ville. À la morgue, les parents indiquent leur garçon du doigt avant qu'il soit renvoyé chez eux dans un cercueil de zinc scellé. L'armée russe est avare de chiffres, mais au moins quinze mille jeunes hommes auraient été tués dans les faits de guerre en Tchétchénie au cours des dix dernières années. Trois fois plus auraient été blessés.

Klaudia Mikhaïlovna peut passer devant la morgue ; elle, elle va à l'infirmerie. Aux aurores, avant que les premiers rayons de lumière n'apparaissent dans le ciel, elle se trouve devant l'édifice de brique. Il neige. À la réception, on la dirige vers le service de neurochirurgie, une bâtisse de quatre étages un peu plus loin. Elle laisse des empreintes dans la neige fraîche. L'entrée principale... monter l'escalier, traverser un couloir. Une infirmière lui indique une porte. Elle l'ouvre.

Il est couché, le visage tourné vers le mur. Elle reconnaît le dos mince, les épaules étroites ; la main bandée est posée sur la hanche. Sa tête est entourée de bandages, elle aussi. Elle ne veut pas lui faire peur, peut-être dort-il, en s'approchant elle chuchote : « Chourik, mon Chourik. Maman est ici... »

Il se tourne lentement. Elle ne peut pas voir son visage enveloppé d'une bande ensanglantée. Il ne peut pas non plus la voir. Ses paupières sont collées derrière le bandage imprégné de grosses taches rouges.

« Je vais pouvoir rentrer à la maison ? »

Il avait marché du côté gauche de la route. En tête, après les démineurs. À l'affût, son arme automatique chargée, il avait laissé son regard glisser entre les noyers et derrière eux, vers les petits bois de chênes et de hêtres clairsemés. Les démineurs devaient regarder par terre, dans les fossés, au bord de la route, sur l'asphalte craquelé. Sa tâche à lui était de regarder autour, de les protéger d'une attaque.

Les Russes et ceux qui les soutiennent ont beau avoir le contrôle de presque toute la Tchétchénie, des patrouilles sont encore assaillies et des mines posées sur leur passage – le plus souvent, dit-on, par des enfants ou des jeunes garçons qui peuvent se cacher plus facilement.

Pour une raison ou une autre, seul un des démineurs ce jour-là avait le matériel de détection. Ils n'ont pas vu le fil de métal. Le premier garçon a marché dessus, Nikolaï, lui, avait le regard rivé dans la direction qu'il était censé surveiller, vers la colline. C'est lui qui a déclenché l'explosion. La mine a fonctionné exactement comme elle le devait : elle est conçue pour exploser à la poitrine et à la tête et causer le maximum de blessures à un homme. Une pluie de petits et grands éclats se sont enfoncés dans son crâne.

Trois jours après l'explosion il s'est réveillé. Il ne pouvait pas ouvrir les yeux, cousus derrière le bandage. Il a entendu quelqu'un à côté de lui.

« Où suis-je ?

— À l'hôpital militaire.

— Pourquoi ?

— Vous avez marché sur une mine. »

Il a touché son corps, les jambes étaient là, les pieds étaient là et les orteils aussi. Mais à sa main gauche, il ne restait plus que le petit doigt.

Puis il s'est rendormi.

« Aveugle », a dit le médecin à Klaudia Mikhaïlovna le premier jour. La plupart des éclats avaient été retirés, mais l'un d'entre eux avait traversé son crâne et pénétré dans le cerveau. Il y restera, a dit le chirurgien, s'ils essayaient de l'opérer pour l'enlever, il pourrait endommager le système nerveux, et pour peu que l'éclat se déplace très légèrement, Nikolaï risquait d'être paralysé. Mais le garçon pouvait encore très bien vivre pendant vingt ans avec cet éclat dans la tête, a déclaré le médecin militaire les yeux rivés aux radios.

« Et après ? a demandé la mère.

— Que voulez-vous dire ?

— Après vingt ans, quand il en aura quarante, que se passera-t-il ?

— Il n'atteindra probablement jamais cet âge », a répondu le médecin avant de ranger les radios.

Dans les mois qui ont suivi, Nikolaï a été soigné par sa mère, qui l'a nourri, lavé, consolé, tenu, écouté. « C'est bien que vous soyez venue, avait dit la sœur de la charité, vous allez pouvoir prendre le relais. »

Sinon, seuls quelques soldats veillaient sur les patients. Si on souhaitait des soins, il fallait payer comptant, cent roubles par jour. La mère était assise au chevet de son fils jour et nuit. Personne de l'armée ne l'avait encore contactée. Ils n'ont plus besoin de lui, pensait-elle amèrement, pour eux il n'existe plus.

Elle se souvient quand son fils aîné ne s'était pas présenté devant le conseil de révision. Ils avaient appelé. Ils étaient venus jusque chez eux. Ils avaient menacé. Deux jours plus tard, il l'avait retrouvé, chez ses grands-parents. Quand il s'agissait de les incorporer dans l'armée, ils ne renonçaient pas avant d'avoir tout essayé. Mais une fois qu'ils n'étaient plus utiles, ils ne prenaient même pas la peine d'appeler le numéro inscrit sur la première page des papiers militaires. Parents ou tuteurs : Mère, nom, adresse, téléphone. Père, décédé.

Ces pensées, Klaudia n'allait pas cesser de les ruminer dans les temps qui suivraient. *My nikomou ne noujny.* Personne n'a besoin de nous. Nous sommes de trop.

Elle avait pleuré quand son fils avait été appelé sous les drapeaux. Elle avait entendu parler de plusieurs jeunes recrues envoyées directement en Tchétchénie et revenues en cercueil de zinc, ou estropiées, ou traumatisées par les obus. Ceux qui rentraient n'étaient pas les mêmes hommes que ceux qui partaient. Ils frappaient, criaient, buvaient. Comme le voisin de palier, devenu fou en Afghanistan. Depuis qu'il était rentré en 1989, c'était l'enfer toutes les nuits.

Durant l'époque soviétique, faire son service de deux ans était une évidence. Désormais, la plupart tentent de s'y soustraire. Le service militaire est réservé aux paysans, à ceux qui n'ont pas les moyens d'acheter leur liberté. Quand Nikolaï a été appelé, la guerre en Tchétchénie avait duré presque aussi longtemps que la campagne catastrophique des années 1980 en Afghanistan.

« Tu peux demander un sursis, avait dit sa mère, tu n'as pas fini tes études. »

Le fils avait hésité. Le lendemain, sa mère avait pris le bus pour le lycée technique où il étudiait et demandé une attestation certifiant qu'il n'avait pas encore passé son examen. Elle l'avait obtenue et remise à Nikolaï, afin qu'il puisse la montrer lors de ses trois jours. « En plus, tu n'as pas de père, tu peux donc échapper au service en Tchétchénie », avait ajouté la mère, avant de laisser son fils partir.

Quand il était revenu, il était déjà conscrit.

« Tu as montré l'attestion du lycée ? »

Le garçon avait secoué la tête.

« Pourquoi ?

— S'ils ne m'avaient pas pris maintenant, ils l'auraient fait dans six mois, avait-il répondu. En plus, être soldat, je n'ai rien contre. Comme ça, je n'aurai plus à réfléchir.

— Mais tes études, qu'est-ce que tu en fais de tes études ?

— Comme ça, j'échapperai aux examens. »

Nikolaï n'avait jamais été bon à l'école et détestait les examens. Dès le CP, il avait eu du mal, mais lors de cette première année, son père le suivait et veillait à ce qu'il relise ou refasse ses opérations, jusqu'à ce que le résultat soit correct. Dix jours après son entrée en CE1, son père s'était noyé lors d'une sortie de pêche sur la Volga dans un petit canot en compagnie de son cousin et Sergueï, le fils que Klaudia avait eu lors d'un précédent mariage. Sergueï était le seul qui avait réussi à regagner la terre ferme à la nage. Nikolaï avait perdu son père, et sa mère étant plongée dans son chagrin, personne n'avait plus rien exigé de lui. Sa scolarité avait été laborieuse et il était sorti de l'école avec des notes bien inférieures à la moyenne. Le collège terminé, il avait commencé un apprentissage de deux ans pour devenir soudeur.

Vers la fin 2003, toute sa section a été envoyée de Perm en Sibérie à Borzoï en Tchétchénie. Nikolaï avait alors eu trois heures d'exercices de tir. Arrivé à la base, on lui a confié le poste de *strelok* – tireur. À Perm, il avait suivi une formation de mécanien, mais ils n'avaient pas besoin de mécanicien à Borzoï.

« Envoie des chaussettes chaudes, des choses sucrées et une bonne paire de gants », a-t-il écrit dans sa première lettre. Sa mère a tricoté des chaussettes en laine épaisse, acheté une paire de gants en cuir fourrés et joint des biscuits au chocolat de la marque *Octobre rouge*. Le paquet lui a été retourné : en raison des lois antiterroristes, les lettres étaient le seul envoi autorisé en Tchétchénie.

Les baraques étaient glaciales, écrivait-il. Les chaussettes ne séchaient pas pendant la nuit, les chaussures moisissaient, les draps étaient humides et ils passaient de longues journées dehors. Ils faisaient des gardes, des marches. Un jour il s'est effondré et a été envoyé à l'infirmerie du camp où il est resté six semaines. Une pneumonie. Sa mère n'en a rien su avant que lui-même ne lui en parle dans une lettre, des mois après sa guérison. On l'avait toujours informée trop tard, pensait-elle maintenant. À ce sujet là aussi : un officier était venu le trouver à l'infirmerie et lui avait demandé de signer un contrat pour un service de trois ans.

L'armée manquait de soldats en Tchétchénie et avait du mal à recruter. Depuis que Nikolaï avait commencé son service, une loi interdisant d'y envoyer des jeunes recrues avait été promulguée. La défense devait engager davantage de militaires. Quand le chef de la compagnie avait demandé des volontaires, personne ne s'était inscrit. Il fallait que ça change.

Mal en point après la maladie, le garçon pesait alors quarante-huit kilos, il avait été renvoyé sur le terrain comme tireur. Les officiers l'avait tabassé, menacé, harcelé. Ceux qui ne signaient pas seraient envoyés dans les montagnes où se déroulaient les combats les plus durs, disaient-ils.

« Chère maman, ne t'inquiète pas, tout va bien ici. Même si tu penses que c'est terrible, j'ai signé un contrat pour trois ans. Il est trop tard pour changer quoi que ce soit. Je gagnerai de l'argent. N'aie pas peur. Je suis en sécurité ici et je ferai tout pour rentrer à la maison à temps. »

Pendant un an, j'ai gardé le contact avec Nikolaï et sa mère par téléphone.

Je les vois par la fenêtre avant même que le train s'arrête. Un garçon pâle avec des lunettes noires et une casquette enfoncée sur la tête, au bras d'une petite femme d'un certain âge, un peu corpulente et en fourrure. La mère me fait signe quand je saute de la marche la plus haute du wagon et donne un coup de coude à son fils. Il tourne la tête dans ma direction alors que je remonte le quai, et quand j'arrive près de lui, il me tend la main. Nous nous sourions. Le visage derrière les lunettes est marqué de cicatrices rouge vif et il lui manque quelques dents.

« Bienvenue à Oulianovsk, dit-il.

— Allons-y. Tourne-toi », dit sa mère doucement.

Nikolaï se tourne.

« À gauche. »

Ses pieds avancent en tâtant le sol irrégulier.

« Attention, une congère. Faisons le tour. »

Il ne reste presque plus que nous dans la gare.

« Là, il y a une flaque. Fais un grand pas », poursuit la mère.

Nikolaï soulève le pied.

« Nous allons monter un escalier. »

La longueur du pas est ajustée.

« À droite maintenant. »

Nikolaï tient fermement le bras de sa mère.

« Arrête, nous allons traverser la rue. »

Il attend.

« Nous sommes arrivés à la voiture, monte. »

Nous sommes conduits chez Nikolaï et sa mère par Sergueï, le frère. Nous traversons la Volga, qui est gelée. Le vent a transformé la neige en vaguelettes durcies et la surface blanche scintille. Les gens pêchent à la dandinette en bas. Le pont est long de plusieurs kilomètres. Sergueï montre du doigt l'endroit où, quelques années plus tôt, un bateau, un poil trop haut, a foncé dans la structure métallique et coulé ; des centaines de personnes ont péri. Nikolaï et sa mère vivent sur l'autre rive, en périphérie, à l'autre bout de la ville. Les congères forment comme des montagnes le long des allées, elles fondent un peu dans la journée, pour regeler le soir. Entre les tours, un lac d'eau glacée monte jusqu'aux portières des voitures.

« C'est tout juste si quelqu'un a déblayé la neige cet hiver, donc quand elle fond, il ne reste plus qu'à nager ! » plaisante la mère.

« Il faut que tu comprennes. Depuis l'âge de huit ans, je n'ai plus de père. »

Nous sommes assis dans leur minuscule cuisine en banlieue près de la Volga ; la neige scintille sous les rayons éblouissants de février. De la fenêtre au cinquième étage, on ne voit pas l'arrivée du printemps : à perte de vue, des immeubles grisâtres, sans vie, se détachent sur le ciel.

Nikolaï a tâtonné jusqu'à son tabouret près de la table de la cuisine. Il allume une cigarette. « Je pensais que ça me ferait du bien de vivre dans un environnement masculin. Pourquoi ne serais-je pas capable de me battre pour la patrie, comme un homme ? Pour la première fois de ma vie, j'allais gagner de l'argent. En envoyer à maman. Être utile. À la patrie aussi. C'était mes deux arguments : pour la patrie et pour gagner de l'argent. Si on ne signait pas, on était tabassé jusqu'à ne plus pouvoir tenir un stylo ou penser clairement. Le chef de la compagnie avait un quota à remplir. Pour sa propre carrière. *Dobrovolno prinouditelno*. Des volontaires forcés. »

Nikolaï éclate d'un rire râpeux.

« Des volontaires forcés », répète-t-il plusieurs fois, puis il tousse. « Qui voudrait perdre trois ans dans les montagnes et peut-être mourir ? »

Il aspire profondément les dernières bouffées de sa cigarette et l'écrase. Il reste un long moment à la presser durement dans le cendrier, jusqu'à ce qu'elle soit complètement aplatie.

« Je n'ai jamais eu d'argent. J'ai grandi sans un sou. Quinze mille roubles était plus que ce je pouvais gagner pour n'importe quel travail à la maison. Je n'avais aucune expérience professionnelle et il faut des contacts pour trouver du boulot. Comment allais-je les trouver, ces contacts ? Je ne connaissais personne ! Et puis je devais avoir un mois de vacances par an et après dix ans dans l'armée, on nous a dit qu'on avait droit à un appartement, à des voyages gratuits. Qu'on pouvait faire un emprunt. »

Nikolaï a demandé à ce que son salaire soit envoyé à sa mère. Lui-même n'avait besoin que de quelques roubles pour des cigarettes et du chocolat. Mais un officier a pris sa première solde, un autre la seconde, la troisième il ne sait pas ce qu'elle est devenue. Les officiers ont dit à Nikolaï qu'ils lui avaient « emprunté » un peu d'argent. Par la suite, son équipement lui a coûté de plus en plus cher. Les soldats devaient acheter eux-mêmes les tenues de camouflage blanches pour l'hiver, des bottes chaudes. Ils pouvaient aussi se contenter de leurs bottes d'été, et geler. À l'automne, il avait eu besoin d'argent pour compléter sa maigre ration de soldat. Nikolaï dit malgré tout : « Si je n'étais pas devenu aveugle, je serais certainement resté dans l'armée. Qu'aurais-je pu faire d'autre ? »

Il verse des gouttes dans ses yeux qui s'assèchent vite et le démangent. Il les gratte souvent.

Les points de suture se voient bien dans les orbites. Un des globes oculaires est à peine visible derrière une fente étroite, où l'on aperçoit un lacis de nerfs roses. L'autre a disparu derrière la paupière, à laquelle il manque les cils. Chaque œil est clos par une cicatrice rouge en zigzag. Sur celui de gauche, on peut encore entrevoir un croissant d'iris bleu. « Avant, on pouvait voir les deux », explique sa mère. Désormais, tout l'œil s'est en quelque sorte retourné et renfermé. Comme Nikolaï.

Il est taciturne. Raconter lui prend du temps. Il bute parfois sur les mots. « Il ne le faisait pas avant », dit sa mère. Il peut soudain s'arrêter en plein milieu d'une phrase et la laisser en suspens. « Il ne le faisait jamais avant », dit sa mère. Son visage est agité de tics nerveux. Ses mains ne sont jamais au repos. Il se tire la peau du cou, arrache les poils de ses sourcils, gratte son visage avec ses ongles. « Ça, il ne le faisait jamais avant », constate sa mère. Ses récits sont toujours interrompus parce qu'il se tape sur le bras ou l'épaule avec sa main en bonne santé, avant que ses ongles ne reprennent leur activité fébrile.

Il allume une autre cigarette et expire la fumée entre ses dents très espacées, trois d'entre elles ont été cassées dans l'accident. Il n'a jamais été question de les remplacer. Il ne reste rien de sa main gauche et les sensations dans celle de droite sont réduites. Ses doigts ayant été complètement abîmés dans l'explosion, il n'a jamais appris le braille.

Les éclats de métal qui n'ont pas été immédiatement extraits sont sortis d'eux-mêmes avec le temps. Certains se sont promenés avant d'être évacués par la bouche. Sa mâchoire s'est cicatrisée de travers. Un kyste plein de pus a poussé au front, derrière son crâne. Une fossette hachurée se tortille entre ses sourcils. Il a encore quelques touffes de cheveux sur un côté de la tête, le reste est couvert de cicatrices rouge vif.

Nikolaï n'a jamais été recontacté par son unité depuis l'accident. Aucune lettre, aucun appel.

« Tu sais comment on appelait un gars qui marchait sur une mine ? Un soldat jetable. Et comme le démineur n'a pas bien fait son boulot, le soldat jetable, ça a été moi. »

Aucun des camarades avec lesquels il faisait son service n'a donné signe de vie. « Ils ont sûrement leurs propres problèmes, suffisamment de choses à faire », dit Nikolaï.

Personne non plus ne lui a renvoyé ses affaires. Il rit. « Non, on les avait déjà sûrement volées avant que je sois évacué. Tout le monde avait bien compris que je ne reviendrais pas. »

Au printemps, Nikolaï a été renvoyé chez lui, il a quitté Moscou, la capitale qu'il n'avait jamais vue et qu'il ne verrait jamais. Il est rentré à la maison pour de bon.

Ce fut une période calme. Pendant que son fils s'habituait à l'obscurité, sa mère a enfin trouvé la force de remplir les papiers pour qu'il touche une pension militaire d'invalidité. Une formalité, pensait-elle, mais quand elle s'est rendue au bureau militaire d'Oulianovsk, elle a appris qu'il n'avait droit à rien du tout.

« Mais il est devenu aveugle à l'armée ! s'est exclamée la mère.

— Selon les papiers, il sert toujours en Tchétchénie.

— Mais il a passé tout le printemps à l'hôpital du ministère de la Défense à Moscou !

— Selon nos informations, il est toujours en Tchétchénie.

— Il a été blessé avant le nouvel an. Il a marché sur une mine.

— Rien de tout cela ne figure dans nos papiers. »

Le lendemain, la mère a apporté le diagnostic de l'hôpital militaire de Moscou : « *Fracture de la boîte crânienne... pose de plaques de titane... boîte crânienne remplacée par du plastique... blessures au cerveau... contusions graves... hémorragie... système nerveux central sérieusement atteint... corps étrangers dans le vertex gauche... blessures aux deux globes oculaires... ayant engendré une perte totale de la vue...* »

— Ça ne change rien, dit le bureaucrate avec lassitude. Officiellement, il sert toujours en Tchétchénie. Il n'a donc droit à aucune pension. »

Le lendemain, Klaudia a amené Nikolaï, d'abord par le bus n° 41, puis par le trolleybus n° 8, pour montrer ses yeux complètement aveugles au bureau militaire.

« Quoi que vous fassiez, dit le bureaucrate, pas le moins du monde radouci, tant que nous n'avons pas la confirmation qu'il a été exempté, il est toujours en Tchétchénie. »

Pendant toute une année, la mère est allée de bureau en bureau, au commandement militaire local, à celui du district, à la direction régionale. Le ministère de la Défense a reçu une lettre à l'écriture appliquée de mère de famille, le gouverneur du district en a reçu une, les parlementaires ont été contactés. Quand elle a appelé l'unité de Nikolaï en Tchétchénie, on lui a répondu que le commandant n'était pas là et que, par conséquent, personne ne pouvait répondre à sa question. « Rappelez plus tard », déclaraient-ils à chaque fois. Par la suite, ils ont arrêté de le lui dire en reconnaissant sa voix. Elle les dérangeait.

« *Tchoujoye gorie komou noujno* ? Le chagrin d'un autre, qui en a besoin ? soupire la mère. Maintenant il est de trop, plus personne n'a besoin de lui. Personne ! Personne ne s'est soucié de rectifier ses papiers. Quand il s'est agi de signer un contrat de trois ans, ils l'ont presque menacé, ils l'ont flatté et finalement ils l'ont acheté – ou escroqué, car il a à peine vu la couleur de l'argent qu'il gagnait –, mais maintenant ! Il n'existe plus pour eux ! »

Sur les documents, Nikolaï a quatre dates de naissance différentes. Sa mère tient les feuilles en l'air et pointe du doigt. La bonne est indiquée sur les papiers de son évacuation : le 12 novembre 1984. La première commission médicale a écrit le 12 juin. Au ministère de la Défense à Moscou, il a rajeuni de deux ans et à l'hôpital du district pour les vétérans de guerre, ils se sont trompés d'un mois.

« Rien n'est précis ! Quelle négligence ! s'indigne la mère. Une vie, qu'est-ce que c'est ? »

Un an et demi après l'accident, en juillet 2006, la lettre qu'ils attendaient est enfin arrivée. Après toute une série d'articles, il est marqué en toutes lettres : « Le soldat est inapte à servir dans l'armée et en est exempté. » *Osvobojdeniye*. Un mot qui en russe a plusieurs sens. Il signifie exemption, délivrance, libération et mise en liberté, mais aussi licenciement et destitution.

Pour Nikolaï, il signifie pension d'invalidité.

Mais une pension d'invalidité partielle. Après un long rapport en plusieurs points, il a été classé parmi les invalides de catégorie deux avec « quelques problèmes de santé, mais partiellement apte au travail ». En point quatorze, on a marqué qu'il n'avait pas besoin d'être assisté. Apte au travail ? Lui ? Sans personne pour le guider ?

Pour obtenir une pension de guerre complète, il lui fallait des papiers indiquant qu'il était un invalide de catégorie un. Après quelques rounds supplémentaires et plusieurs mois plus tard, la mère a enfin réussi à faire enregistrer Nikolaï comme invalide de catégorie un et à obtenir une pension plus élevée. En tout six mille six cents roubles, soit environ cent quatre-vingts euros par mois.

« Trois mille huit cent soixante dix-sept roubles en tant que vétéran de guerre, plus mille huit cents en tant qu'invalide, et puis mille de Poutine.

— De Poutine ?

— Oui.

— Comment ça de Poutine ?

— C'est lui qui les donne.

— C'est aussi lui qui a lancé la deuxième guerre en Tchétchénie...

— Poutine est bien. Il garde le pays uni », répond Nikolaï. Il tend les bras en l'air, les étire vers l'arrière, les laisse tomber et cherche le paquet de cigarettes.

« Te demandes-tu parfois à qui tu dois d'être assis ici dans le noir ?

— Le destin. Tout est écrit d'avance », répond-il seulement.

Depuis son retour chez lui il y a deux ans, il n'est jamais sorti seul. Il reste toute la journée assis à attendre que sa mère rentre. Ils ne vont se promener que le soir, en faisant un petit tour dans la cité.

« Mais tu pourrais peut-être sortir seul avec une canne blanche ?

— Une canne ! Mais je veux vivre !

— Oui...

— Tu n'as pas entendu parler de la criminalité à Oulianovsk ? Les gangs ! Chaque immeuble appartient à l'un d'eux. C'est leur zone. Les gens peuvent être tués juste devant leur entrée ! S'ils me voient tituber avec une canne, c'est comme si je les invitais à me tabasser. Ils s'attaquent de préférence aux personnes sans défense. Ils les frappent jusqu'à ce qu'elles se tordent par terre et là ils les dévalisent. Il y a plein d'histoires dans ce quartier, beaucoup de violence, de récidivistes, de bons à rien, de chômeurs. Il suffit de bousculer légèrement quelqu'un de l'épaule pour recevoir un coup de poing. »

Nous sommes assis dans le séjour et discutons. La matinée est grise. Sa mère est partie à la station d'épuration. La vieille porte du balcon laisse passer un courant d'air froid.

Nous sommes à court de mots. Ma tête est vide. Je n'ai plus de questions à poser. Peut-être devrais-je raconter quelque chose ? Mais quoi ? Parler de ma vie ? De mes voyages ? Des gens que j'ai rencontrés ? Le tic-tac de horloge sur le mur est entêtant. Je me demande si on peut enlever les piles. Sur la commode, il y a un portrait de Nikolaï en uniforme, il a été pris au tout début de son service. Il regarde sérieusement l'objectif.

« Qu'est-ce qui te manque le plus ?

— La vue, bien sûr.

— Oui. Bien sûr. »

Le tic-tac reprend le dessus, et je regarde dehors le ciel gris pâle. J'observe Nikolaï et j'ai l'impression d'être indiscrète.

« Outre la vue, qu'as-tu perdu en devenant aveugle ?

— La liberté.

— Oui, bien sûr, je comprends. »

Bien sûr que non, je ne comprends pas.

Nikolaï se lève et se dirige vers la chaîne stéréo, il met un CD de chansons de soldats. Nous restons assis à écouter des morceaux comme *Russie*, *Deux hélicoptères au-dessus de Mozdok*, *Des hommes au travail*, *De meilleurs parachutistes, ça n'existe pas*, *Les camarades de guerre*, *Les médailles ne peuvent être vendues* et *Parce que nous sommes russes*. Nikolaï chante. Il connaît toutes les chansons. Je l'ai entendu fredonner une chanson sur un soldat qui rentre chez lui en cercueil de zinc. Il la met, augmente le volume, chante à tue-tête. Il est question d'action héroïque, de courage, de la Russie. Parfois il braille, parfois il chantonne. Je reste assise à contempler la tapisserie à fleurs roses et blanches. Les motifs s'entrelacent, ici et là ils sont arrêtés par une déchirure ou un raccord. Par endroits, le papier peint est gondolé par l'humidité. Sur le mur, un tableau représente un bouleau au tronc blanc et au feuillage d'automne qui se reflète dans un lac entouré de montagnes enneigées sous un ciel bleu lumineux.

« Tu as vu la *Neuvième compagnie* ? » demande Nikolaï.

Nous nous installons pour regarder le film. Du moins, Nikolaï écoute. Il a déjà entendu le film plusieurs fois. Il s'agit d'une bande de garçons qui se rencontrent lors de leur service militaire à Krasnoïarsk et qui sont ensuite envoyés en Afghanistan. Nikolaï raconte tout ce qui va se passer. « Là, il va être fusillé. » « Cette colonne va être attaquée. » « Lui, là, il va bientôt marcher sur une mine. » À la fin, la troupe d'élite de la neuvième compagnie reçoit l'ordre de défendre une hauteur, coûte que coûte. Dans le film, c'est le nouvel an et les soldats font la fête. Au petit matin, ils sont encerclés par les Afghans qui massacrent tous les soldats qui sont ivres morts. Les gars envoient désespérément des messages de détresse, mais ne reçoivent aucune réponse. Ils sont abandonnés à leur triste sort. La compagnie est presque anéantie et alors que les quelques survivants gisent par terre en se tordant de douleur, une voiture arrive. Un officier leur annonce que la guerre est terminée. L'Union soviétique va se retirer. Ils rentrent chez eux. Le personnage principal devient fou.

« Rien n'est gratuit, dit Nikolaï.

— Comment ça ? »

Je n'obtiens aucune réponse.

Dans la soirée, nous avons repris place sur les tabourets durs autour de la table de la cuisine. Le fils aîné, Sergueï, et sa femme, Ivana, sont venus nous rendre visite. Klaudia donne à manger des sardines entières à Nikolaï. Elles sont petites et glissantes, elles sont presque impossibles à attraper avec la fourchette, surtout si on ne les voit pas. Quand Nikolaï essaie de les saisir avec les mains, elles lui filent entre les doigts, sa mère les a donc piquées une à une avec la fourchette et a demandé à son fils d'ouvrir la bouche. Depuis l'accident, Nikolaï ne peut plus manger que de la nourriture écrasée ou des sardines, donc, qu'il peut avaler sans mâcher.

De temps en temps, nous levons nos verres de vodka et trinquons à cette rencontre, pour qu'il y en ait d'autres, à l'avenir.

Le voyage en Tchétchénie était le premier voyage de Nikolaï. « Quand j'ai atterri en Tchétchénie, j'ai pensé : oh ! quelles belles montagnes ! Je n'avais encore jamais quitté le district d'Oulianovsk, je n'avais jamais vu de montagnes ni la mer. La mer, je ne la verrai jamais, mais les montagnes je les ai vues. Hautes, enneigées, fières. L'endroit où nous avons été envoyés s'appelle Borzoï, qui signifie taureau je crois. Oh ! comme je déteste cet endroit. Une trentaine de maisons, une école, une mosquée, un café, la place du marché. Personne ne nous a rien fait là-bas, ils avaient trop peur pour ça, mais je me souviens de la haine dans leur regard, même les enfants nous jetaient des coups d'œil mauvais. Les Tchétchènes sont sauvages, comme des animaux. Ils ne sont pas civilisés, ils ne pensent qu'à tuer. Je les déteste. Pourquoi viennent-ils ici ? Ils rampent pour passer la frontière, avec des ceintures d'explosif. Ils veulent nous tuer. C'est notre pays. Le gouvernement doit fermer les frontières. Si nous ne les avions pas laissés venir ici, il n'y aurait pas eu d'actions terroristes.

— Mais ce sont les Russes qui ont envahi la Tchétchénie les premiers », objecté-je.

Personne ne répond.

Sergueï, qui jusqu'ici a regardé la télé dans le séjour, entre. Ivana a bu de la vodka avec nous et vient d'aller voir son mari pour lui demander de nous montrer une vidéo qu'il a sur son téléphone portable. Elle montre un homme pâle, assis les mains attachées dans le dos devant un groupe de combattants qui lisent le Coran. Soudain l'un d'eux saisit l'homme par les cheveux, une main tenant un couteau surgit et la gorge du prisonnier est tranchée. Le sang jaillit. Le corps s'effondre. En quelques secondes, tout est terminé. La tête décapitée est posée sur le corps allongé par terre. Les combattants poussent des cris de joie.

« Voilà les musulmans, dit Sergueï. Si nous ne les combattons pas maintenant, ils nous auront. »

Ivana veut revoir la vidéo et son mari la repasse.

« Des barbares », constate la belle-fille de Klaudia.

Nikolaï sourit.

« Vous vous souvenez de la vidéo où des soldats des services de renseignements tranchaient un sourire à des Tchétchènes. D'une oreille à l'autre, jubile-t-il en passant la main sur son visage, comme un couteau. C'était vraiment cool ! »

— Oui, ils le méritaient bien, dit le frère.

— Mais alors les Russes sont aussi barbares qu'eux, tenté-je.

— Nous nous vengeons seulement de tous les frères que nous avons perdus, répond Nikolaï d'un ton cassant.

— Vous avez perdu et ils ont perdu. Des centaines de milliers de Tchétchènes ont été tués au cours de la guerre, la plupart d'entre eux étaient des civils et parmi eux beaucoup d'enfants, objecté-je.

— Personne n'est qu'un enfant. En Tchétchénie, même les enfants savent se servir d'une arme automatique. Là-bas, ce sont tous des combattants. Ce sont les enfants qui posent les mines. Je parie qu'après que je me suis retrouvé en sang sur la route, ils ont couru chez le commandant pour réclamer leur dû. Que je sois mort ou seulement blessé ne faisait aucune diférence, tant que j'étais inapte au combat, tant que l'armée russe était touchée. Ils tuent qui ils veulent, mais quand nous, nous tuons quelqu'un, nous sommes poursuivis et mis en prison.

— Et quand cela s'est-il produit ?

— C'est arrivé à un des parachutistes, il a tiré dans une maison et a tué une famille. Il a été poursuivi et a pris vingt ans de prison. Vingt ans ! Parce qu'il avait défendu sa patrie !

— Mais s'il avait tué des civils sans défense...

— Des civils ! C'est quoi des civils ? ! En chaque Tchétchène se cache un combattant. Là-bas, personne n'est pacifique.

— Mais une famille sans défense...

— Nous aussi, nous avons des mères », dit Nikolaï.

Klaudia n'a rien dit pendant la discussion.

« Mon fils, c'est à toi de porter un toast.

— Vous savez ce que nous devrions faire ? lance Nikolaï. Larguer une bombe. Une bombe qui réduirait à néant toute la Tchétchénie.

— Et les gens qui vivent là-bas ?

— Eux ? *Nietou tcheloveka, nietou problemy.* Si les gens disparaissent, le problème disparaît, comme disait Staline. Les Tchétchènes ont un fond méchant. Ils sont méchants dans l'âme. Ils sont comme des loups et ils vivent selon les mêmes lois qu'eux. Une fois nous avons découvert que des Tchétchènes qui travaillaient sur notre territoire y avaient posé des mines. Ces Tchétchènes-là n'ont pas vécu longtemps, ah non ! Ils ont été punis sur-le-champ. Les Tchétchènes, il vaut mieux les tuer immédiatement ou ils te tirent dans le dos. »

La belle-fille me regarde de ses grands yeux bleus. « Ils ont le sang chaud, tu comprends », explique-t-elle.

Ivana ressemble à une poupée Barbie, menue et dépassant à peine le mètre cinquante. « Brûlant. La guerre bout déjà en eux à la naissance. »

Elle sourit derrière un maquillage épais. Elle voudrait tant que nous soyons d'accord, que nous condamnions quelqu'un ensemble, resserrer les liens entre nous.

Nikolaï change de guerre et parle des soldats héroïques de la neuvième compagnie en Afghanistan.

Je demande : « Sais-tu combien de gens sont morts pendant cette guerre ?

— Quinze mille », répond-il promptement. Le chiffre officiel des soldats russes tués au combat.

« Je veux dire combien d'Afghans, de civils ?

— Il n'y a pas de civils, répète-t-il.

— Un million et demi d'Afghans. Un million et demi de personnes en dix ans. Et il reste encore six millions de mines depuis que l'Union soviétique a quitté le pays.

— Mais ils ont attaqué les premiers !

— Ils ont attaqué les premiers ? ! L'Afghanistan a été envahi sous Brejnev parce que l'Union soviétique voulait contrôler le pays !

— Comme si l'URSS n'avait pas assez de pays, soupire la mère.

— Non, ils ont attaqué les premiers, exactement comme les Tchétchènes, persiste Nikolaï.

— Comme les Tchétchènes ! Eux aussi ont été envahis par les forces russes ! Eltsine a ordonné...

— Il faut que tu te rases, interrompt la mère.

— Tu vois ça mieux que moi ! » ricane Nikolaï.

C'est à mon tour de porter un toast.

Que dire ? À quoi pouvons-nous trinquer ? À la santé de Nikolaï ? À la paix dans le monde ?

« Que tout aille bien ! » dis-je.

Nous levons les verres. Mais rien de changera. Tout restera pareil.

Nikolaï s'apprête à allumer une autre cigarette, mais cette fois-ci sa mère proteste. L'appartement est recouvert d'un tapis de fumée grise après la discussion intense. « Dehors, dit-elle, sur le balcon. »

Je suis Nikolaï à l'extérieur. Il ouvre les vitres qui ferment le balcon. Nous restons debout et sentons la caresse de la brise. Un doux vent de février.

« Parfois je me demande comment je vais réussir à vivre le reste de ma vie sans voir, dit Nikolaï tranquillement. Quelle vie est-ce ? Y arriverai-je ? En aurai-je le courage ? Une vie enchaînée à maman. Je n'aurai jamais ma propre famille. Qui veut d'un petit copain aveugle ? Qui a besoin de moi ? »

Il fait nuit autour de nous. Les lumières dans les immeubles autour sont presque toutes éteintes. Il est bientôt minuit. Une lune pâle repose dans le ciel.

# Négatif et positif

Les deux hommes et la femme dans le compartiment ont déjà passé une autre tenue.

« Voulez-vous qu'on sorte pour que vous puissiez vous changer ? » demande un des hommes.

Je secoue la tête, un peu gênée.

Je n'ai pas pris le train en Russie depuis dix ans. J'avais oublié que les passagers emportent toujours un survêtement qu'ils enfilent avant le départ et qu'ils suspendent soigneusement les autres vêtements au cintre au-dessus de leur couchette afin de pouvoir les remettre rapidement juste avant d'arriver et de ranger le survêtement dans leur sac. Celui-ci peut alors être plein des taches les plus étranges : une goutte de vodka, un peu de thé noir, quelque chose fait maison, des marques de doigts graisseux. Je n'ai pas pensé au pantalon de rechange et je reste habillée comme je l'étais chez Nikolaï et Klaudia. J'ai un *Je suis différente* marqué sur le front.

Déjà à l'aller, en partant de Moscou, les codes m'étaient revenus en mémoire : les gens se saluent poliment puis font comme s'ils ne remarquaient pas la présence des autres. Pendant un moment, ils vont s'activer dans leur coin : ils feuillettent un journal, regardent par la fenêtre, remettent leurs vêtements correctement et fouillent dans leurs sacs, dont le contenu peut déterminer le tour que prendra le voyage ou la discussion.

Le train haletant nous bringuebale. Je regarde dehors la ville industrielle morne. Je pense à Nikolaï et à tous ceux qui sont rentrés du Caucase, blessés ou traumatisés. *Le syndrome tchétchène* comme ils l'appellent, il s'agit de tous ces soldats qui se réfugient dans la violence à leur retour ou qui sont complètement laminés, comme Nikolaï. Oulianovsk, noirâtre dans le crépuscule, disparaît lentement derrière nous. Il ne reste plus que notre reflet brillant dans la vitre sombre. Autant tirer les rideaux maintenant, le voyage jusqu'à Moscou durera toute la nuit.

Nous avons donné nos billets et nos passeports et on nous a remis le drap, l'oreiller et la couverture. Une contrôleuse énergique et attentionnée nous sert du thé fumant dans des verres aux anses en étain. Du citron ? Un ou deux sucres ?

Le plus âgé des autres passagers – un individu chauve à lunettes, dans la soixantaine, replet et vêtu d'un survêtement en polyester bleuté – sort des boîtes de métal, les unes après les autres. Son compagnon de voyage – un homme piriforme, dans la trentaine, vêtu d'une chemise blanche et d'un pantalon Adidas noir, aux cheveux bruns bien lissés sur le côté pour cacher une calvitie naissante – extrait un grand morceau de viande dont il coupe de gros morceaux.

« C'est ma femme », dit l'homme le plus âgé en riant, qui enlève avec précaution les couvercles pour ne pas salir. Des aubergines à la tomate. Des Pelmeni farcis à la viande. Des cornichons et de l'aneth haché. Des champignons à l'ail. « Elle avait peur que je meure de faim à Moscou. Là-bas les prix sont fous. Elle a cuisiné et s'est activée toute la journée. Je n'ai eu à penser qu'à la vodka ! »

Il met les fourchettes et les cuillers sur le dernier pan de table libre. Les morceaux de viande sont posés sur une planche. Un pain est coupé.

« Vous devez goûter ! Servez-vous ! Reprenez un morceau ! Ne soyez pas timide ! Il y en a encore ! »

Les hommes sont professeurs de mathématiques à Oulianovsk, ils partent pour une conférence à Moscou. Le plus vieux s'avère être l'ancien professeur du plus jeune, mais il précise que celui-ci a davantage percé les mystères des mathématiques que lui. Le collègue proteste vivement.

« Notre enseignement des mathématiques est le meilleur au monde, s'accordent-ils à dire. Nous avons des professeurs excellents. Les étudiants les plus studieux, les plus doués. Et pourtant, pourtant, nous ne sommes pas acceptés dans les universités étrangères avec nos diplômes ! Et ce, bien qu'aucun autre pays ne nous arrive à la cheville. Nous devons désormais baisser le niveau de notre enseignement pour nous adapter aux standards européens et américains. C'est absurde ! »

J'acquiesce poliment, de concert avec la quatrième passagère.

La femme – belle et coquette, elle porte un caleçon violet pimpant et un haut luisant qui met en valeur son corps athlétique – est secrétaire dans une laiterie privée. Elle va à Moscou pour chercher du travail et voir si elle peut échanger son deux-pièces à Oulianovsk contre un une-pièce à Moscou. « Les prix sont déments », soupire-t-elle comme en écho à la femme du professeur dans sa cuisine. « J'aimerais tellement vivre à Moscou », dit-elle en refusant d'un geste de la main la vodka que lui propose le mathématicien. « Il n'y a aucun avenir ici, dans ce bled. Moscou, en revanche, n'est-ce pas une jolie ville ? C'est là que je veux vivre. »

Les deux hommes, contrairement à la femme, sont tout à fait satisfaits de leur situation à Oulianovsk.

« C'est la ville de naissance de Lénine. Vous le saviez ? me dit doctement l'homme replet. Le nom de Vladimir Ilitch était Oulianov. Et qu'est-ce qui vous a amenée dans notre ville ? »

Je leur raconte l'histoire de Nikolaï.

Silence.

Le professeur de mathématiques le plus jeune me regarde dans les yeux.

« Manquez-vous de gens humiliés chez vous pour venir chercher les nôtres jusqu'ici ? »

J'ai trois paires d'yeux braquées sur moi.

« Mais trouvez-vous normal qu'on l'abandonne comme ça ?

— Je trouve en tout cas que vous ne devriez pas venir ici et vous mêler de tout ça.

— Mais il s'est battu pour son pays...

— Oui, et un soldat devrait se taire.

— Mais il devrait quand même être aidé, intervient la jolie secrétaire.

— Peuh ! répond le plus jeune en me regardant.

— Votre livre, continue le professeur de mathématiques le plus âgé, il sera négatif ou positif ? »

Je ne sais pas quoi dire.

Bien sûr, je n'ai pas envie de répondre « négatif », bien que, malgré tout, il risque de l'être un peu.

La secrétaire de la laiterie vient à mon secours. « Vous, les mathématiciens, vous ne pouvez penser qu'en plus et en moins ? Négatif ou positif ?

— Il parle de ceux qui ont été détruits par la guerre. Ceux qui ont été brisés. Qui ont été humiliés, tenté-je.

— Mais pourquoi venir ici pour écrire à ce sujet ? Vous ne pouviez pas critiquer votre propre pays ? demande le jeune professeur en levant les yeux au ciel.

— De quel droit en réalité nous critiquez-vous ? ajoute le plus vieux. Qui vous y a autorisée ?

— Je trouve que les journalistes ne devraient pas se focaliser comme ça sur ce qui est négatif, poursuit le plus jeune. Vous devriez écrire sur des choses positives. Sur ce qui va bien.

— Mais ce serait comme à l'époque soviétique ! répliqué-je.

— Et alors, où est le problème ? En ce temps-là nous étions respectés. Personne ne venait nous expliquer comment il fallait diriger notre pays, à quoi notre société devait ressembler. Nous étions alors une superpuissance, nous étions forts, nous étions craints ! Aujourd'hui, l'Occident croit qu'il peut nous dire ce qu'il veut, faire ce qu'il veut ici. Qui vous en a donné le droit ? »

Le vieux professeur promène un regard rêveur dans le compartiment. « Imaginez, avant, un seul de nos sous-marins atomiques pouvait faire exploser la moitié des États-Unis. »

Il cite les missiles, la conquête de l'espace, les grands scientifiques soviétiques, tout ce qu'ils ont donné au monde.

« Vous pensez que les journaux et la télé ne devraient écrire que sur des sujets réjouissants ?

— Il devrait en tout cas y avoir un équilibre », dit le plus jeune.

Les mathématiciens sont tout à fait en phase avec les dirigeants russes. Peu après notre rencontre dans le compartiment, les employés d'une des plus grandes agences de presse ont reçu l'ordre de diffuser au moins cinquante pour cent de dépêches positives.

J'essaie d'expliquer toutes ces vies brisées par la guerre en Tchétchénie qui a pris la vue de Nikolaï, volé l'enfance de Timour. En Tchétchénie....

« La Tchétchénie ! Qu'est-ce que vous allez faire là-bas ? interrompt le plus jeune.

— Ce sont tous des bandits. Il faut les faire sortir de leur trou, les punir sévèrement ! enchaîne le plus vieux. Staline a fait la seule chose juste quand il les a envoyés en exil. Je connais quelqu'un qui habitait là-bas quand ils ont été déportés, c'était calme et paisible à l'époque, mais voilà que Nikita les a laissés revenir. Ils auraient dû rester au Kasakhstan, il y avait assez de place pour tout le monde là-bas. Pourquoi avaient-il besoin de rentrer chez eux en réalité ? Vraiment, Staline était un homme qui savait maintenir l'ordre !

— Oui, Staline était une personnalité, répond le plus jeune, mais Poutine aussi est un patriote.

— Oui, il est bien. Malheureusement il agit un peu trop souvent de concert avec l'Occident.

— Pour ma part, j'ai pleuré quand Brejnev est mort, glisse la secrétaire.

— La stabilité est ce qu'il y a de plus important, dit le vieux scientifique. L'ordre et la stabilité. »

Un gâteau aux pommes fait maison est posé sur la table.

Non seulement je suis indéniablement différente, mais j'ai également bafoué la règle selon laquelle, lors d'un voyage en train, tout le monde contribue. J'ai refusé le pique-nique que Klaudia a proposé de me préparer et je n'ai qu'une bouteille d'eau dans mon sac à dos presque vide. J'ai trahi les valeurs collectives. J'étais trop préoccupée par *mon propre* voyage.

Nous nous calmons. Nous devons malgré tout partager le même compartiment toute une nuit. Nous avons néanmoins du mal à nous défaire de l'atmosphère pesante. Même avec la bouche pleine de thé et de tarte aux pommes, on sent encore dans l'air les relents de la discussion âpre.

Le plus vieux essaie de trouver un compromis :

« Quand vous écrivez sur la Russie, il faut que vous donniez autant d'éléments positifs que négatifs. Sinon ce n'est pas juste. Il faut que ce soit équilibré. Moins et plus. Égal zéro. »

Il me regarde pensivement sur son siège, juste en face de moi.

« Et sinon, qu'est-ce qui vous plaît en Russie ?

— Moi ?

— Oui, vous.

— Eh bien, euh, la littérature, la musique... » Rien d'autre ne me vient à l'esprit sur le moment. Que m'est-il arrivé ? Il fut un temps où, fascinée et d'une irrépressible curiosité, j'étais à la recherche de l'âme russe. Les voyages en troisième classe à travers le pays avaient éveillé en moi de l'enthousiasme, de l'étonnement. Suis-je devenue trop négative ? Suis-je déçue ?

Repue de toutes les victuailles apportées par le professeur et la tête douloureuse après la discussion, je dis bonne nuit et m'installe sur ma couchette pour lire. J'ai apporté un vieil exemplaire du *Maître et Marguerite*.

Le vieux professeur se lève pour sortir.

« Phénoménal. Il est phénoménal ! s'exclame-t-il. Je l'ai lu cinq fois. C'est le plus beau livre que je connaisse. »

Imaginez ça, le professeur et moi avons le même livre préféré.

Je reste éveillée dans le noir en me disant que je devrais prendre le train plus souvent.

# Le jeune loup et la petite voleuse

> « Quel chemin choisirais-tu : celui qui est envahi par les herbes et les fleurs, ou celui qui est plein de détritus et de traces de voitures ?
>
> Bonne réponse : là où les gens marchent (et jettent leurs détritus) et où les voitures roulent (les traces de voitures), le risque de mine est moindre. »
>
> Brochure d'information destinée aux élèves

Cela commence par une journée ensoleillée. Une tempête, aussi sombre que le plomb, se prépare soudain au-dessus de la cour. Elle se traduit en coups de vent qui se glissent sous les vêtements, ombragent les visages, crispent les traits, assombrissent les fronts et noircissent les pupilles. Le sourire des femmes est balayé, elles s'activent en silence. Malika remue lentement la bouillie afin qu'elle ne prenne pas au fond. Seda coupe les pommes de terre avec un couteau aiguisé et furieux. Louiza engueule les plus vieux : il est temps qu'ils rangent leurs placards. Madina peigne les cheveux des fillettes jusqu'à ce que leur cuir chevelu soit rouge et douloureux. Dans le grenier, Zaour, déprimé, essaie de faire fonctionner l'ordinateur qui rame. Adam récupère de sa garde de nuit. Abdoul, comme d'habitude, ne dit rien.

Seuls les plus jeunes ne remarquent rien et continuent à jouer. Les plus grands voûtent les épaules et regardent par terre. La balle rebondit mollement quelques dernières fois tandis que les enfants se massent en petits groupes silencieux et restent sans rien faire dans la cour en attendant craintivement l'averse.

Mais le soleil continue à taper, le ciel est tout bleu et la chaleur moite. La bâche tendue entre le garage et la salle à manger offre un soupçon d'ombre, mais lui non plus ne permet pas de se rafraîchir. Les fleurs s'avachissent sur la terre maigre. Le jardin est devenu un terrain de poussière craquelé où l'herbe s'effrite. Seuls les melons du potager semblent se plaire dans la chaleur et les lessives sèchent en quelques minutes. Un silence total enveloppe cette journée d'été caucasienne.

Le changement de temps n'existe que dans les esprits.

Les problèmes se sont accumulés à l'orphelinat ces derniers temps. Depuis l'arrestation de Zaour et Saïd, Hadizat et Louiza sont malades d'inquiétude. « *S'ils te prennent une fois, ils reviennent toujours* ». Il faut qu'ils quittent la Tchétchénie.

Un jour Malika n'est pas au travail. Elle passe normalement une nuit sur deux à Belgatoï, chez son mari et son père. Dans ces cas-là, elle quitte l'orphelinat après le dîner et reprend le bus de 6 heures, à l'aube. Mais ce matin-là elle n'arrive pas et le petit déjeuner devrait déjà être servi quand le téléphone sonne.

« Mon cousin a disparu. Ils sont venus le chercher hier soir. »

Hadizat reste avec le combiné dans la main. Un de plus. Dans la même famille. Des hommes en uniformes sombres. La barbe comme le président. « Papa n'arrête pas de pleurer, dit Malika quand elle arrive. Il n'en peut plus. Il a déjà perdu tellement de gens. Deux fils, maman, et maintenant encore... »

Hadizat a en outre reçu une lettre alarmante du bureau du maire à propos de l'appartement que l'orphelinat possède près du stade Dynamo et où Madina habite avec quelques petits. Il risque d'être saisi, les nouvelles autorités estimant que le titre de propriété est un faux. Hadizat a trois jours pour prouver le contraire.

Un nouveau phénomène s'est répandu à Grozny. Des hommes en uniforme se présentent chez les gens avec un avis d'expulsion. L'histoire est toujours la même : les contrats signés sous le régime de Maskhadov, entre 1996 et 1999, ne sont pas valables. Ils ont été délivrés par un État qui n'existe pas, car le régime de Kadyrov ne reconnaît pas l'Itchkérie – la Tchétchénie indépendante. Les récits de gens expulsés de leur appartement, dans lesquels s'intallent des personnes proches de l'élite au pouvoir, sont devenus courants.

Quand Hadizat s'est rendue au bureau du maire deux jours plus tôt, la secrétaire a à peine jeté un coup d'œil au titre de propriété avant de déclarer qu'il était faux.

Madina a découvert un fait inquiétant. L'appartement voisin est occupé par le frère du maire. Et si on abattait un mur... ? Le maire en personne possède trois appartements sur le même palier. La semaine précédente, des hommes en uniforme ont débarqué dans l'immeuble mitoyen et se sont introduits chez une femme qui avait reçu un avis d'expulsion. Ils les ont flanqués à la porte, elle et ses quatre enfants, et ont balancé dans la cour leurs meubles et leurs affaires. Pour finir, ils ont cassé les fenêtres et la porte, afin qu'il soit impossible d'y vivre. L'appartement allait de toute façon être totalement rénové pour le nouveau propriétaire.

Le plus grand souci de l'orphelinat est l'argent. Les prix se sont envolés depuis que les autorités ont mis en branle d'énormes projets de construction dans toute la ville. Quand la Tchétchénie a disparu de l'actualité, l'aide de l'étranger s'est tarie. Hadizat rêve de construire une boulangerie. Le pain augmente sans cesse et il leur en faut de telles quantités ; les enfants qui ne suivent pas à l'école pourraient y apprendre un travail. Mais le budget établi l'année précédente n'est plus valable. La brique coûte deux fois plus cher, les clous, le ciment, les câbles, les fils, ont monstrueusement augmenté, même le prix de l'eau a doublé en un an. L'orphelinat n'a pas l'eau courante, il l'achète en grandes citernes.

Par ailleurs, d'autres enfants ont été confiés à Hadizat. Quand Ramzan Kadyrov a décidé que tous les orphelinats publics de Tchétchénie devaient être fermés parce qu'il « est du devoir de chacun dans l'islam de s'occuper de ses proches, et qu'il n'existe pas d'enfant sans famille », beaucoup ont été renvoyés chez des gens qui ne pouvaient pas ou ne voulaient pas s'occuper d'eux et ils ont de nouveau envahi les décharges et les rues.

Plusieurs orphelins des institutions fermées ont été amenés chez Hadizat, qui peut continuer son activité parce qu'elle est enregistrée comme maison privée et ne reçoit aucune aide publique. Mais elle ne peut pas tous les prendre en charge. Elle n'a ni la place ni les moyens d'acheter du pain, de la soupe, du savon et des cartables pour tous.

Les employés des orphelinats d'État se sont tout à coup retrouvés sans travail, et sans toit également pour beaucoup : plusieurs d'entre eux étaient des femmes seules, qui étaient non seulement payées, mais aussi nourries et logées. Deux femmes russes ont un jour frappé chez Hadizat pour proposer leur aide contre un toit jusqu'à ce qu'elles trouvent autre chose. Elles travaillaient à l'orphelinat de Goudermes. Elles s'appellent toutes les deux Galia et toutes les deux ont les cheveux teints en roux criard. L'une est physiquement imposante et approche de l'âge de la retraite, l'autre est un peu plus jeune et un peu plus mince. Les femmes sont nées en Tchétchénie à l'époque où il n'y avait aucun Tchétchène, alors tous déportés en Asie centrale, et elles n'ont jamais appris la langue locale. Leurs fils, si, et bien que russes, ils se sont battus aux côtés des rebelles quand la guerre a commencé. Les deux Galia ont perdu un fils à la guerre. La plus jeune en avait deux. Celui qui n'a pas été tué au combat était policier et quelques années plus tôt, après le dîner, il avait dit adieu, avait monté l'escalier jusqu'au dernier étage de l'immeuble et sauté dans le vide. « La pression était devenue trop forte », dit un soir Galia, les yeux plissés et pleins de larmes.

En ce matin important, Hadizat s'est levée tôt. Elle est assise à l'aube dans la cuisine de Malika et boit son thé à grandes gorgées. L'échéance tombe aujourd'hui et elle veut être la première dans la file d'attente au bureau du maire. Ses jambes lui font mal et elle a l'impression qu'elles sont en plomb. Elle a couru de bureau en bureau avec ses papiers et ses documents et ses pieds ont tellement enflé qu'elle ne peut plus mettre de chaussures. Elle a des médicaments contre l'hypertension, mais elle a oublié les doses ; à chaque fois que son cœur, sa tête ou ses jambes la font particulièrement souffrir, elle en avale quelques comprimés.

Au moment où le soleil apparaît dans le ciel et que la journée s'annonce une fois encore étouffante, Louiza entre dans la cuisine, le visage sombre. « Rien », répond-elle quand elles lui demandent ce qui ne va pas. Elle ne veut pas perturber Hadizat avant le rendez-vous important chez le maire.

Hadizat se dépêche, ses précieux papiers sous le bras, pour attraper le bus qui l'emmènera dans le centre.

Entre-temps, la tempête se prépare.

L'après-midi est bien avancé quand elle rentre en sueur et essoufflée. Les femmes marchent le regard baissé, les lèvres pincées et la bouche tombante. Elle inspire profondément et met les mains sur ses hanches : « Qu'est-ce vous avez ? Que s'est-il passé ? »

Les enfants qui sortent pour lui faire un câlin reculent et disparaissent. Les plus vieux ont déjà déguerpi. Le nuage est déjà au-dessus de la cour, ceux qui s'y trouvent frissonnent en plein soleil.

Une enfant brille par son absence. Elle est en train de se faire belle dans la chambre des filles. Cet après-midi, elle va retourner dans le quartier où elle habitait avant. Elle retire la robe qu'elle a portée toute la semaine, une robe bleu clair délavée cousue de différents tissus à fleurs. Les vêtements des enfants viennent pour la plupart des collectes envoyées via la Lituanie. Liana garde toujours un tee-shirt en dessous car la robe a des bretelles fines et Hadizat ne permet pas qu'elle la mette à même la peau. Mais elle va tout enlever maintenant. Ils vont être surpris de voir à quel point elle peut être belle.

Douze lits sont alignés dans la chambre. Sur la couverture du sien, elle a posé une autre robe. Elle est rouge, avec une jupe ample à volants et un haut crêpé. Les manches sont courtes et bouffantes. Si elle baisse les yeux quand elle tourne, elle a l'impression de voir une rose.

Elle n'est pas allée à Zavodskoï depuis qu'on est venu les chercher elle et Timour un an plus tôt. Elles y retournent parce que Hadizat a besoin de récupérer leurs papiers, toujours en possession de l'oncle. Ils sont indispensables pour que Hadizat et Malik puissent devenir leurs tuteurs légaux à elle et son frère. Dès que Hadizat sera de retour, elles partiront. Elle doit la guider pour qu'elle trouve l'immeuble, l'entrée, les voisins, les sales mioches. L'oncle et la tante. Elle leur montrera qu'elle est devenue une autre. La petite fille du passé n'existe plus !

Devant la fenêtre, elle coiffe ses cheveux jusqu'à ce qu'ils brillent. Ils dansent autour de sa tête, se dressent et suivent les mouvements de la brosse. Elle essaie de rectifier la frange qu'elle a coupée toute seule quelques jours plus tôt. Elle est très courte et tranche sur sa crinière soyeuse. Hadizat l'avait grondée. « Qu'est-ce que tu vas faire avec une frange, toi qui as les plus beaux cheveux de nous tous ! » avait-elle crié, mais quand elle avait aperçu les larmes dans les yeux de Liana, elle l'avait prise dans ses bras. « Ce sont tes cheveux, c'est toi qui décides. » Liana doit reconnaître qu'avec ses petites pointes, la frange n'est pas particulièrement réussie. Elle contemple gravement son visage pâle dans le miroir. Peut-être devrait-elle demander à Hadizat si elle peut mettre ses boucles d'oreilles en or cet après-midi ?

Quand les filles grandissent, elles reçoivent des boucles d'oreilles. C'est comme une « cérémonie du devenir adulte ». Les bijoux n'appartiennent qu'à elles, ils sont rangés dans une vitrine dans la chambre de Hadizat. Tout le reste passe de l'un à l'autre. Les vêtements, ils les utilisent jusqu'à ce qu'ils soient trop courts. Ils vont alors à un plus petit, tandis qu'eux-même récupèrent ceux d'un plus grand. Pareil avec les chaussures, les cartables et les livres scolaires.

Quand un enfant entre à l'école, il a sa propre étagère. Sur la sienne, Liana a un petit sac verni noir que lui a donné Hadizat. Dedans, il y a un porte-clés avec un singe miniature tout mou, un petit tableau en verre coloré représentant une jolie maison avec un ciel tout tout bleu, un truc en métal qui est tombé d'une fermeture Éclair, deux autocollants de nounours, un vernis à ongle nacré et l'étiquette de la robe rouge – deux morceaux de carton traversés par un fil plastique où le nom de la robe est écrit en lettres anglaises. Elle a coupé cette dernière et l'a cachée. C'est celle de sa nouvelle robe, que personne n'a portée avant elle. Hadizat ne l'a achetée que pour elle. Elle ne l'a jamais mise. Jusqu'à maintenant.

Aujourd'hui elle va leur montrer. Elle est en culotte et vient juste de passer la robe froufroutante au-dessus de sa tête quand Seda ouvre brusquement la porte et crache : « Toi, va dans la cuisine ! »

C'est Louiza qui a fini par le dire.

« Tout l'argent du pain pour la semaine a disparu. »

Hadizat n'a que la force de lâcher un faible « quoi ? » avant de se laisser tomber sur une chaise sous la bâche de la cour. Son visage tremble, ses lèvres aussi, elle n'a qu'une envie : pleurer. Les femmes qui l'entourent ont une mine résignée, épuisée.

« Nous savons parfaitement qui... »

Hadizat cache son visage dans ses mains.

Aucune des femmes n'a eu le courage de tirer l'affaire au clair, même si tout semble désigner le même enfant.

« Va la chercher. »

Seda ramène Liana ; elle a les yeux baissés, se mord la lèvre inférieure et ses bras longs, si longs, pendent.

« As-tu pris l'argent du pain ? »

La voix de Hadizat retentit dans la salle à manger et jusque dans la cour et la cave.

Liana secoue la tête.

« Tu oses, tu *oses* me mentir ? »

Liana secoue la tête.

« Regarde-moi ! As-tu pris l'argent du pain ? »

Liana regarde par terre. Elle a reculé, son coude est désormais appuyé au plan de travail de la cuisine ; elle ne semble tenir debout que par la force de celui-ci.

« Va chercher les autres ! » ordonne Hadizat. Seda ressort en courant et revient avec les enfants qui sont conduits dans la cuisine où le verdict va tomber. On n'entend que le bruit de leurs pas timides sur le carrelage. Ils regardent leurs pieds, tous plus penauds les uns que les autres. Personne ne crie, ni ne montre du doigt. Aucune joie mauvaise dans les yeux.

« Que le coupable se montre ! » s'écrie Hadizat.

Les enfants se blottissent contre le mur. Personne ne bouge. On demande à Liana de quitter le plan de travail auquel elle se cramponne. Les cheveux qu'elle vient de laver et coiffer cachent son visage. Dans sa robe rouge, elle est au milieu de la pièce, seule, un bras tendu le long du corps et l'autre agrippé comme un étau à son coude.

« Je te le demande une dernière fois, tu as maintenant la possibilité de le dire toi-même, as-tu pris l'argent ? »

Liana secoue de nouveau la tête, le regard toujours rivé aux éraflures sur le sol. La cuisine est carrelée, par terre et sur les murs. Le plafond, de style rustique, est le plus beau de la maison ; le bouleau clair, le chêne plus foncé et le noyer presque noir forment un feuillage tarabiscoté. Les néons diffusent une lumière blanche et froide.

Liana s'affaisse de plus en plus, sa tête s'alourdit, ses bras s'allongent, son dos se voûte, elle semble presque vissée au carrelage qu'elle a l'habitude de balayer.

Puis les témoins sont entendus.

Le matin même, Liana a offert une glace à chacun des enfants. Elle les a achetées au kiosque au bout de la rue. Ils ont eu des Cornetto aux copeaux de chocolat emballés dans un papier aluminium brillant, les glaces les plus chères. Les filles les plus âgées ont demandé à Liana où elle avait trouvé l'argent. Quand Liana leur a répondu qu'elle l'avait reçu de Malika, elles ont accepté son cadeau. « Mangez vite, mangez vite, avalez ! » a-t-elle pressé les plus petits. Pour finir, elle les a tellement forcés à se dépêcher qu'ils avaient le visage barbouillé de chocolat et de la glace qui leur dégoulinait dans le cou. Ensuite elle a acheté des Snickers et des Bounty et s'est réfugiée dans un coin, où elle a tout englouti. Tout cela selon les enfants qui, tout penauds, répondent aux questions de Hadizat. Ceux qui l'ont suivie à l'abri des regards ont eu le droit de goûter au coûteux chocolat d'importation.

Les rideaux de dentelle s'agitent légèrement dans la brise. Dehors la nuit a commencé à tomber. Hadizat est au bord des larmes, elle se redresse vers les plus grandes. « Vous avez presque quinze ans ! Vous devriez savoir que l'argent n'est pas le sien ! crie-t-elle. Mais vous dévorez très volontiers de la glace volée. Vous êtes aussi mauvaises qu'elle. On ne vous donne pas assez à manger ici ? Vous manquez de quelque chose ? Tout l'argent du pain ! Huit cents roubles ! Vous croyez qu'il me suffit de remettre huit cents autres roubles dans la boîte ? On ne vous donne rien de sucré ? Malika n'a-t-elle pas passé toute une semaine a faire de la confiture d'abricot pour l'hiver ? On ne vous a pas laissé goûter ? On ne vous laisse pas sucrer votre thé ? »

Puis elle se retourne vers Liana au milieu de la pièce.

« Qu'as-tu fait du reste de l'argent ? »

Silence.

« Tu oses ne pas me répondre ? »

Liana continue à regarder par terre. Des taches sont apparues sur son visage. Des plaques rouges se répandent sur ses joues, sous ses yeux, dans son cou. Mais elle ne bouge pas, ne change pas de position, elle s'affaisse un peu plus, c'est tout.

« Où l'as-tu caché ? »

Elle lève des yeux embués.

« Je n'ai pas besoin de tes larmes ! crie Hadizat. Où est le reste de l'argent ? Tu ne peux pas avoir acheté pour huit cents roubles de glace ! Que va-t-on faire de toi ? » Hadizat jette un regard découragé autour d'elle.

« Il faut la punir sévèrement, dit la plus vieille Galia en se tapant dans la paume des mains.

— Renvoie-la chez son oncle ! Sa place est là-bas », crache la jeune Galia, celle qui a perdu ses deux fils, l'un tué par une balle en pleine gorge, l'autre écrasé sur l'asphalte.

Les femmes tchétchènes ne disent rien.

Liana n'a encore jamais été punie pour ses larcins. Elles avaient toutes pitié d'elle et ont essayé de la prendre par la douceur. Elles pensaient qu'elle finirait bien par apprendre maintenant qu'elle vivait dans une bonne maison. Mais cette fois-ci, Hadizat refuse de la laisser filer comme ça. Huit cents roubles représentent une somme importante.

« Amène l'argent ! crie Hadizat.

— Je l'ai donné, murmure Liana d'une voix à peine audible.

— Donné ? Tu as donné l'argent du pain ? À qui ? »

Liana montre du doigt : « À lui. À lui. Et à lui. »

C'est au tour des garçons de se sentir très coupables. Deux d'entre eux sont des frères, ils viennent d'une institution à Kourtchaloï qui a fermé. Ils sont arrivés maigres comme des clous, leurs genoux semblaient disproportionnés sur leurs jambes. Ils sont là depuis maintenant un mois et se sont un peu remplumés. Les garçons sortent chacun les dix roubles qu'ils ont reçus de Liana. Ils ne savaient pas qu'elle volait.

« D'accord, dit Hadizat. Le reste !

— J'en ai donné cent à Naïd, déclare Liana.

— Quoi ? » Naïd, douze ans, proteste bruyamment. « Ce n'est pas vrai, tu ne m'as pas donné d'argent, ce n'est pas vrai.

— Si !

— Non !

— Si ! »

Naïd est au bord des larmes. Le petit Naïd aux taches de rousseur, le voisin de Timour et Liana qui avait été battu quotidiennement, comme eux. Il est arrivé il y a un an, avec eux. Il était alors tellement meurtri et abusé qu'il ne pouvait plus s'asseoir. Il vient de terminer son année de CM1 avec un diplôme – celui de premier de la classe.

« Tu ne m'as pas donné d'argent, pourquoi tu mens ? » hoquette Naïd.

Liana se tourne vers d'autres enfants.

« Et puis à Marha et Aïchat, je leur ai donné cent roubles à chacune. »

Marha et Aïchat ont accepté l'argent mais l'ont amené directement à Malika. Elles se doutaient qu'elle l'avait volé.

« Tu ne vois pas ce que tu es en train de faire ? crie Hadizat. Non seulement tu voles, mais en plus tu prends soin d'entraîner les autres ! Tu apprends aux enfants à manger des choses volées, c'est ce que tu as fait quand tu as pressé les petits, “mangez, mangez vite, dépêchez-vous d'avaler la glace afin que personne ne vous voie !”. Mais qu'est-ce que tu fais ? Tu les détruis ! Et puis tu distribues l'argent pour avoir des complices ! »

Liana est comme une statue aux cheveux brillants. La robe rouge à volants et au haut crêpé semble tout à coup beaucoup trop grande ; elle flotte dedans.

« Il manque environ six cents roubles encore ! Rends-les !

— Rends-les », répètent Galia et Galia comme en écho.

Mais Liana ne bouge pas. Hadizat dit que personne ne quittera la cuisine tant que l'argent ne sera pas revenu à sa place. Silence. Tout le monde a une sale mine dans cette ambiance délétère et sous la lumière criarde du plafonnier. Un ami de Malik a suivi la scène de la fenêtre ouverte qui donne sur la cour. Il est venu chercher Hadizat et Liana pour les conduire chez l'oncle, car c'était ça le programme de l'après-midi. Il se penche à l'intérieur.

« Coupez-lui les cheveux ! dit-il d'une grosse voix. Ça lui apprendra. J'ai une tondeuse, je m'en chargerai volontiers. »

Galia et Galia approuvent de la tête. « Oui, rasons-la ! »

« Puis je lui peindrai la tête en vert et l'enverrai dans la rue », ajoute l'ami de Malik.

La maman de la maison est complètement effondrée sur sa chaise.

Liana n'a en fait jamais cessé de voler. Elle s'est arrêtée un petit moment, puis les choses ont recommencé à disparaître. Cinquante roubles par-ci, vingt roubles par-là, les barrettes de ses sœurs, les stylos de ses camarades de classe. Elle les stockait sous son matelas jusqu'au jour où ils ont été découverts. Une fois encore. Puis elle a aussi été prise la main dans le sac à la cafétéria de l'école où on peut acheter quelques jus de fruit et du chocolat.

« Les Snickers, Liana ! Les Snickers, c'est à ça que tu dépenses l'argent, n'est-ce pas ? » Hadizat s'est retournée vers Liana, la statue de pierre.

« Non, je n'ai pas de quoi vous acheter des Snickers, déclare Hadizat à la ronde. Je ne gave pas mes enfants de sucreries, nous vous servons trois repas par jour, et vous n'avez pas le droit à un bonbon avec le thé, peut-être ? »

Hadizat se tourne alors vers moi.

« Toute ma vie j'ai essayé d'apprendre à mes enfants à être de bons citoyens, respectueux des lois. J'ai tenu des centaines d'enfants sur mes genoux durant toutes ces années, cela n'a pas toujours été facile : souvenez-vous des premiers garçons qui venaient de la rue, ils étaient pires que ceux-là. Pensez à Adam, regardez Timour, non, cela n'a pas été facile, mais ça, *ça* je ne l'ai encore jamais vécu. Un passé difficile, certes, mais ça fait un an maintenant qu'on l'excuse avec son passé difficile. J'en ai marre de ton passé difficile, Liana ! Les autres enfants, tu crois qu'ils ont eu une vie facile ? Tu as vu les blessures de Naïd, tu te souviens de son état quand il est arrivé ? Et bien aujourd'hui Naïd rapporte les meilleures notes à la maison. Il ne m'a donné aucun cheveu blanc. Combien de fois ne t'ai-je pas excusée, défendue, combien de fois n'ai-je pas demandé à tes professeurs, au directeur, aux parents de tes camarades de classe de te pardonner, combien de fois suis-je allée rendre des choses volées ? Mais ça va durer encore combien de temps ? Combien de temps, Liana ? »

Sa voix s'enroue. Hadizat s'est levée, elle s'appuie lourdement sur la table, les bras tendus.

« Nous ne t'avons jamais punie, Liana. Nous t'avons prise par la douceur. Mais maintenant, l'argent du pain ! Ça va s'arrêter où ? Qu'est-ce que je peux faire ? »

De nouvelles punitions sont proposées mais Hadizat les rejette toutes.

« Te renvoyer chez ton oncle n'est pas une menace, car tu sais que je ne le ferai jamais. T'envoyer dans un orphelinat public n'est plus possible, ils sont tous fermés. T'abandonner dans la rue, je ne le ferai jamais non plus. Laver toutes les toilettes pendant un mois ? Faire tous les travaux ménagers pendant un an ? Rien n'a prise sur toi...

— Une raclée », suggèrent les deux femmes russes habituées à la pédagogie des orphelinats russes. « Ça ne résoudra rien », répond Hadizat. « Battre les enfants ne sert à rien si ce n'est à les rendre plus durs. Il suffit de frapper un enfant une fois pour que le germe de la haine soit planté. La raser n'est pas d'actualité. Elle va retourner à l'école. Ce serait une honte pour nous tous. Pareil pour la peinture verte... »

Peindre la tête en vert est le dernier châtiment trouvé par les kadirovski convertis depuis peu. Il en circule des vidéos sur Internet et sur les téléphones portables. Des couples accusés d'infidélité ont eu la tête tondue et peinte en vert puis ont dû danser la *Lezguinka* devant des hommes en uniforme tapant dans leurs mains pendant qu'ils étaient frappés, qu'on leur donnait des coups de pied, qu'on se moquait d'eux. Sur une vidéo, une femme, la tête peinte d'une croix verte, court nue dans les rues, et cela parce qu'elle aurait couché avec un Russe.

« Hadizat n'agit pas comme ça », dit Hadizat.

Sur le mur derrière elle, le tableau de La Mecque sur verre fluorescent brille. Les citations du Coran sont gravées en rouge, rose et vert. Soudain elle crie : « Dehors ! Tous les enfants, dehors ! »

Ils filent comme des flèches. Le silence règne.

Je tente timidement : « Je crois qu'elle aurait peut-être besoin d'un psychologue. »

Le regard de Hadizat se pose sur moi.

« Je veux pas de psychologue ici, non ! Pas de psychiatre dans ma maison !

— Je connais une pédopsychiatre à Grozny, qui travaille justement avec des enfants qui ont vécu des choses traumatisantes... Elle est...

— Le psychologue dont elle a besoin, c'est Malik ! Elle a besoin d'un père, elle a besoin de discipline, d'une personne qui ne la laisserait pas faire. Qui saurait comment réagir. »

Hadizat pose sa tête dans ses mains.

« Comme si je n'avais pas assez de problèmes ? Les factures, les cartables, les truands du bureau du maire… Je ne peux pas penser qu'à Liana, il y a plein d'autres enfants, plein d'autres problèmes. Plusieurs sont gentils et consciencieux, ils font leurs devoirs et rentrent à la maison avec de très bons carnets de notes. Même s'ils ont des difficultés, même s'ils ont des traumatismes, même si la guerre a perturbé leur scolarité. Ils ont eux aussi besoin que je m'occupe d'eux. Mais à chaque fois c'est elle, elle, elle. J'avais envisagé d'essayer de lui avoir un passeport pour l'envoyer en Lituanie, c'est pourquoi nous avons besoin des papiers qui sont restés chez son oncle, mais maintenant je n'ose plus. Et si elle continue à voler là-bas ? Elle couvrira de honte tous les Tchétchènes. “Ce sont ces voleurs de Tchétchènes” diront les gens en montrant mes enfants du doigt. Ils sont déjà bien assez stigmatisés ici, même si je crois que les gens arrivent à faire la différence entre elle et les autres, car nous sommes là depuis très longtemps. Mais là-bas, ils pourraient en venir à croire que tous les Tchétchènes sont comme ça. »

Pendant l'interrogatoire, Timour est resté devant la fenêtre, tout pâle, le regard passant de l'un à l'autre. Aucun mot, aucun son n'est sorti de sa bouche.

À une époque, il la défendait toujours. Il la couvrait, l'excusait, la soutenait. Quand elle disait : « Ce n'est pas moi, c'est ma main qui se tend toute seule », il essayait de lui apprendre à bien se tenir. Il a donné sa parole qu'elle s'améliorerait, qu'elle arrêterait de voler.

Mais au printemps elle a volé vingt roubles à Malika, qui ne possède presque rien, qui économise sur absolument tout, qui n'utilise jamais d'argent pour elle, qui est la première levée et la dernière couchée, qui leur prépare à manger, qui a toujours un petit mot gentil pour chacun et qui les couvre quand ils font des bêtises. Malika avait laissé vingt roubles sur le bord de la fenêtre, sous le biberon d'Abou Bakar, le bébé que l'orphelinat a accueilli après que la mère célibataire de trente ans lui ait donné de la bière pour qu'il se calme. Un billet de vingt roubles sous le biberon du bébé que seule Malika réussit à calmer. Un jour elle a demandé à Liana d'aller chercher le biberon et le billet a disparu. Liana a fini par avouer qu'elle l'avait pris et Timour a hurlé : « Tu n'es plus ma sœur ! » Il s'est adressé à tout ceux qui l'entouraient, le visage rouge, en larmes : « Je renie ma sœur ! »

Puis il est sorti en courant et n'est rentré à la maison que bien après l'heure d'aller au lit. Cette fois-ci, c'est lui qui s'est fait incendier. Ensuite, il s'est couché sans se laver, et s'est encore fait incendier. Dans sa colère, il avait jeté ses chaussures boueuses sur celles des autres, pour ça aussi il s'est fait remonter les bretelles.

Parce qu'il est si brusque, si déterminé et qu'il obéit rarement, plusieurs des femmes sont mal disposées à l'égard de Timour. Pourquoi ne vient-il pas manger en même temps que tout le monde, mais dix minutes après ? Quand il ne dîne pas avec les autres, pourquoi se permet-il de se servir dans le réfrigérateur, avec des mains sales qui plus est ? Pourquoi croit-il que les règles ne sont pas les mêmes pour lui que pour les autres ?

Puisque Liana continue à voler, Timour ne lui adresse plus la parole. Il l'ignore, quoi qu'elle dise ou fasse. Elle l'implore de revenir sur sa décision, mais n'arrête pas de voler pour autant. Hadizat lui dit que renier sa sœur est un terrible péché, mais il n'écoute personne et fait comme si elle n'existait pas. L'ancien loup en lui revient. Il recommence à casser les choses. Il tabasse les plus petits quand tout le monde a le dos tourné. Un jour, il arrache tous les tuyaux qui conduisent l'eau du toit jusque dans la cour, uniquement parce que les autres garçons ont secoué la tête quand il leur a demandé s'ils le croyaient capable de le faire. Le lendemain, il enfonce la porte du placard à outils plutôt que de passer du temps à chercher la clé. Puis il détruit la sonnette de la porte d'entrée parce qu'il la trouve lente. Il finit toujours dans des bagarres à l'école. Il refuse d'exécuter les tâches qui lui sont assignées. Il ne veut pas faire ses leçons, ne se couche jamais quand il le doit. Il ne respecte plus la prière.

Puis un jour il disparaît.

Un matin, tôt, il claque bruyamment la porte derrière lui et s'en va, le pas lourd. Il prend un raccourci et remonte une des principales artères du centre. Il est entouré d'échafaudages et de charpentes. Les coups retentissent de partout. Il y a des grues à chaque coin de rue. Les ouvriers sont suspendus aux façades des bâtiments par de longues cordes. Ils retirent des fenêtres cassées qu'ils remplacent par des neuves, rebouchent les trous laissés par les balles, maçonnent au-dessus des cratères d'obus. Les nouveaux bâtiments sont peints de couleurs vives. Une des voies de circulation est fermée parce qu'on l'asphalte. Des arbres ont été plantés le long des trottoirs. Timour a l'impression de gêner. Il veut partir. Sa place n'est pas ici.

Il retrouve ensuite un chemin qu'il connaît. Il l'a déjà pris tellement de fois, quand il fuyait. Quand il fuyait vers le talus. En sentant la puanteur, son estomac se noue. Mais il poursuit sa route d'un pas lourd. Il glisse au bas de la pente raide. En bas, rien n'a changé. L'endroit est toujours mort, sans aucune autre vie que celle des chients errants. Il jette un œil autour de lui. Ramasse une pierre, la soupèse. Il regarde vers la meute de chiens et siffle, mais non, pas maintenant. C'était avant. Il envoie la pierre aussi loin que possible dans la rivière, puis continue à lancer des cailloux. Le courant est fort, ils ne font aucun rond, ils disparaissent, c'est tout. Ils tombent au fond.

Tandis qu'au-dessus, le long de la route, Grozny se relève, la décharge reste un endroit oublié. La rivière est sale comme avant, le bric-à-brac est le même. Le courant a dû emporter les restes de la cabane qu'il avait construite autour des tubes vides, qui sont toujours là. Il remonte vers la grande décharge. Près de quelques maisons en ruine, il voit des gros blocs de briques. On n'en tire plus un aussi bon prix, car les gens veulent désormais construire avec des briques neuves, mais quand même. Quelques garçons tapent sur le mur pour le casser en morceaux et en retirer le crépi. Ils ont des haches, des pieux. Timour les observe, l'œil noir. Certains sont de vieilles connaissances. Tout à coup il remarque comme il est bien vêtu, avec ses belles tennis bleu clair aux bandes bleu foncé envoyées par quelqu'un de l'étranger. Le garçon à côté de lui porte des chaussettes trouées dans des bottes boueuses de taille adulte qu'il perd en marchant. Il doit sans cesse remonter son pantalon pour ne pas qu'il tombe.

Sans réfléchir, Timour se met à enlever le béton d'une armature en fer qui gît par terre. Il entasse la ferraille. C'est plus lourd qu'avant. Il n'a plus de couteau sur lui et en quittant la maison, il n'avait pas pensé descendre ici. À ce moment-là il n'avait qu'une idée en tête : être délivré de toutes ces femmes et des mioches.

Il se coupe la main sur un bord. Un clou entre dans sa chaussure. Le pantalon est déchiré. Ses cheveux se graissent, ses joues noircissent. Mais le tas grossit, rapidement. Il est particulièrement habile. *Vif comme un écureuil, glissant comme une anguille, souple comme un renard.* L'odeur de la liberté est celle du métal rouillé, de l'acier noirci, du contenu d'un vieux réfrigérateur. Le tas augmente. Il se retourne sans cesse vers lui, veillant à ce que personne ne file avec sa ferraille. On ne peut faire confiance à personne ici. La sueur coule et se mêle à la poussière du fer et à la saleté de la décharge.

Une fille passe avec son cartable.

Il a un petit pincement. Lui aussi va à l'école maintenant. Le premier cours a déjà commencé. Il devrait être derrière son pupitre. Mais sa place est ici. Il déteste sa classe. Il déteste ses professeurs. Il déteste rester sagement assis.

Dans la soirée, la voiture qui embarque tout ce qui a été rassemblé passe. Timour se retrouve avec quelques billets en main. Il les lisse fièrement et les met dans sa poche. Il repart lentement vers la maison, où il entre à pas de loup ; les autres sont déjà couchés.

Seda vient à sa rencontre et lui assène une gifle cuisante. « Où étais-tu ? Tu es dans un de ces états ! »

Il s'arrache à sa poigne.

« Putain ! crie-t-il.

— Qu'est-ce que tu as dit ? siffle Seda.

— Putain ! Sale putain !

— Quand maman saura... ! »

Seda est au bord des larmes. Elle est sans voix. On ne parle pas comme ça à l'orphelinat. Mais plus personne ne parvient à le maîtriser. Il se dérobe, n'écoute pas, s'échappe.

Au bout d'une semaine, Timour s'achète un vélo. Un vieux vélo d'occasion certes, mais un vélo. Il sillonne Grozny. Il se promène au milieu des immeubles en construction et dans les quartiers toujours en ruine. Partout, sauf à Zavodskoï, où il risquerait de rencontrer l'oncle. En même temps, il voudrait bien tomber sur lui, mais il faut qu'il soit prêt pour cela. Il doit établir un plan.

Ce sont les vacances d'été. Le niveau sonore est monté d'un cran. Les enfants sont désormais tous dans la cour en même temps. Quand les plus petits jouent au ballon, il arrive que Timour surgisse, le leur prenne ; quelques minutes après il n'en reste plus rien. Hadizat avait mis la main sur une petite piscine en plastique pour rafraîchir les plus jeunes. Dès le premier jour, Timour s'est jeté dedans tout habillé et l'a piétinée si violemment qu'elle a éclaté et s'est transformée en un tas mouillé, avant de sécher elle aussi sous les rayons du soleil brûlant. Quand les petits n'ont pas le droit de faire quelque chose, Timour les provoque : « Fais-le quand même. Prends-le quand même. » Ils le craignent tous, car ils ne savent jamais de quelle humeur il est.

Timour est celui qui a le plus changé pendant mon séjour à l'orphelinat. La première fois que je l'ai rencontré, il faisait tout pour être exemplaire. Il est maintenant en train de torpiller cette tentative. On a l'impression qu'il fait son possible pour que les gens le prennent en grippe. Un jour, je m'assois à côté de lui sur les marches de la terrasse.

Je lui demande : « Pourquoi tu fais tout ça ? »

Il se tourne vers moi. Ses yeux se rétrécissent.

« Je suis mauvais.

— Comment ça, mauvais ?

— Au fond de moi. »

Il montre du doigt. « Au fond de moi, dans mon cœur, c'est plein de méchanceté. Je suis mauvais.

— Mais tu peux choisir de l'être ou de ne pas l'être !

— Non, tout en moi fait que je suis méchant. Je suis mauvais et méchant.

— Et tu ne peux rien faire pour te débarrasser du mal en toi ? »

Timour se tait. Ses yeux verts me regardent sous des sourcils sombres. Je contemple son visage. La peau est lisse et délicate, il a des lèvres pleines, rouges. Mais c'est tout ce qu'il y a de doux en lui. Le reste est décharné et anguleux.

« Si, il y a une chose que je peux faire », dit-il.

Je le regarde.

« Quoi ?

— Il y a une chose que je peux faire. Une chose que je *dois* faire. Je dois le tuer. Alors seulement je pourrai être bon.

— Mais, Timour...

— J'y pense tout le temps. Ce que j'ai vu. C'est toujours là. Je dois le tuer. Je dois le regarder dans les yeux. Voir sa peur. Voir comme il me craint. Puis je le tuerai. C'est la seule façon pour que le mal en moi disparaisse. Alors seulement je pourrai être bon.

— Et ce mal, comment le ressens-tu ? »

Timour réfléchit. Il reste silencieux un long moment.

« C'est comme un incendie, un feu, dit-il finalement. Ça brûle, ça pique. C'est comme si mon cœur se consumait. Ça fait tellement mal, et je ne sais pas comment l'éteindre. »

Hadizat et moi partons un jour dans la ville-usine. Liana n'a finalement pas eu le droit de nous accompagner. Timour non plus. Hadizat a trop peur de ce qu'il pourrait faire. Aidées par les voisins, nous trouvons la femme de l'oncle, « la méchante tante » comme l'appellent le frère et la sœur.

Elle tremble comme une feuille, elle est fortement maquillée et porte un corsage léopard et une jupe sale en loques.

« Que voulez-vous ? »

Hadizat explique et la femme dans l'entrebâillement de la porte écoute avec des yeux craintifs. Elle approche la trentaine, elle est maigre et pâle. Elle porte un bébé sur un bras et tend sa main libre vers deux petits enfants. Elle accepte de discuter avec nous. Nous partons nous promener jusqu'au bout de la cité. Nous nous asseyons sur un banc près d'une route bruyante et encombrée, afin que personne ne nous entende.

« Ils vont bien ? » demande-t-elle d'une voix tremblante.

Hadizat lui explique qu'elle a besoin de leurs papiers.

« Vous ne me croirez sûrement pas, mais je ne leur souhaite que du bien. »

La femme pleure.

« Je vis un enfer. Je ne sais pas quoi faire. »

Elle raconte sa vie avec l'homme auquel on l'a mariée trois ans plus tôt, sans qu'elle le connaisse presque ; Timour et Liana habitaient déjà chez lui. La plupart du temps, il l'envoyait chez ses parents. Il voulait rester seul avec les enfants.

« Le frère et la sœur ont été terribles dès le début, dit-elle. Avez-vous déjà vu des yeux aussi mauvais ? Les enfants sont pervertis. Mais ils n'ont jamais rien vu de bien dans leur vie non plus, les pauvres. Mon mari les allongeait sur le sol et les frappait avec un câble. Je ne pouvais rien faire. Ils me détestent sûrement à cause de ça. Quand nous partions dans la maison que mon mari a dans un village, il attachait Timour en laisse, comme une vache, et se moquait de lui. Et ici, vous savez ce que Timour a fait ? Il a lâché un petit de deux ans dans un trou profond ; personne ne l'a entendu crier et il y est resté jusqu'au soir. Quel garçon méchant. Plein de sang et de boue. Il molestait les plus petits que lui. Liana aussi. Elle pinçait et mordait. »

Un jour, Liana lui a raconté que son oncle abusait d'elle. Peu après, la police est venue les chercher.

« Mon mari est devenu complètement fou. Je n'ose jamais le laisser seul avec mes filles. Il peut très bien leur faire la même chose, pleure-t-elle.

— Comment pouvez-vous vivre avec un homme pareil ? demande Hadizat.

— Je ne souhaite rien de plus dans la vie que de le quitter.

— Alors faites-le, vous avez de bonnes raisons pour cela. L'islam l'acceptera. Vous devriez aussi porter plainte contre votre mari. Imaginez que ce monstre est en liberté ! »

Hadizat pince les lèvres, amère.

« Si je le dénonce, mon frère me tuera.

— Quoi ?

— J'ai demandé à mon frère ce que je devais faire. Il a dit que si je portais plainte contre mon mari, il me tuerait de ses propres mains. Une femme qui dénonce son époux serait trop honteux pour notre famille. “Une femme doit toujours soutenir son mari”, a-t-il dit. Mais, Hadizat, vous ne pouvez pas porter plainte contre lui ? s'exclame-t-elle. Hadizat, s'il vous plaît, faites-le !

— Nous n'en avons pas les moyens, répond Hadizat. Nous n'avons pas de quoi payer un avocat. Et sa vengeance sera terrible quand il sortira. Cela peut avoir des répercussions sur tous nos enfants. De plus, s'il n'est pas condamné, s'ils n'ont pas assez de preuves, il sera toujours là. Assoiffé de vengeance. »

Les femmes restent assises en silence. La circulation qui passe devant nous est poussive.

Je demande : « Vous n'avez aucun endroit où aller ?

— Je dois rester à cause des enfants.

— Emmenez-les.

— C'est lui qui en a la charge. »

« Nous t'accueillerons si tu viens, mais tu dois laisser les enfants, avait dit le frère. Si tu les emmènes, nous les renverrons chez lui. »

En Tchétchénie, en cas de divorce, les enfants suivent le père. Si le mari meurt, c'est sa famille qui en a le droit de garde, même si la mère est encore en vie. En général, la femme emménage chez ses beaux-parents ou chez un de ses beaux-frères avec les enfants. Si elle se remarie, elle doit les laisser à la famille de son ex-époux, et souvent elle ne les revoit jamais.

« Je ne peux pas les laisser chez lui. Il les frappe s'ils le gênent, s'ils l'irritent. Et puis j'ai tellement peur pour mes filles... Mais il faut que j'y aille maintenant, il va se fâcher... »

La femme tremble.

« Je vais essayer de trouver les papiers », promet-elle.

À la maison, je me glisse auprès de Liana, toute chiffonnée dans un coin. Personne ne veut jouer avec elle, personne ne veut lui parler. Elle a les jambes à plat par terre, repliées, ses bras pendent lourdement sur le tapis. Elle a la tête rentrée dans les épaules, comme une vieille femme. Elle écoute les discussions autour d'elle. Elle suit d'un regard vide ceux qui parlent.

Elle lève les yeux quand j'arrive, mais ne dit rien.

Je ne sais pas non plus quoi dire. Liana regarde ses ongles. Elle a encore fait une bêtise. Elle a raconté à une fille de sa classe que son oncle avait abusée d'elle. La fille l'a écoutée, sans voix, et Liana a eu le sentiment qu'elle avait enfin trouvé une amie avec qui tout partager. Mais le lendemain, la fille est venue vers elle et lui a dit : « Tu n'es plus une vraie fille », puis elle a raconté la confidence à toute la classe. Par ailleurs, juste avant les vacances d'été, on a annoncé à Liana qu'elle devait redoubler son CM2, car elle n'avait strictement rien appris.

Sur les ongles, elle a des traces de vernis nacré qui s'écaille. Liana les gratte. Quand Hadizat a cherché l'argent du pain dans son placard, elle a trouvé le sac noir et l'a ouvert. Le vernis à ongles nacré appartenait à Hadizat, le porte-clés avec le singe aussi, les petits en Lituanie le lui avaient envoyé pour son anniversaire. Dans sa colère, Hadizat a vidé le sac sur le sol et en a jeté le contenu.

La seule chose qui reste sur l'étagère de Liana, c'est la robe rouge à volants au haut crêpé. Elle sera bientôt trop petite pour elle et sera donnée à une autre.

Deux filles passent devant le coin sans la regarder.

La veille, Adam et Zaour l'ont attachée à une chaise puis ils ont sorti les ciseaux et l'ont menacée. Elle avait encore volé, et les autres enfants n'en peuvent plus. Marha et Aïchat ont beau avoir un an de moins, elles seront dans la même classe qu'elle l'année prochaine. Elles ont déclaré à Hadizat qu'elles refusaient d'aller à l'école si Liana y était. Dans leur classe, on avait commencé à les montrer du doigt, elles aussi. « Enfants de Bassaev ! Enfants de Maskhadov ! avaient-ils crié. Bande de voleurs ! »

« En plus, elle est bête comme une *kolkhoznitsa* – une paysanne, se sont plaintes les deux sœurs. Ça ne sert à rien qu'elle aille à l'école, on ne peut rien lui faire rentrer dans le crâne de toute façon. »

Hadizat s'est mise en colère.

« Si vous ne voulez pas aller à l'école parce que Liana y est, alors n'y allez pas ! »

Les deux bonnes élèves ont boudé.

Le soir, Hadizat m'a dit, épuisée : « Tous la rejettent. Mais je ne suis pas ce genre de mère. Je ne peux pas échanger comme ça une mauvaise Liana contre une bonne ! »

Le soir tombe. Liana se lève, c'est l'heure d'aller au lit, elle veut m'accompagner dans ma chambre et me montrer son journal, dit-elle. Elle marche lourdement. Il est loin le temps où ses pieds touchaient à peine le sol, le pas dansant de l'elfe. Elle a la tête rentrée dans les épaules, le dos voûté. Liana veut que nous nous asseyons sur le banc devant la chambre que je partage avec Hadizat.

Un souffle froid déchire l'air. La bâche bleue qui est tendue au-dessus de la cour pour faire de l'ombre se gonfle, et soudain un coup de vent la soulève.

« Je ne pourrai jamais oublier le passé », dit-elle en me regardant, avant de baisser les yeux et de contempler de nouveau ses ongles.

Les gouttes tambourinent sur la toile plastique.

« J'ai peur d'aller me coucher. Les nuits sont tellement affreuses. Je fais plein de mauvais rêves. Mais le matin, quand je me réveille, je n'ai qu'une envie : continuer à dormir. Je ne veux pas que la journée commence. La nuit, j'espère ne plus jamais me réveiller. Chaque jour je prie pour arrêter de voler. Mais Dieu ne m'aide pas. Je ne sais pas pourquoi. Peut-être que je ne le mérite pas. »

Le pommier sauvage derrière le portail du voisin bruisse.

Liana n'est pas spécialement gentille. Parfois elle frappe les petits, d'autres fois elle les câline. Elle n'est pas particulièrement bien élevée, pas spécialement méticuleuse, elle est lente, elle se dérobe. Dans ses feuilles de cours, il y a des cœurs dessinés au feutre rouge là où il devrait y avoir des chiffres. Un arbre de Noël décoré griffonné au stylo bille se trouve sur la page où il devrait y avoir un poème. Elle lève le cahier qu'elle serre entre ses doigts.

Une page est arrachée.

Elle me glisse une feuille froissée dans la main.

« Tu peux la donner à maman ? »

Je hoche la tête.

« Lis-le d'abord, je n'ai pas fait de fautes ? »

Je lisse la page chiffonnée. Dans un cadre ondulé, dans son russe maladroit, elle a écrit :

« *Maman ! Je suis désolée de ce que j'ai provoqué. S'il vous plaît pardonnez-moi. Vous faites tant pour moi. Je vous aime très fort. J'ai très honte. Je vous donne ma parole que je ne jamais. Je vous ai fait beaucoup de peine. Pardonnez-moi ! Liana.* »

# Remerciements

Je tiens à remercier tous ceux qui ont partagé leur histoire avec moi.

Je remercie tout particulièrement Hadizat et Malik, grâce à qui j'ai pu rencontrer des enfants de Grozny, afin de mieux comprendre ce qui se passe quand on grandit pendant la guerre.

J'aimerais aussi remercier tous ceux qui travaillent au bureau de Memorial à Grozny, et particulièrement Chamil et Lida qui m'ont aidée dans mes voyages.

Les deux personnages principaux, Hadizat et Malik, ont lu et approuvé leur propre histoire, celles des enfants et tous les passages sur l'orphelinat.

Tous les noms des enfants ont été changés. Les adultes ont eux-mêmes choisi s'ils voulaient conserver ou non leur identité.

Participer à un livre comme celui-ci représente un risque, mais comme l'a dit Hadizat : il est aussi dangereux de se taire.

Toutes les personnes mentionnées dans ce livre ont choisi de raconter leur histoire. Je tiens à les remercier de leur courage exceptionnel.

Oslo, le 17 octobre 2007
Åsne Seierstad

# Table

*Photocomposition PCA*

*Impression réalisée sur CAMERON par*
*BRODARD ET TAUPIN*
*La Flèche*
*en février 2008*

*Imprimé en France*
Dépôt légal : mars 2008
N° d'édition : 01 – N° d'impression : 46085